I0511079

L. Durey, R. Hirschberg, R. Leroy
R. Mesnard, G. Rosenthal, H. Stapfer, F. Wetterwald
E. Zander Jᵒʳ.

Manuel pratique

de

Kinésithérapie

BIBLIOTHÈQUE NATIONALE
R.F.

FASCICULE III

G. ROSENTHAL

*Maladies respiratoires (méthode de l'exercice
physiologique de la respiration.)*

Avec 50 figures dans le texte.

LIBRAIRIE FÉLIX ALCAN.

MANUEL PRATIQUE

DE

KINÉSITHÉRAPIE

BIBLIOTHÈQUE NATIONALE
R.F.
IMPRIMÉS

MANUEL DE KINÉSITHÉRAPIE

PAR

L. DUREY, R. HIRSCHBERG,
R. LEROY, R. MESNARD, G. ROSENTHAL, H. STAPFER,
F. WETTERWALD, E. ZANDER J°ʳ

MANUEL PRATIQUE

DE

KINÉSITHÉRAPIE

PAR

L. DUREY, R. HIRSCHBERG, R. LEROY
R. MESNARD
G. ROSENTHAL, H. STAPFER, F. WETTERWALD
E. ZANDER Jor

FASCICULE III

Georges ROSENTHAL

Maladies respiratoires [méthode de l'exercice physiologique
de la respiration].

AVEC 48 FIGURES DANS LE TEXTE

PARIS

LIBRAIRIE FÉLIX ALCAN

108, BOULEVARD SAINT-GERMAIN, 108

1912

Tous droits de traduction et de reproduction réservés.

MALADIES DES VOIES RESPIRATOIRES

PAR

GEORGES ROSENTHAL

DOCTEUR ÈS SCIENCES, EX-CHEF DE CLINIQUE A L'HOPITAL SAINT-ANTOINE
PRÉSIDENT DE LA SOCIÉTÉ DE KINÉSITHÉRAPIE DE PARIS
LAURÉAT DE L'INSTITUT ET DE L'ACADÉMIE DE MÉDECINE

Sous la dénomination de Kinésithérapie des voies respiratoires, il faut entendre un groupement de méthodes physiothérapiques basées sur le mouvement. Ces méthodes, les unes essentielles, les autres accessoires ont pour but de favoriser le développement anatomique et physiologique de l'appareil respiratoire à l'état de santé, de maintenir dans son intégrité et de ramener à l'état normal cet appareil au cours des maladies générales ou locales, de combattre les différentes localisations morbides qui peuvent affecter ce système au cours des affections aiguës ou chroniques.

Le fonctionnement de l'appareil respiratoire jouit de la rare propriété d'être à la fois conscient et inconscient, spontané, automatique et volontaire. Nous pouvons, à la seconde précise où nous le désirons, en supprimer l'automatisme pour en régler la marche et l'allure. La kinésithérapie respiratoire pourra donc être directe contrairement à la rééducation du cœur qui sera indirecte ou réflexe en grande partie.

La kinésithérapie respiratoire gravite presque entièrement autour de la méthode dénommée autrefois gymnastique respiratoire. Il faut la désigner depuis qu'elle est devenue vraiment médicale sous le nom de *méthode de l'exercice physiologique de respiration*. Cette méthode est le pivot de la kinésithérapie respiratoire : elle doit s'allier à d'autres techniques. L'importance des attitudes, le développement suffisant des muscles, la nécessité de la force nerveuse exigent une contribution importante, préalable, concomitante et consécutive de la gymnastique pure, du massage (dont nous aurons, à ce point de vue particulier, à préciser l'emploi), et de l'électrothérapie, médication physique qui ne rentre pas dans le cadre de la kinésithérapie.

Avant le début de cette étude, nous tenons à bien poser le problème kinésithérapique dans les deux aphorismes suivants[1] :

1. La kinésithérapie respiratoire est une thérapeutique fonctionnelle physiologique.

2. Il n'existe pas, *il ne saurait exister d'opposition entre le traitement kinésithérapique et le traitement diététohygiénique ou médicamenteux des affections des voies respiratoires :* kinésithérapie, cure d'air, régime alimentaire, médicaments, etc., sont autant d'armes à utiliser selon les indications. Les opposer l'une à l'autre, c'est sortir du domaine scientifique pour tomber dans une polémique regrettable ; les nier l'une ou l'autre, c'est faire preuve d'un esprit rétrograde et antiscientifique. Nous n'avons jamais voulu encourir ou mériter l'un de ces deux reproches, trop justifiés hélas ! pour beaucoup de médecins, même illustres.

1. *Société de kinésithérapie,* octobre 1911 et novembre 1911, 1912, discussion générale de la question.

CHAPITRE PREMIER

APERÇU HISTORIQUE

C'est à l'illustre Ling que doit remonter l'histoire médicale de la gymnastique respiratoire ; nous disons histoire médicale, car il semble que chez certaines nations [1] l'usage de la gymnastique respiratoire remonte aux temps les plus reculés. Ling, créateur de la gymnastique d'analyse, remplace la respiration d'effort par la respiration directement provoquée ; il en étudie l'importance et l'emploi. Son élève Zander crée la mécanothérapie ; comme on le verra plus loin, nous croyons l'emploi respiratoire de cette méthode assez limité ; il n'en reste pas moins vrai que seule la mécanothérapie permet la mobilisation de certains obèses, d'un grand nombre de pléthoriques, asthmatiques et emphysémateux. Seule elle rend possible les longues séances de répétition d'un mouvement sans variation.

Le mouvement scientifique s'est poursuivi dès lors dans des directions diverses.

Les Suédois, élèves de Ling, continuent la doctrine du Maître. Cette doctrine se répand en France où elle tend à devenir et devient la gymnastique officielle. Le traité de Wide traduit par Bourcart, le traité de Levertin s'ajoutent aux beaux travaux de Lagrange, maître éminent tant par la valeur même de ses écrits que par leur date d'apparition.

1. Voir l'Introduction de Wetterwald.

Tissié (de Pau) dans une série de recherches s'est fait l'apôtre de la propagation de la technique suédoise. Plus récemment Mme Nageotte Wilbouchevitch, Maurice Faure, Desfosses ont publié d'importants travaux. Citons aussi les travaux du commandant Lefebvre et le manuel de Vuillemin.

Cependant en Allemagne, l'attention est appelée non seulement vers la gymnastique suédoise mais vers le traitement médical de l'asthme et de l'emphysème; et le traité récent de Hugues de Wiesbaden ignoré des auteurs français et allemands résume l'importante bibliographie allemande[1] en même temps qu'il marque une évolution médicale intéressante (1905).

C'est en France et dans les pays de langue française que la gymnastique respiratoire va quitter le caractère empirique pour s'élever à la hauteur d'une méthode médicale. En physiologie, Paul Bert, Marey, Gréhant, par les méthodes expérimentale, graphique et chimique, précisent le mécanisme de la respiration récemment encore étudié par le professeur Robin. Demeny, élève de Marey, continue l'œuvre de son maître[2]. Reymond, de Genève, dans une série d'articles de la *Revue médicale de la Suisse Romande* traite par la gymnastique respiratoire l'asthme, l'emphysème et l'adénopathie trachéo-bronchique. Surtout, une place à part doit être laissée à l'œuvre magistrale du professeur Maurel, qui dès 1890 décrit, dans le *Traité de l'Hypohématose*, le traitement kinésithérapique des anémies.

1. Nous devons la connaissance et la traduction du traité de Hugues de Wiesbaden à notre distingué confrère de Challes, le Dr Mathieu. Ce traité est des plus importants, car il constitue parallèlement à nos recherches et, je crois postérieurement à elles, une étude des plus complètes de systématisation médicale.

2. Philippe a protesté contre l'absolutisme de la doctrine suédoise et récemment Bocquillon (*thèse de Paris*, 1904-1905, n° 441) a démontré dans une thèse très étudiée qu'il ne fallait pas abandonner la gymnastique des agrès.

Marcel Natier, dont les recherches parues dans *la Parole*, périodique peu connu, passèrent pour beaucoup inaperçus, a fait d'importants mémoires malheureusement conçus avec une interprétation trop spéciale.

En Amérique, Knopf publie dans le *Bulletin de l'Hopskin Hopital* un mémoire de premier ordre sur l'emploi de la gymnastique respiratoire dans le traitement de la tuberculose pulmonaire. Rappelons que dans son cours de thérapeutique à la Faculté, notre vénéré maître Hayem prévoyait l'essor de la physiothérapie et lui faisait une place importante, etc.

Néanmoins, bien que Maurice Faure ait soutenu la pathogénie du laryngo-tabes par incoordination motrice avec traitement par la rééducation du larynx, bien que Derecq ait publié dès 1893 une observation de guérison d'accidents de tuberculose pulmonaire initiale par la gymnastique respiratoire, malgré Vuillemin et tant d'autres, la doctrine régnante enseignait que la kinésithérapie pulmonaire doit s'éclipser dès qu'il survient lésion ou menace de lésion inflammatoire du poumon. Cette doctrine est exposée dans les rapports très documentés de Gunzbourg et de Munter du premier Congrès de Physiothérapie de Liége 1905 [1]. Or à ce même Congrès, nous présentons l'étude de l'emploi systématique de l'exercice de respiration dans la cure et surtout dans la prophylaxie de la germination tuberculeuse (sommet de Grancher). Depuis 1903, dans une série de mémoires, nous avons étudié l'adaptation au traitement des affections des voies respiratoires de

---

1. Un ténor français, Joseph-Ferdinand Bernard, conçut par intuition la gymnastique respiratoire médicale. Ses publications vers 1850 sont fort curieuses sans être toujours scientifiquement exactes.

La monographie de Guermonprez (1907) contient des indications bibliographiques très nombreuses surtout au point de vue de l'éducation physique.

l'exercice de respiration. La substitution de la notion directrice de l'exercice physiologique substituée au gavage d'air,
malheureusement encore incomprise dans une thèse récente,
la notion de la qualité du mode respiratoire substituée à la
notion de quantité, la nécessité de la libération initiale du
rhino-pharynx (cure anatomique) avant la cure respiratoire
(cure physiologique), l'importance d'une technique rigoureuse récompensée par des résultats constants au cours des
convalescences, des pleurésies, des bronchites à rechutes, etc.,
la précision apportée à l'étude des contre-indications au cours
de la tuberculose pulmonaire ont marqué notre contribution
au développement de la kinésithérapie pulmonaire [1] reconnue
par Glénard, le professeur Maurel, Mme Nageotte, Pauchet, Hirtz
et tous nos collègues de la Société de Kinésithérapie qui nous
ont appelé à sa présidence : en même temps, au point de vue
orthopédique, scolaire, éducatif un grand nombre d'auteurs
comme Mme Nageotte, Dufestel, Tissié (de Pau) apportaient un
grand nombre de documents importants qui seront mieux à
leur place au cours de cette étude. Nous retrouverons également
au cours de notre étude les recherches de Cyriax de Londres,
les travaux et les confirmations de Siems, de Menton, Danjou
de Nice, Desfosses, Labouré d'Amiens, etc... ainsi que les
thèses de Malbec, Simonin, Lagarde, Langlois, Boiet, Deviard,
Vigneron, etc... et les monographies récentes de Germonprez,
Desfosses, Mme Nageotte [2], postérieures à notre monographie
du traité de Grancher.

1. Voir IIIe Congrès de Physiothérapie, Masson, 1910, le remarquable
rapport de L. de Munter sur l'Éducation de la fonction respiratoire chez
les malades.

2. Pour la documentation suivre les périodiques, Journal de Physiothérapie, Pratique des agents physiques, Revue de Kinésithérapie. Voir
les comptes rendus des Congrès Internationaux de Liége, Rome et
Paris.

CHAPITRE II

L'IDÉE DIRECTRICE

Pourquoi faut-il faire de la gymnastique respiratoire ? Pourquoi faut-il apprendre à respirer ? C'est là une question essentielle à laquelle il nous semble avoir été répondu de deux manières différentes. Pour les uns, et c'est la tradition suédoise, il faut respirer parce que l'oxygène est un élément essentiel, indispensable, parce que la vie est une oxydation, que l'abondance et la surabondance d'oxygène sont un facteur de vitalité. On s'imagine aisément quels développements de rhétorique peuvent résulter de cette conception et les auteurs ne les ont pas épargnés. Avec cette interprétation stricte, la gymnastique respiratoire devient un tonique général à tout usage, une médication biophore utile à tout et pour tout ; c'est le « cacodylate » de la kinésithérapie. Ceux qui ont serré le problème de plus près ont bien voulu, avec nous, comprendre que l'appareil respiratoire, un des grands appareils de l'économie, doit garder le rôle et l'action qui lui sont assignés dans le plan de l'organisme ; ils diront que la santé résulte du fonctionnement normal et proportionnel de tous les organes. Ils n'accepteront pas qu'il soit favorable de respirer trop, non plus que de respirer trop peu ; ils voudront que l'organisme respire normalement ; c'est-à-dire en quantité exacte et selon le mode physiologique. *Le maintien et le retour de la respiration à la normale tant au point de vue qualitatif que quantitatif devient donc l'idée directrice de la méthode*. Cette idée directrice est féconde ; car elle nous dirige dans tout ce qui a trait au traitement. Les indications se précisent ; la durée du traitement, les résultats possibles en découlent, non moins que les contre-indications et surtout la limitation des espérances, deux points essentiels à préciser de peur qu'une thérapeutique merveilleuse paie d'un mépris injuste des surenchères déplorables.

CHAPITRE III

LES INDICATIONS

L'exercice de respiration n'est pas un gavage d'oxygène ; ce n'est pas un tonique universel bon à tout ; il laisse la place libre à la gymnastique pour le développement des individus sains ; nous venons de le dire, il s'adresse à la légion de ceux qui respirent mal. Il constitue une méthode ayant pour but de maintenir, protéger, rétablir le jeu physiologique de l'appareil respiratoire. Quand le jeu respiratoire est obtenu et maintenu, il doit céder le pas aux autres procédés d'entraînement, gymnastique suédoise, gymnastique rythmique de Dalcroze[1], etc. Quels sont donc les caractères de la respiration normale, quand manquent-ils et comment l'exercice respiratoire thérapeutique fonctionnelle peut-il y remédier? La réponse à ces indications est le fil conducteur de indications et des non-indications.

A. — *La respiration doit être nasale, suffisante, complète, normalement rythmée.*

Depuis 1903 , nous soutenons que chaque respiration physiologique est exclusivement nasale, suffisante, complète. Elle doit être physiologiquement rythmée dans ses phases propres comme dans la succession des respirations. Exclusi-

1. Voir *Société de Médecine de Paris* (23 octobre 1909).

vement nasale, cela veut dire que l'entrée et la sortie de l'air se font par le nez. Nous opposons cette conception à celle trop souvent prônée encore de nos jours (en particulier par les distingués éducateurs de Joinville) qui accepte avec une inspiration nasale une expiration buccale ou bucco-nasale.

L'inspiration doit être nasale. — Ce principe se comprend de lui-même[1]. Le passage par les fosses nasales humidifie l'air atmosphérique, arrête les poussières, sans compter la relation physiologique établie par François Franck entre les fosses nasales et les bronches. Une irritation de la muqueuse des fosses nasales provoque une contracture de la paroi des bronches, qui s'oppose à l'entrée en trop grande quantité d'un air vicié. Inversement, le réflexe d'eupnée amène, comme nous l'avons vu, un relâchement, une détente bronchique lorsque la muqueuse nasale se trouve hors de toute irritation.

De tels phénomènes sont des plus importants à noter ; car la méthode d'éducation de la respiration ne doit avoir sur eux aucune action. Un réflexe de défense persiste et doit persister chez l'homme qui respire bien comme chez celui qui respire mal : une thérapeutique éducative ne saurait avoir d'influence sur les réflexes. La muqueuse pituitaire a donc une activité et une importance propres ; elle doit être l'objet de nos préoccupations médicales ; nous aurons à y revenir.

L'expiration doit être nasale[2]. — Ce point est plus difficile à établir ; *a priori* aucune raison de ménagement ou de protection du poumon ne s'opposerait à un mode buccal d'ex-

1. *Traité de Physiologie* de Gley.

2. Le professeur Maurel proteste contre les manuels officiels qui ne l'admettent pas (Normalités respiratoires, *IIIe Congrès de Physiothérapie*).

piration. Toutefois nous pouvons en redire les deux raisons essentielles non retenues, semble-t-il, par les auteurs. L'expiration doit être nasale d'abord, parce que l'appareil respiratoire comprend les fosses nasales et ne comprend pas la cavité buccale, qui ne saurait être qu'une voie vicariante ; mais surtout elle doit être nasale, pour la sauvegarde de l'automatisme respiratoire. Quelle comparaison établir entre la simplicité et l'automaticité d'un mode uniquement nasal de respiration et la complexité d'une respiration nasale dans son inspiration, buccale dans son expiration. Ce double mécanisme, cette double voie nécessitera un contrôle de l'organisme ; or, en aucune façon en dehors de l'exercice, le sujet ne doit avoir à se préoccuper de sa respiration.

Dans une étude très remarquable de l'éducation de la respiration nasale chez l'enfant après l'ablation des végétations adénoïdes, Siems (de Menton), qui reconnaît fort aimablement notre paternité scientifique, s'explique ainsi au sujet de l'expiration nasale.

« La bouche étant fermée pendant la respiration, le voile du palais s'applique sur la base de la langue, l'épiglotte se relève et l'isthme du gosier se trouve éventuellement oblitéré ; le rhino- et l'oropharynx constituent maintenant un canal ininterrompu et l'air expiré va passer tout droit dans les fosses nasales où il ventilera les cavités et restituera à la muqueuse nasale une partie de l'humidité que l'air inspiré lui a emprunté. L'acide carbonique de l'air expiré (4 p. 100) agit encore sur les réflexes du nez... » La pression sanguine serait plus forte pendant la respiration nasale que pendant la respiration buccale. « L'affluence du sang veineux est donc plus considérable et la déplétion pulmonaire plus parfaite dans la respiration nasale. Si maintenant nous inspirons par le nez (pression négative forte) et expirons par la bouche (pression positive faible) il y aura stase veineuse dans le poumon. C'est sur ce phénomène, croyons-nous, que Kuhnle, assistant du professeur Leyden de Berlin a basé l'emploi de son masque permettant une inspiration nasale et obligeant à expirer par la bouche, lorsqu'il a songé à préconiser la méthode de Bier, dans le traitement de la tuberculose pulmonaire. »

Notre distingué ami Rœderer (*La clinique*, novembre 1909) prétend, en autorisant l'expiration buccale et en exigeant l'inspiration nasale, pouvoir retenir l'attention des enfants indisciplinés par le bruit différent de ces deux passages d'air, léger reniflement pour l'un, bruit de soupir pour l'autre. C'est évidemment aller contre l'automaticité.

La respiration doit être suffisante, c'est-à-dire qu'à chaque respiration une quantité suffisante d'air doit pénétrer dans la poitrine. Cette quantité qui est l'air courant est, d'après les physiologistes, de 500 à 1 000 centimètres cubes environ. Nous n'y insistons pas. *Enfin la respiration doit être complète*, c'est-à-dire que le thorax doit à chaque respiration se dilater dans les trois sens, hauteur, largeur et épaisseur, il doit s'amplifier aussi bien dans les régions supérieures que dans les inférieures. Nous n'acceptons nullement la division proposée par les physiologistes des respirations normales en type costal supérieur, type costal moyen, type diaphragmatique[1].

Le type costal supérieur n'est quelquefois costal supérieur exclusif qu'en apparence ; mais il caractérise une forme du syndrome que nous appellerons plus loin l'*insuffisance diaphragmatique*. Le type diaphragmatique est également anormal, car l'inertie des sommets, si elle n'est pas une maladie

[1] Baratoux réclame la respiration complète dans le chant.

en elle-même, crée une prédisposition pathologique toute spéciale ; elle est un état de fonctionnement anormal, intermédiaire entre l'état de santé et l'état de maladie, d'autant plus utile à connaître qu'il est plus facile d'y remédier.

Enfin la respiration[1] doit être rythmée selon les règles et les moyennes établies physiologiquement. Il faut se rappeler que le nouveau-né a 40 respirations à la minute, l'enfant de cinq ans 25 en moyenne, et l'adulte 15. Ces chiffres sont éminemment relatifs ; il faudra, sauf indication spéciale, respecter le rythme des sujets pourvu qu'il soit régulièrement cadencé. Il est bien entendu que les rythmes de Cheyne-Stokes et de Kusmaul ne sont pas modifiables par l'éducation respiratoire. Par contre, le mode spasmodique des asthmatiques, la confusion respiratoire des bègues[2] ouvrent deux beaux chapitres de dysrythmie respiratoire.

Dans chaque respiration, il est normal que l'expiration soit plus longue que l'inspiration, c'est un rapport que le kinésithérapeute s'efforcera de respecter sans qu'il doive y attacher une importance obsédante.

B. — *Autres conditions de l'intégrité de l'appareil pulmonaire.*

Est-ce à dire que tout sera parfait dans l'appareil respiratoire, lorsque la respiration sera nasale, suffisante, complète et rythmée normalement[3]. Nous ne le pensons pas. *Ce sont là les lois du fonctionnement de l'organe*, elles limitent le domaine de l'exercice respiratoire, mais pour qu'il garde son

1. Hugues a décrit, sous le nom de pseudo-respiration, le phénomène constitué par un effort respiratoire fait glotte fermée.

2. Voir en particulier les travaux de Chervin.

3. Lire Vigneron d'Heucqueville, *L'Acte respiratoire*, thèse Paris, 1909-1910.

intégrité anatomique d'autres conditions sont importantes. Les obstacles anatomiques peuvent s'opposer au fonctionnement régulier ; ils résistent à la médication kinésithérapique, toute de douceur et devront être levés chirurgicalement.

Même avec l'intégrité acquise du mécanisme respiratoire, l'individu pour respirer doit disposer d'une force nerveuse suffisante ; l'hydrothérapie, le massage, l'opothérapie, les médications toniques y veilleront. Certes, la respiration n'est en rien comparable à un exercice athlétique ; elle exige une synergie spéciale musculaire comme la danse, la nage ou le jeu du violon. Néanmoins, il est indispensable que les muscles respiratoires aient une certaine force.

La contagion doit être combattue sans exagération certes, mais sans dédain..., le rôle des pneumolysines commence à être entrevu. Les problèmes biologiques sont multiples, il faut savoir les aborder avec toute leur complexité. Les solutions simplistes payent rapidement d'un oubli profond leur succès immérité !

Prévenu que toute respiration doit être nasale, suffisante, complète, rythmée, le médecin instruit va désirer résoudre les deux problèmes suivants : *a*) Quelles expériences, quels procédés permettent d'affirmer qu'une respiration est nasale, suffisante, complète ? *b*) Quelles sont les maladies ou les états morbides qui font perdre à la respiration ces trois caractères. Nous établirons ainsi dès le début, d'une part, les procédés de contrôle, d'autre part les indications essentielles de la méthode.

C. — *Procédés de contrôle des caractères de la respiration physiologique*.

α) COMMENT VÉRIFIER QU'UNE RESPIRATION EST NASALE. — Nous pouvons le faire physiologiquement par deux procédés.

a) *Le procédé de la buée* (miroir de Courtade et de Glatzel), avec la très légère modification de Robert Foy;

b) *Notre épreuve physiologique* telle que nous la pratiquons.

Nous parlons ici de vérification physiologique, car nous dirons plus loin que l'intégrité anatomique du rhinopharynx sera contrôlée par le spécialiste, *de visu,* grâce à la rhinoscopie antérieure et postérieure.

a) De toute antiquité on a utilisé la buée produite par la respiration sur une plaque de verre pour vérifier la mort. Déjà Smester en 1884 avait utilisé la plaque de verre pour vérifier la coïncidence rejetée par lui des respirations buccale et nasale. Plus tard Zwaardemaker avait signalé les taches respiratoires produites par l'air expiré sur une plaque de verre (*Arch. für Lar.*, 1893, n° 2). De même Sandmann (Soc. de laryng. de Berlin, 1893) avait voulu mesurer les taches produites par l'air expiré sur un carton ardoisé saupoudré de soufre et fixé ensuite au vernis à fusain. Mais c'est à Courtade (1902) en France, et postérieurement à Glatzel (1904) que l'on doit la *rhinométrie* vraiment clinique, c'est-à-dire celle qui est utilisable au lit du malade, sans nécessiter un appareillage compliqué ou des manœuvres de physiologiste pur, que le médecin ne saurait couramment utiliser.

En effet, nous considérons comme appartenant au laboratoire le procédé de Kayser (*Annales des Maladies de l'oreille,* 1896, t. I). Mendel en 1897 a décrit un dispositif d'étude formé essentiellement d'un gazomètre rempli de 40 litres d'air renversé sur une cuve à eau. Trois tubes munis d'embout relient la cuve à l'une ou l'autre narine et à la bouche. Les variations de pression indiquent la quantité d'air *inspirée* par l'un des trois orifices. Jacobson en 1899 recueille simplement dans une éprouvette renversée les gaz dégagés par l'expiration nasale ou buccale.

Zwardemacker par son *aérodromomètre* a pu mensurer expérimentalement la force de l'inspiration et de l'expiration.

Revenons à la clinique :

Le procédé de Courtade a l'inconvénient de mesurer la valeur de l'expiration et non de l'inspiration ; mais il a le précieux avantage d'être simple, rapide, exact et surtout d'étudier le mécanisme respiratoire sans que le sujet ait modifié son rythme ou ses habitudes.

Fig. 1.

« Le pneumodographe (*Soc. de laryngologie*, janvier 1902 et 1910), se compose de trois lames de verre superposées : la première, verticale, se place au-devant de la bouche et à une distance que l'on peut faire varier ; la seconde, horizontale, se trouve à une distance limitée des narines ; la troisième verticale et à direction autrefois postérieure, partage la précédente en deux moitiés égales ; s'appuyant par son bord supérieur contre la sous-cloison, elle sépare la respiration de la narine droite de celle de la narine gauche (fig. 1).

« Ces trois lames de verre sont maintenues ensemble à l'aide de griffes qui n'agissent que par pression, ce qui permet de monter ou de démonter l'appareil en quelques secondes et de le loger dans une boîte de faibles dimensions. »

La technique recommandée par l'auteur est simple. L'appareil est nettoyé à l'alcool pour faciliter la condensation de la buée, puis il est placé devant la figure du sujet de façon que la petite lame verticale antéro-postérieure s'appuie sur la cloison et la lèvre supérieure. On invite alors le patient à *respirer d'une façon habituelle et naturelle sans y penser*.

L'épreuve se juge soit en mesurant le temps d'évaporation de la buée, soit en notant immédiatement le nombre de centimètres carrés recouverts par la buée (la glace a été dans ce but divisée en carrés de 1 ou 2 centimètres de côté), soit en relevant l'empreinte de la buée au moyen d'un papier sensible.

C'est évidemment ce dernier procédé qui offre les garanties les plus sérieuses. Les papiers à utiliser sont ceux préparés avec une couleur d'aniline, la safranine par exemple, ou ceux préparés au tannin et aux sels ferriques. Sous l'influence de la buée, les premiers prennent immédiatement une teinte rouge très vive, tandis que les seconds ne prennent une teinte noire qu'après quelques minutes.

Glatzel (*Monats. für Ohr*, n° 1, 1904) utilise une simple plaque rectangulaire de zinc nikelé de 25 centimètres de long sur 20 centimètres de large. La surface de la plaque est graduée en cercles concentriques qui permettent d'apprécier l'étendue de la buée.

R. Foy (*Presse Médicale*, 6 février 1909) a décrit sous le nom d'atmorhinomètre enregistreur un appareil qui ne diffère de celui de Courtade que par l'existence d'une deuxième glace transparente, graduée en centimètres carrés, articulée par une charnière sur la glace en verre dépoli qui reçoit la buée. La buée peut se conserver plusieurs heures entre les deux glaces. Son appareil est donc plus compliqué que les appareils antérieurs, sans leur être supérieur.

Le miroir de Courtade est des plus précieux dans la mise en pratique de l'exercice de respiration ; car il montre la fré-

quence signalée par l'auteur du mode bucco-nasal de respiration, il contrôle l'existence et quelquefois l'absence de respiration buccale chez les sujets opérés ou non, qui gardent
constamment la bouche ouverte, il étudie les rapports qui
existent entre la respiration de l'une ou l'autre narine.

Il mérite donc tout à fait d'être utilisé d'une manière courante dans l'examen des jeunes sujets et au cours des cures
physiologiques.

b) *Notre épreuve inspiratoire physiologique* est basée sur la
possibilité démontrée cliniquement de soutenir indéfiniment
un mode respiratoire maintenu pendant 20 respirations successives. Nous la pratiquons de la manière suivante : le sujet
étant déshabillé jusqu'à la ceinture ou en tout cas, couvert
seulement de vêtements ne gênant en rien le fonctionnement
du thorax, nous lui expliquons en quoi consiste la respiration nasale ; nous la pratiquons devant lui en battant la
mesure avec notre main droite qui se lève pendant l'inspiration et s'abaisse pendant l'expiration. Il est parfois utile
d'attendre quelques secondes si le sujet est émotif. Le
moment de petite inquiétude passé, nous lui faisons exécuter
20 respirations nasales debout, bras collés au corps, puis
20 respirations nasales de chaque narine. Il suffit pour ce
deuxième exercice de lui demander de fermer la narine
droite avec l'index de la main droite, puis de fermer la narine
gauche avec l'index de la main gauche : l'index doit obturer
la narine en amenant l'aile du nez au contact de la cloison,
sans la dévier, ce qui amènerait une gêne partielle de la respiration de l'autre côté. Nous préférons l'occlusion par pression latérale, à l'occlusion moins exacte et inélégante obtenue
par introduction incomplète dans la narine, de la pulpe de
l'index ou du pouce.

Cette épreuve si simple permet de diviser les sujets en

trois catégories : ceux qui la supportent parfaitement ; ceux qui sont incapables même avec les deux narines, de respirer nasalement plus de trois ou quatre fois par exemple ; ceux qui peuvent respirer avec les deux narines, mais qui ne peuvent respirer isolément soit de l'une ou l'autre. Dans ces deux derniers cas, pendant l'épreuve, la teinte du visage s'altère, le rythme respiratoire se heurte ; bientôt la bouche s'ouvre inconsciemment ; le sujet remplace la respiration nasale par la respiration buccale, insuffisante et dangereuse, ou par le type mixte bucco-nasal, type hybride qui évoluera le plus souvent, rapidement, vers le mode buccal et sur lequel Courtade, avant nous, avait déjà insisté.

c) *Vérification nécessaire de l'intégrité anatomique de la voie respiratoire narino-laryngée.* — Ces épreuves physiologiques, si elles sont indispensables ne sont pas suffisantes. Que le sujet ait de l'incapacité à respirer d'une narine (*insuffisance respiratoire nasale unilatérale*) ou mieux à respirer des deux narines (*insuffisance respiratoire nasale*), ou que le sujet respire suffisamment par l'une ou l'autre narine, il faut encore s'assurer qu'il n'existe aucun obstacle anatomique au passage de l'air. Ce point appelle quelques considérations, car il a retenu nos recherches depuis 1903.

A ce moment, sous l'influence de Marcel Natier, on distinguait les *adénoïdiens*, c'est-à-dire les sujets porteurs d'amygdales et de végétations adénoïdes, ayant par conséquent de l'obstruction respiratoire et les *faux adénoïdiens*, c'est-à-dire ceux qui, n'ayant pas d'obstruction du cavum, étaient néanmoins incapables de respirer. Cette division avait comme grave défaut de réunir dans la deuxième catégorie des sujets dont les troubles respiratoires relevaient de causes opposées. Elle groupait ensemble des sujets porteurs d'obstacles mécaniques et anatomiques au niveau des fosses nasales et des sujets chez qui le trouble physiologique était dû à la conservation d'une habitude vicieuse ou d'une inhibition primitive (sur laquelle Lermoyez a spécialement insisté).

Il nous a paru plus clinique de diviser les sujets de la manière suivante acceptée actuellement :

a') Sont *rhinoadénoïdiens,* les sujets qui portent un obstacle anatomique à la respiration entre l'orifice externe des fosses nasales et l'entrée du larynx. Nous aurons plus loin à énumérer leurs différents types d'obstruction de la voie respiratoire narino-laryngée.

b') Sont *pseudo-rhinoadénoïdiens,* les sujets qui n'ont aucun obstacle anatomique à la respiration entre l'orifice externe des fosses nasales et l'entrée du larynx, mais qui néanmoins sont incapables de respirer spontanément par le nez. Ces pseudo ou faux rhinoadénoïdiens admettent eux-mêmes deux subdivisions :

Les uns eurent autrefois une obstruction anatomique qui disparut après opération ou par suite du développement naturel du squelette et de la régression du tissu lymphoïde au cours de l'adolescence. Mais ils ont gardé l'habitude vicieuse contractée par nécessité. La respiration buccale jadis imposée par l'obstruction rhinopharyngée, *respiration buccale de nécessité,* est devenue une respiration *antiphysiologique vicieuse*

Les autres (c'est une minime catégorie), sans avoir eu d'obstacle mécanique permanent à la respiration, par suite soit de rhumes répétés soit d'habitude invétérée de la respiration buccale, peut-être aussi par une sorte d'anesthésie de la muqueuse pituitaire, ont la phobie de la respiration nasale. L'occlusion de la bouche les fait tomber en syncope dès qu'elle est effectuée, *bien avant qu'elle ait pu amener de l'anoxhémie*

Ce sont des *abouliques* de respiration nasale. Nous avons pu facilement guérir le premier cas publié avec résultat favorable : il s'agissait d'un malade de notre maître Lermoyez, il fut guéri bien avant que M. Robert Foy ait commencé ses recherches sur ce point.

β) COMMENT VÉRIFIER QU'UNE RESPIRATION EST SUFFISANTE ? — Les procédés à utiliser sont directs ou indirects.

Les procédés directs renseignent sur la quantité d'air inspiré et sur les modifications du thorax qui en résultent. Les procédés indirects invoquent la concordance d'une poitrine bien développée et d'une respiration suffisante.

Comme procédés directs (*a*), il faut placer *la spirométrie, les mensurations physiologiques de l'ampliation thoracique ; centimètre symétrique, les méthodes stétographiques, le compas thoracique de Courtade*, etc..., *l'examen des thorax aux rayons X*, etc.

Comme procédés indirects, (*b*) il faut comprendre tout procédé de mensuration anatomique du thorax. Les chiffres obtenus seront comparés à d'autres mensurations du même organisme ou rapprochés des données générales de la Science anthropométrique ; ils permettront d'affirmer que le thorax a son développement normal, et d'en déduire, comme nous le disions, par postulatum, que la respiration est suffisante.

a) PROCÉDÉS DIRECTS. — La *spirométrie* permet d'une façon simple d'apprécier les quantités d'air utilisées par chaque individu à chaque respiration. C'est une méthode physiologique simple, élégante, et d'une précision remarquable. Elle semblait devoir retenir notre attention. Mais nous nous sommes adressés surtout à une catégorie de malades chez qui la recherche spirométrique n'est pas sans inconvénient. Il n'est pas inoffensif de faire souffler avec effort, dans un spiromètre, un adolescent en menace de tuberculose pulmonaire. Notre élève Tilloye a insisté sur ce point. Néanmoins, nous avons eu soin de contrôler en fin de cure et après guérison que nos jeunes malades atteignaient et conservaient des chiffres suffisants de spirométrie (voir Vigneron, *thèse* 1909-10, p. 98, *l'Etude physiologique de la spirométrie* qui confirme notre opinion).

· Sous ces réserves, nous donnons la préférence au spiromètre de Verdin, dont le fonctionnement est simple, et dont les cadrans indiquent les dizaines de litres, les litres et les dixièmes de litre d'air. Ce spiromètre, simple boîte métallique portant un grand cadran, s'utilise en soufflant par un tube de verre aseptique adapté à un gros tube de caoutchouc. Nous recommandons la technique suivante. Se mettre devant le spiromètre en tenant à la main droite le tube de verre adapté à l'embout; être debout ou assis à volonté, mais avoir la bouche sensiblement à la hauteur du tube de caoutchouc armé du tube de verre; faire d'une façon rythmique quelques inspirations nasales profondes, puis à la 4e ou à la 5e expirer par la bouche dans le tube en verre pris à pleine bouche. Comme contrôle il faudra répéter plusieurs fois cette manœuvre.

Un dispositif très ingénieux avec un système de double canule en verre permet de poursuivre les études spirométriques en utilisant la respiration nasale[1]. L'expérience a évidemment bien plus de valeur et de précision; mais le dispositif est un peu compliqué; il nécessite une éducation : nous le recommandons pour les études de spirométrie exacte; il ne nous paraît pas indispensable à la simple observation clinique.

1. Voir *Congrès International de Liège*, 1905, les travaux du professeur Sigalas de Bordeaux.

Il nous faut rappeler que l'air respiré est divisé par les physiologistes en :

Air courant, de respiration habituelle = 500 centimètres cubes.

Air complémentaire c'est-à-dire l'air pouvant être inspiré par une respiration profonde suivant une inspiration ordi-naire= 1 500 centimètres cubes.

Air de réserve, qui peut être chassé supplémentairement après une expiration ordinaire = 1 500 centimètres cubes.

Air résidual, qu'aucune respiration ne saurait chasser = 1 000 centimètres cubes.

La capacité pulmonaire est la somme de l'air de réserve et de l'air résidual. La capacité vitale est la quantité d'air expiré par une expiration maxima suivant une inspiration maxima (capacité pulmonaire extrême de Gréhaut). Notons immédia-tement le caractère tout à fait relatif de l'estimation de l'air courant. Sa variabilité démontre *a priori* les bons effets de l'exercice de respiration [1].

La mensuration de l'ampliation thoracique est par contre un des éléments les plus précieux et les moins discutés d'ap-préciation de la valeur respiratoire. Les auteurs ne varient que dans l'adoption de niveaux variables des prises de péri-mètre.

Le périmètre xyphoïdien qui fait le tour horizontal de la poitrine au niveau de la base de l'appendice xyphoïde est universellement accepté. C'est le périmètre inférieur du thorax. Comme périmètre supérieur beaucoup d'auteurs ont

---

1. On lira avec fruit la *thèse* de Boiet, Paris 1904-1905, vol. 14, n° 162, qui a étudié la variation de la capacité pulmonaire d'après la *Méthode des mélanges* due à notre maître Gréhaut. C'est une méthode des plus remarquables. Malgré les efforts de Boiet, elle restera surtout du domaine du laboratoire.

Lire Baratoux *La Voix*. Noter les tableaux de rapport de la capacité vitale, du poids et du périmètre.

accepté soit le périmètre horizontal sous-axillaire, qui circonscrit le thorax en passant le plus haut possible sous les bras pendants, soit le périmètre sous-mammaire qui passe au niveau du bord inférieur de la région mammaire. A ces périmètres horizontaux nous avons préféré pour éviter l'erreur due tant à la masse scapulaire chez l'homme qu'à la glande mammaire chez la femme un périmètre oblique déjà étudié par Marey, Barth et Roger et dénommé périmètre subomosus-mammaire. Il a le grand mérite de croiser en sautoir l'inclinaison normale des côtés et d'avoir ainsi une sensibilité supérieure.

Enfin nous mensurons également le périmètre abdominal dont les variations déjà étudiées par Glénard viennent avec les recherches de Thooris de retrouver un nouvel intérêt.

Notre centimètre symétrique[1] dont nous verrons l'utilité au cours de cette étude est simplement un ruban métrique gradué de 1 à 75 de part et d'autre de son milieu, par conséquent, comme le montre *la figure* 2, le centimètre se termine aux deux extrémités par le chiffre 75, à sa partie médiane se trouvent accolés deux chiffres 1. Il suffit d'avoir vu ce centimètre pour en saisir immédiatement usage et avantage. Mettez sur la crête épineuse le trait qui sépare les deux chiffres 1 ; entourez le thorax de part et d'autre avec ce centimètre et tandis que le centimètre est appliqué sur la poitrine, faites respirer le sujet, selon le diamètre étudié, vous allez noter en

1. Dans sa thèse sur les *Conformations thoraciques chez le tuberculeux*, Albert Bezançon attribue la paternité du centimètre symétrique à Hare. Dans une thèse récente, M. Vigneron, ancien interne des hôpitaux, déclare que « je me suis approprié le procédé de Hare ». Je n'ai pu retrouver le travail de Hare que j'ignorais et que j'ignore. *Aucune indication bibliographique n'est donnée par les deux seuls auteurs qui le citent.* Nous avons écrit à A. Bezançon et à M. Vigneron qui n'ont pas pu retrouver le travail de Hare. Il s'agit donc soit d'une erreur, soit d'un travail passé inaperçu.

une seule mensuration les dimensions du thorax droit et du thorax gauche au point de vue anatomique, et le jeu respiratoire séparé des deux côtés. Une mensuration au centimètre simple ne donnerait que le résultat anatomique ou physiologique global sans tenir compte des *asymétries anatomiques ou fonctionnelles* qui sont des plus importantes, comme l'étude des pleurésies nous le montrera plus tard. Il est donc extraordinaire de voir des auteurs de grande valeur comme Mme Nageotte déclarer avoir renoncé au centimètre symétrique parce que son emploi est difficile. Certes, il faut pendant la mensuration vérifier le maintien en place du trait de séparation des chiffres 1 sur la ligne médiane, mais n'est-il pas important de diagnostiquer à coup sûr, sans difficulté les dissymétries thoraciques? Quant à éviter l'emploi du centimètre symétrique en pratiquant deux mensurations isolées avec le centimètre ordinaire, c'est vouloir bien stérilement faire réapparaître une difficulté disparue, c'est créer une cause d'erreur considérable en rapprochant des chiffres obtenus dans des conditions non absolument identiques.

L'étude du fonctionnement asymétrique du thorax avait tenté depuis longtemps les différents

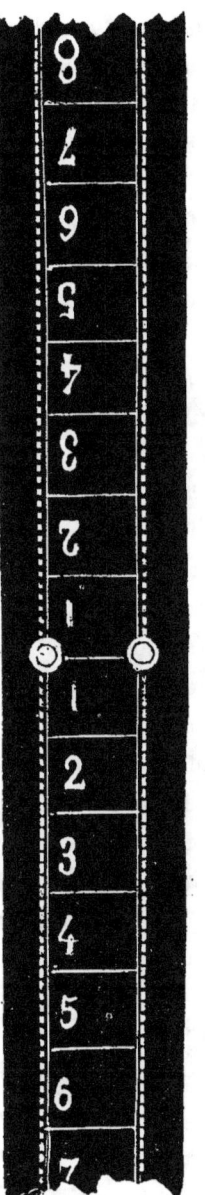

Fig. 2. — Le centimètre symétrique de G. Rosenthal.

auteurs. Avant le centimètre symétrique, ils avaient résolu le problème en utilisant la *stétographie bilatérale* de Hänisch, Gilbert et Roger[1]. Cette méthode consistait dans la prise des graphiques au tambour de Marey. Ces graphiques inscrivaient l'incursion respiratoire des deux hemi-thorax : il suffit, pour atteindre cè but, que les rubans actionnant les tambours soient fixés au sternum et à la colonne vertébrale avec des bandelettes de diachylum. Cette méthode excellente mais difficultueuse donne des résultats curieux ; nous la croyons cependant plus du domaine du laboratoire que de celui de la clinique. Nous discuterons les résultats de la mensuration symétrique en rapportant les travaux de Mme Nageotte sur la mensuration au centimètre simple.

Pour être un des derniers venus dans l'étude de la mensuration, *le compas thoracique à cadran multiplicateur* de Courtade n'en est pas moins d'un puissant intérêt, nous en trouvons l'étude dans sa communication toute récente à la Société médicale de l'Élysée (6 mars 1911). L'auteur y rappelle tout d'abord l'intérêt qu'il y a à désigner la région du thorax mensurée, et à indiquer le temps de la respiration où cette opération a été faite.

Son compas se compose de deux parties aisément séparables. « Le compas proprement dit est un compas ordinaire à branches courbes portant du côté opposé à ses points une réglette divisée en centimètres ; l'écartement peut aller jusqu'à 33 centimètres, ce qui est suffisant pour mesurer les thorax les plus développés. Pour suivre l'ampliation des diamètres thoraciques, on monte à l'aide d'une vis, à l'une des extrémités du compas, un boîtier contenant le mécanisme amplificateur et portant un cadran mobile autour de son axe.

1. *Société médicale des hôpitaux,* mai 1896, *Revue de Médecine,* janvier 1897, *Journal de Médecine de Paris,* mai 1897.

« Une tige pourvue d'un bouton et retenue par un ressort, fait saillie hors du boîtier ; sous l'influence des mouvements thoraciques, ce curseur est repoussé et son mouvement fait tourner une aiguille autour du cadran, qui porte des dimensions indiquant le nombre de millimètres dont ce curseur a été refoulé ; pendant l'expiration, le curseur revient à son

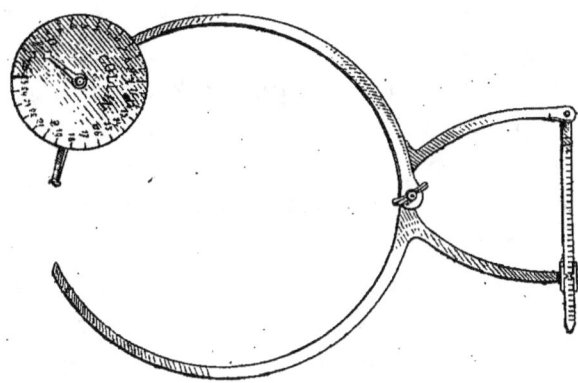

Fig. 3. — Compas à cadran de Courtade.

point de départ et se trouve repoussé à nouveau par l'inspiration suivante. »

En appuyant l'extrémité simple du compas sur la colonne vertébrale et l'extrémité armée du curseur sur le sternum, on peut mesurer l'ampliation antéro-postérieure. Mais on peut également mesurer l'ampliation des sommets ou de n'importe quel autre diamètre de la poitrine. Il est à souhaiter que l'auteur poursuive ses recherches et qu'il établisse rapidement les chiffres normaux d'ampliation des sommets tant à l'état physiologique, qu'au cours des différents états pathologiques.

L'emploi des instruments précis comme le centimètre symétrique et le compas de Courtade serait stérile si nous ne connaissions pas *les chiffres normaux de l'ampliation du thorax aux différents âges de la vie.* Des études physiologiques faites sur des sujets normaux donneront les points de comparaison nécessaires pour juger la valeur de l'ampliation de nos malades. Une respiration ne saurait être suffisante avec une incursion costale inférieure à la moyenne.

Au cours de mes différentes recherches, toutes faites avec le centimètre symétrique, il m'avait semblé que les adolescents en fin de traitement avait un jeu thoracique de 6 à 9 centimètres (*Traité des maladies de l'enfance,* professeur Grancher, 2ᵉ éd., p. 115). Dans une leçon à la clinique de Saint-Antoine parue dans le *Journal de médecine interne* (15 mai 1907) je donne comme chiffre maximum de l'incursion thoracique 9 à 14 centimètres chez l'adulte, 6 à 9 centimètres chez l'enfant de 10 ans. Ces chiffres correspondent à la fin de cure et à la mensuration oblique du périmètre subomo-sus-mammaire [1]. Nous pouvons les appuyer sur de nombreux faits précis que nous retirons de nos articles et communications. Recueillis pendant près de dix ans ils se rapportent aux enfants et adolescents d'origine les plus diverses, puisqu'ils sont pris tant dans notre pratique médicale qu'à l'hôpital ou dans différents dispensaires. En moyenne, nous acceptons comme chiffres normaux, les chiffres normaux étant pour nous les chiffres d'entraînement, 3 à 5 centimètres à 6 ans, 4 à 7 à 8 ans, 6 à 10 à 15 ans, 8 à 12 à 20 ans, 9 à 14 à 25 ans.

Sur ces données nous sommes en désaccord absolu avec Mᵐᵉ Nageotte Wilbouchevitch qui considère à tort, selon nous, comme normaux les chiffres moyens d'enfants sains en apparence. Dans son article « Kinésithérapie respiratoire »

1. Déjà Woillez écrit que l'élasticité thoracique peut atteindre 11 centimètres.

de la Bibliothèque de thérapeutique Gilbert et Carnot, cette auteur s'est préoccupée de la notion du périmètre et de l'incursion thoracique : c'est à son article que nous empruntons les données suivantes.

Comme tous les auteurs, Mme Nageotte constate que l'enfant laissé à sa spontanéité respire peu et donne l'impression d'une incursion qui ne doit pas dépasser 1 centimètre ; mais il s'agit de mesurer les incursions respiratoires maximum dont il est capable. Mme Nageotte prend sur l'enfant debout, bras allongés le long du corps, avec le ruban métrique horizontalement placé au-dessous des bras aussi haut que possible, le périmètre axillaire et le périmètre xyphoïdien qui a le rare privilège d'être accepté par tous les médecins. Le périmètre axillaire donne à notre avis des chiffres moins descriptifs que le périmètre subomo-sub-mammaire. Mme Nageotte, contrôlant les résultats d'un diamètre par ceux d'un diamètre différent, avait ainsi une deuxième raison de trouver exagérés des chiffres qui étaient le résultat d'un entraînement progressif arrivé à son terme, et non la moyenne d'une série d'enfants *ne sachant pas respirer*. Nous sommes d'accord avec cette auteur pour repousser toute mensuration thoracique faite bras levés ou bras horizontaux, ce qui restreint le jeu des côtes en les arrêtant dans leur mouvement de *descente*[1].

Mme Nageotte admet comme amplitude respiratoire moyenne des enfants des chiffres de 2 à 4 centimètres. Chez les enfants exercés, pour la respiration axillaire, l'ampliation maxima serait de 6 à 7, pour la respiration xyphoïdienne de 6 à 8 environ. On sera très étonné de l'absence de progression des chiffres avec l'âge et de leur irrégularité.

---

1. Voir les tableaux de Mme Nageotte. *Kinésithérapie respiratoire*, Coll. Gilbert Carnot, p. 383-4-5.

Les fiches d'observations d'adultes du Dr Mackievicz commu-
niquées à Mme Nageotte indiquent avant tout exercice un
chiffre d'ampliation thoracique de 3 à 4 centimètres avec
rarement une amplitude de 5 centimètres et exceptionnelle-
ment un chiffre supérieur. Ils indiquent la fréquence de l'insuffisance respiratoire.

De même les chiffres d'amplitude donnés par le Dr Lemoine
(Mme Nageotte, *loco citato*) qui conclut à une amplitude normale de 5 à 6 centimètres [1].

Amplitude.	Nombre d'hommes.	Amplitude.	Nombre d'hommes.
1	56	9	117
2	182	10	32
3	628	11	10
4	463	12	7
5	1.080	13	1
6	992	14	3
7	380	15	1
8	238		

Edgard Hirtz, sur des sujets non exercés, admet comme normale une ampliation de 7 centimètres au niveau de la ligne
bimamelonnaire. Terminons cette documentation sur l'ampliation thoracique par quelques remarques :

REMARQUE I. — Il n'y a aucun rapport entre l'amplitude
et le périmètre, ni entre l'amplitude et la taille. De là nos
notions du *malingre anatomique,* qui peut être un *robuste
fonctionnel,* si malgré sa petite taille et son périmètre faible
il a une ampliation notable. Inversement le *robuste anatomique* sera un malingre fonctionnel, s'il a un jeu restreint, ce
qui a d'autant plus d'importance que le sujet est plus jeune.

1. Woillez, Arnold et Schnepf avaient dressé des tables de rapport
d'ampliation et de périmètre.

REMARQUE II. — Chez l'enfant et l'adolescent qui respirent physiologiquement, l'ampliation respiratoire mesurée dans la respiration nasale devrait être égale ou même supérieure à l'ampliation obtenue par voie buccale. Or il n'en est souvent rien, même chez des sujets qui paraissaient normaux à une mensuration simple. Nous avons pu (Société de Kinésithérapie, 9 juin 1911) décrire cette « forme larvée d'insuffisance nasale décelable par la comparaison des ampliations thoraciques obtenues par la voie buccale et par la voie nasale ».

REMARQUE III. — Pour l'enfant en bas âge, le problème semble insoluble : « Je ne puis dire, dit Mme Nageotte, ce qu'est l'amplitude respiratoire chez les enfants de un à trois ans, car il n'est pas possible de s'entendre avec eux pour cette exploration et l'on ne pourrait se rendre compte de l'excursion thoracique que dans l'inspiration profonde qui suit l'expiration du cri... les périmètres axillaire et xyphoïdien sont sensiblement égaux. »

REMARQUE IV. — *Au sujet du différend* qui nous sépare de Mme Nageotte, nous présentons l'observation suivante :

Cette auteur déclare que « c'est certainement une erreur de croire « que l'amplitude moyenne normale est de 10 centi- « mètres[1] ou que la course physiologique est de 10 à 12 cen- « timètres ». Pour arriver à une pareille moyenne, il faudrait que l'amplitude supérieure à 15 centimètres fût commune. » Nous n'avons jamais émis semblable fantaisie.

Là est son erreur, ou du moins la différence d'interprétation. Nous n'admettons comme chiffres normaux que les chiffres obtenus aisément en fin de cure et le chiffre de 10 centimètres est rapidement atteint par l'adulte. Mme Nageotte accepte comme chiffres normaux les chiffres habituels. Nous

1. *Presse médicale*, 1904, p. 130 et 178.

avons déjà dit que les amplitudes de 14 à 15 centimètres sont exceptionnelles.

Ces considérations sur la valeur et la mensuration de l'ampliation thoracique ne doivent pas nous faire oublier que le périmètre doit être symétrique tant anatomiquement que physiologiquement : seule la mensuration au centimètre symétrique pourra donner des renseignements cliniques, scientifiques et complets. Nous ne pouvons donc pas admettre que l'on considère l'emploi du centimètre symétrique « comme une complication dont on peut se dispenser dans la pratique courante », ni que l'on invoque la difficulté de maintenir sur les apophyses épineuses l'œillère qui sépare les deux chiffres 1.

Examen aux rayons X. — Nous serons très brefs sur l'examen du thorax aux rayons X. Nous renvoyons à l'excellente monographie de Beclère, en rappelant qu'il serait utile de noter au cours des radioscopies les dimensions précises des incursions des côtes, du sternum et du diaphragme, pour apprécier exactement la suffisance de la respiration.

b) Les procédés indirects sont constitués par l'ensemble des procédés de mensuration donnés par les auteurs pour juger la valeur anatomique, et non plus physiologique du développement du thorax. Nous les diviserons en procédés de mensuration du thorax considéré en lui-même et indépendamment du reste de l'organisme et en procédés de mensuration du thorax étudié dans les rapports de son développement des autres parties de l'organisme.

La comparaison du périmètre, de la taille, du poids et de l'âge[1] a été depuis longtemps utilisée pour estimer la robustesse des individus qui ne sauraient, sans une respiration normale, avoir acquis un thorax bien développé.

1. Dangle. *Mensurations thoraciques* (thèse Paris, 1909).

Le poids moyen des adultes, par rapport à la taille, se rapproche du nombre de centimètres au-dessus du mètre, c'est un aphorisme bien connu. D'après les travaux des médecins militaires, en particulier de Marty et de Vallin, on peut admettre que « la circonférence thoracique doit excéder la demi-taille de un centimètre pour les individus de plus de 1ᵐ,60 et de deux centimètres pour les individus plus petits ».

Le périmètre est entré aussi dans l'établissement de certaines formules qui ont la prétention de donner la représentation exacte de la force physique des individus.

C'est ainsi que Pignet (*Archives médicales d'Angers*, 1900) appelle *Valeur numérique* la différence entre la taille exprimée en centimètres et la somme du périmètre exprimée en centimètres et du poids chiffré en kilogrammes. Ainsi un homme de 1ᵐ,70 ayant un périmètre de 90 centimètres et un poids de 65 kilogrammes a une valeur numérique de

$$170 - (90 + 65) = 15.$$

Or, la valeur numérique est inversement proportionnelle à la force de l'individu.

Pignet donne les interprétations suivantes :

La constitution est :

Très forte pour une valeur numérique de. . 10 —
Bonne   —   —   . . 11 à 20
Moyenne   —   —   . . 21 à 25
Faible   —   —   . . 26 à 30
Très faible   —   —   . . 30 +

Le Dʳ Mackievicz (*Caducée*, 18 mars 1905) indique les minima acceptables suivants :

Taille.	Poids minimum exigible.	Périm. minimum exigible.
1ᵐ,54 à 1ᵐ,64	53 kg.	0,78
1ᵐ,65 à 1ᵐ,70	54 —	0,80
1ᵐ,71 à 1ᵐ,75	56 —	0,82
1ᵐ,76 et au-dessous	60 —	0,82

Il est notoire que le périmètre et la taille ne subissent pas un développement parallèle.

Chez l'enfant, Mme Nageotte donne les chiffres suivants :

A la naissance. . . . . . . Périm. $\times$ 2 $=$ taille $+$ 20 cm.
De 8 à 11 ans. . . . . . . Périm. $\times$ 2 $=$ taille $\pm$
De 11 ans à fin de croissance. Périm. $\times$ 2 $=$ taille $-$ 2 à 5 cm.

Mais il est nécessaire de faire des réserves, car la taille des enfants de même âge est éminemment variable et ces rapports ne sont pas exigibles en cas de croissance très rapide.

Uffelman accepte comme minimums les équations suivantes :

A 3 ans . . . . . Périmètre $=$ 1/2 hauteur $+$ 12 cm.
A 5 ans . . . . . Périmètre $=$ 1/2 $-$ $+$ 10 $-$
A 10 ans . . . . . Périmètre $=$ 1/2 $-$ $+$ 4 $-$

D'après Mme Nageotte et Marage, nous trouvons pour les périmètres thoraciques d'enfant les chiffres suivants :

	Périm. axillaire.	Périm. xyphoïdien.
1 an.	45 cm.	
2		
3		
4		
5		
6	augmentation de 1 a 3 cm. par an.	
7		55
8		56
9		58
10		62
11		61
12		62
13		63
14		65
15	75.	

Si nous considérons maintenant le thorax en lui-même, voici les faits essentiels que nous relevons. Nous pouvons tout d'abord comparer les périmètres axillaire et xyphoïdien :

En comparant, chez les enfants non exercés, les périmètres axillaire et xyphoïdien, on trouve le périmètre axillaire supérieur de 1 à 4 centimètres au xyphoïdien. Chez l'enfant qui spontanément respire bien et qui représente le type normal du thorax esthétiquement beau, la différence doit être de 4 à 5 centimètres et le périmètre xyphoïdien à l'inspiration doit être égale au périmètre axillaire d'expiration (Mme Nageotte).

« Chez les rachitiques, chez les dyspeptiques à gros ventre, chez presque tous les enfants chétifs alités, le périmètre xyphoïdien l'emporte sur l'axillaire, parfois de 3 à 4 centimètres. La cage thoracique semble immobile ; rien ne se soulève au niveau des côtes supérieures; dans la région xyphoïdienne, l'amplitude oscille autour d'un demi-centimètre. Seul le ventre est animé de mouvements réguliers et amples. La respiration est diaphragmatique abdominale. »

Plus importante est la comparaison des diamètres transverse et antéro-postérieur du thorax [1].

Il y a longtemps que *Fourmentin* a posé en principe que chez l'individu sain au niveau de l'appendice xyphoïde, le diamètre transverse multiplié par 100 et divisé par le diamètre antéro-postérieur devait donner un chiffre voisin de 140. Cette donnée est classique. L'indice est toutefois plus faible chez la femme. Quelques auteurs préfèrent diviser par le diamètre transverse le diamètre antéro-postérieur multiplié par 100 ; ils obtiennent un chiffre voisin de 70.

L'espace intermammaire représente assez exactement le quart de la circonférence totale du diaphragme. Sa diminution serait d'un fâcheux pronostic (Gintrac). L'angle de Charpy ou angle d'écartement des fausses côtes doit osciller de 60 à 80.

Enfin récemment Hugues et quelques auteurs allemands appelaient l'attention sur le rapport de la portion antérieure et de la partie postérieure de la circonférence du thorax sectionnée par la ligne axillaire en deux parts.

Le *procédé de la section thoracique* du professeur Maurel de Toulouse pourrait, dans notre classification, être décrit comme un procédé mixte, car il étudie le thorax en lui-même et donne par rapport au poids et à la taille des indications des plus précieuses.

Ce procédé d'une grande exactitude ne s'est malheureusement pas répandu. Il consiste à reproduire sur un papier quadrillé au centimètre carré la superficie du thorax relevée au niveau de l'appendice xyphoïde. En dehors des communications de Maurel, on trouvera l'étude complète de la question dans la thèse de son élève Joffre (Toulouse). Voici la technique résumée. Après avoir, au crayon dermographique, inscrit sur la peau les repères horizontaux correspondant au niveau de l'appendice xyphoïde, on note sur le papier quadrillé la distance qui sépare l'appendice xyphoïde de la colonne vertébrale prise avec un compas d'épaisseur spéciale ou cyrtomètre. Grâce au cyrtographe, c'est-à-dire à un ruban souple de plomb, recouvert d'une enveloppe de toile, on prélève en 2 fois par application sur la peau les deux hémi-circonférences thoraciques allant de l'appendice xyphoïde à la colonne vertébrale. Il est simple de rapporter sur le papier quadrillé le ruban de plomb ayant gardé sa forme, ce dont on s'asssure par les repères inscrits, et d'inscrire avec un crayon les deux demi-périmètres. Nous avons pris l'habitude

1. Voir Dangle. *Mensuration du thorax*, thèse Paris ; Bezançon, *Thorax des tuberculeux*, thèse Paris, 1906, Malbec, thèse 1903-1904.

de repérer également le diamètre maxima du thorax à titre de contrôle.

Le calcul de la surface se fera en inscrivant dans le périmètre le plus grand rectangle et des petits rectangles latéraux ; les carrés sectionnés par la ligne périmétrique seront comptés pour la moitié.

Le professeur Maurel a établi que chez l'homme normal la section thoracique est égale à 8 centimètres carrés par kilogramme. Chez le malingre, il faudra, pour que le développement thoracique soit redevenu suffisant, que la section soit égale à 8 fois le poids exprimé en kilogs correspondant à leur taille. De plus, le professeur Maurel a établi que la section thoracique correspond, par 4 centimètres carrés, à 1 décimètre carré de surface cutanée. La surface cutanée peut d'ailleurs se calculer par le poids. La formule est la suivante : Surf. : $= 7.35 \sqrt[3]{P^2}$.

Nous avons utilisé la technique de Maurel en particulier à l'étude des convalescences de pleurésie.

Nous voulons signaler encore le thoracographe de Dufestel *Clinique infantile,* 15 juillet 1907) qui inscrit lui-même la section thoracique, instrument précis et précieux, mais malheureusement d'un prix de revient tel qu'il ne saurait entrer dans la pratique.

L'appareil récent de Courtade échappe à cette critique : c'est une variété de pantographe construit sur des données mathématiques des plus précises, qui peut reproduire la section en grandeur naturelle ou n'importe quelle réduction désirée (voir *Médecine scolaire,* 10 décembre 1911).

Avant de terminer ce qui a trait à la mensuration, nous tenons à signaler deux rapports de mensuration auxquels nous attachons une grande importance. L'un a trait à la mensuration du corps ; l'autre, tout en étant le résultat de la mensuration dépend de la santé générale et de la robusticité organique. Nous les avons vérifiés dans nos recherches au dispensaire anti-tuberculeux faites avec notre élève et ami Rigault. Les voici :

1° *Chez le garçon enfant ou adolescent et chez la fillette de bas âge, le périmètre transverse maximum du thorax est égal au périmètre transverse maximum du bassin. Cette égalité peut disparaître chez la fillette même avant que se manifeste la crise de la puberté ; elle persiste chez les enfants masculins adolescents, comme elle persistera chez l'adulte.*

2° *Chez l'enfant, comme plus tard chez l'adulte, la hauteur du sternum* (non compris l'appendice xyphoïde) *doit être représentée par un chiffre peu supérieur à la distance manubrio-vertébrale, cette dernière étant prise au compas d'épaisseur à l'inspiration de l'échancrure du manubrium sternal à l'apophyse épineuse de la première vertèbre dorsale.*

Nous commenterons, démontrerons, discuterons ces deux propositions avec l'étude clinique et dans des mémoires documentaires [1].

Zahn de Carlsruhe a insisté sur le rapport des largeurs du dos et de la poitrine ; la poitrine devant l'emporter de 2 à 10 centimètres.

Les notions de mensuration permettent d'expliquer certains problèmes cliniques assez délicats :

Le plus souvent les mensurations anatomique et physiologique sont d'accord : le *malingre vrai* a un périmètre insuffisant avec jeu subnormal ; le *robuste vrai* a un jeu suf-

---

1. Il nous a paru que l'individu fatigué laissait retomber le thorax et ne le maintenait pas relevé comme l'individu robuste. Plusieurs auteurs français comme étrangers ont signalé ce « thorax paralytique » sur lequel insiste Hugues, qui s'explique par la maladie de Glénard. Des recherches exactes en cours sur le niveau du sternum par rapport aux vertèbres vérifieront cette notion encore insuffisamment précise.

fisant d'une poitrine de dimension suffisante. Mais à côté de ce type nous notons les variétés suivantes. Le *malingre fonctionnel* a une poitrine suffisante avec un jeu d'ampliation très inférieur. S'il est enfant, il ne tardera pas, par arrêt de développement de la cage thoracique, à devenir également malingre anatomique ; s'il est adulte, il peut garder longtemps un état général satisfaisant, si le diaphragme possède, acquiert ou garde un jeu de piston compensateur de l'insuffisance thoracique. Les gros emphysémateux, les asthmatiques sont des types de *malingres fonctionnels* avec maintien de l'état général. Le *robuste fonctionnel* est un sujet à poitrine peu développé anatomiquement, mais à jeu respiratoire considérable (9 à 15) ; il ne deviendra pas tuberculeux.

γ) COMMENT VÉRIFIER QUE LA RESPIRATION EST COMPLÈTE ? DIRE QUE LA RESPIRATION EST COMPLÈTE, c'est dire qu'à chaque inspiration le thorax s'agrandit dans les trois sens, dans le sens de la hauteur par le redressement de la colonne vertébrale et l'abaissement de la coupole diaphragmatique, dans le sens transversal et antéro-postérieur par le jeu des côtes qui en se relevant éloignent le sternum de la colonne vertébrale, grâce à leur flexibilité.

L'examen aux rayons X est ici d'un secours considérable et seul il permet de trancher certaines difficultés insurmontables. Il vient compléter d'une façon heureuse l'auscultation qui poursuivait et décelait les territoires de silence respiratoire. Silence de l'auscultation, immobilité à l'écran sont deux signes parallèles des inerties pulmonaires partielles.

Parmi les questions que soulève la notion de la respiration complète, peu ont l'importance du syndrome sur lequel dès 1903 nous appelons l'attention des physiothérapeutes, nous voulons parler de *l'insuffisance diaphragmatique*[1]. Voici comment nous avons dans notre Mémoire du *Journal de physiothérapie* de novembre 1903 classifié ce syndrome.

Le fonctionnement du diaphragme assure le développement de la cage thoracique en hauteur; il est une condition essentielle et indispensable de l'inspiration efficace.

Or, le diaphragme peut, au cours des différentes maladies, présenter des altérations, soit purement fonctionnelles, soit anatomiques et fonctionnelles, qui se traduisent essentiellement par les syndromes suivants :

a) La paralysie, dont les conséquences fatales sont bien connues. Tous ceux qui ont soigné des petits diphtériques ont redouté cette terrible localisation des paralysies, qui tuent en supprimant le fonctionnement de l'appareil respiratoire. Il faut en rapprocher, malgré la différence du processus, les atrophies du diaphragme notées en quelques cas de myopathie. Ces cas sont étudiés dans les traités des maladies de l'enfance, dans les traités spéciaux de neurologie : il est inutile d'y insister.

b) Au cours de l'ataxie locomotrice, le diaphragme, comme les autres muscles de l'appareil respiratoire, devient incoordonné. Maurice Fauré (de Lamalou) a eu le mérite de décrire le premier, dans tous ses détails, cette *incoordination diaphragmatique*. De notre côté, nous l'avons signalé à la période terminale des broncho-pneumonies infantiles, au moment où l'intoxication du système nerveux remplace le jeu régulier de la cage thoracique par l'*anarchie respiratoire*. Le syndrome d'incoordination du diaphragme tient, dans la pathologie nerveuse et infantile, une place à part[2].

1. Leblanc (thèse Paris, 1910-1911, vol. 28. l'*Indice respiratoire*) trouve chez les enfants un indice abdominal de 7 centimètres indiquant la prédominance de la respiration abdominale chez l'enfant.

2. Voir Varot, *Un nouveau symptôme du tabes ataxique* (L'ataxie du

c) Quand on a éliminé la paralysie et l'incoordination, il reste encore deux ordres de faits, qu'il nous semble préférable de réunir, pour ne pas multiplier les divisions. Ce sont les parésies uni-latérales du diaphragme, succédant aux affections pleuropulmonaires, parésies étudiées à l'étranger par de nombreux auteurs, surtout connues en France par les monographies de Béclère sur l'Emploi des rayons de Rœntgen dans les maladies tuberculeuses ou non tuberculeuses du poumon. C'est en second lieu l'insuffisance pure du diaphragme, méiopragie fonctionnelle, dont nous allons donner les signes et qui relève essentiellement de la gymnastique diaphragmatique.

L'inspection du malade, en cas d'*insuffisance du diaphragme*, relève deux faits importants. Tout d'abord, dans la partie inférieure de la cage thoracique, les côtes, immobiles, paraissent privées de leur jeu physiologique. L'espace intercostal est invariable. De plus, si le sujet est examiné dans le décubitus dorsal, on constate une immobilité presque complète de la paroi abdominale ; la main, posée à plat sur le ventre, ne sent aucune impulsion inspiratoire sensible[1]. A la palpation, les vibrations thoraciques sont atténuées. A la percussion, le son est normal ou tient le milieu entre le son normal et une submatite légère. A l'auscultation, le murmure vésiculaire ne s'entend pas aux bases. Au cours de notre internat, nous avions bien souvent remarqué ce type clinique qui fait penser à la possibilité d'un léger épanchement. Que le malade tousse, qu'il soit forcé de respirer largement, immédiatement le murmure vésiculaire est perçu

---

diaphragme). *Progrès médical*, 9 avril 1910. L'auteur y réclame l'éducation du diaphragme des ataxiques « méthode déjà si brillamment mise à profit par notre maître, le professeur Raymond, dans le traitement de certaines manifestations névropathiques » (hoquet hystérique).

1. Voir plus loin les travaux de Thooris.

puis disparaît, mais sa perception fugitive a permis d'éliminer l'idée d'épanchement pleural. Cette obscurité, cet éloignement du murmure vésiculaire, son caractère lointain, mènent quelquefois à la ponction à la seringue de Pravaz, ponction naturellement blanche. Toutes les hésitations sont levées par l'examen aux rayons de Rœtgen ; les deux poumons donnent des zones claires ; la voûte diaphragmatique se détache dans toute sa netteté avec sa légère et physiologique surélévation à droite ; mais la course est singulièrement restreinte ; si, après le sujet atteint d'insuffisance diaphragmatique, vous examinez un individu normal, l'ampleur de la course physiologique, qui s'étend de la 6ᵉ à la 9ᵉ côte et peut dépasser ces limites, entraînera votre conviction.

En cas de *parésie inflammatoire* les signes sont plus complexes, d'abord à cause de leur unilatéralité aussi nette à l'examen clinique qu'à l'épreuve de la radioscopie.

Chez le tuberculeux au début, la limitation unilatérale de la course du diaphragme est complétée par l'obscurité du sommet et la diminution d'étendue de l'image du poumon ; au début des scléroses du poumon, dans les cas qui ne bénéficient pas du traitement par la G. R. [1], le médiastin est refoulé à chaque inspiration du côté anciennement malade par l'expansion du poumon sain, et montre la dislocation caractéristique décrite par Holzknecht, etc. (voir Béclère, *loco citato*).

Glénard, dans la série de ses beaux travaux sur l'entéroptose a insisté sur la ptose du diaphragme, qui n'est qu'un élément de la maladie de Glénard.

Depuis que nous avons décrit ce syndrome capital dont nous donnerons plus loin l'étiologie, nous n'avons cessé de

1. Abréviation pour gymnastique respiratoire.

contrôler son existence chez les malades soumis à notre observation; d'ailleurs ce syndrome a été l'objet de travaux intéressants de quelques auteurs, en particulier de *Thooris,* qui a bien voulu récemment reconnaître notre antériorité. Au Congrès français d'oto-rhino-laryngologie (11 mai 1909), Thooris soutient que les malingres de l'armée sont des sujets atteints d'insuffisance glottique et diaphragmatique, ce qu'il a pu constater par la méthode graphique et la radioscopie. L'insuffisance glottique se traduit par l'incontinence de l'air contenu dans le thorax au moment de l'émission et se corrige par des exercices vocaux. L'insuffisance diaphragmatique se traduit graphiquement par l'amplitude faible ou nulle de la courbe obtenue au moyen d'un pneumographe au niveau épigastrique, et aux rayons X par la persistance de la continuité de l'ombre représentant le sac péricardique et de la ligne du diaphragme au cours de l'inspiration.

La condition nécessaire et suffisante de l'abaissement énergique du diaphragme est pour Thooris une *rétraction énergique de la paroi abdominale antérieure* au moment de l'inspiration; il faut s'adresser à l'entraînement et au développement musculaire de la paroi abdominale antérieure pour obtenir cette rétraction.

Thooris écrit : « Tous les malingres sont des insuffisants diaphragmatiques » et plus loin, « la correction de l'insuffisance diaphragmatique est une rééducation de l'abdomen ». Car « le centre aponévrotique du diaphragme, c'est-à-dire la portion horizontale de cet organe se déplace de haut en bas en inspiration dans la mesure où la ligne blanche de la paroi abdominale antérieure se déplace d'avant en arrière. Ce fait est d'autant plus intéressant qu'il vient à l'encontre de ce que disent généralement les physiologistes en prétendant comme normale l'augmentation de la capacité de l'abdomen par

l'introduction des poumons en inspiration dans sa cavité. »
Citons encore : « Si le périmètre abdominal est le même aux
deux temps de la respiration, la descente du diaphragme ne
dépasse pas un demi-espace intercostal. Si le périmètre
abdominal maximum est constaté au moment où le sujet
atteint son maximum d'expansion thoracique, le déplace-
ment vertical du diaphragme ne dépasse pas la hauteur d'un
espace intercostal.

« Si le périmètre abdominal minimum est atteint au moment
où le thorax parvient à son maximum d'expansion, la descente du diaphragme dépasse la hauteur d'un espace intercostal, et est d'autant plus prononcée que le périmètre abdominal, au moment de l'inspiration devient plus petit. »

Quel que soit l'intérêt de ces travaux, ils ont le tort de
vouloir ramener le problème complexe de l'exercice physiologique de respiration à l'un de ces éléments, dont l'importance ne nous avait pas échappé. De plus, l'auteur croit
pouvoir solutionner un problème respiratoire par une
manœuvre de gymnastique pure, c'est une erreur absolue ;
il y a là, à la fois, un écueil et un danger. Il faut lui savoir gré
d'avoir à nouveau appelé l'attention sur l'importance de la
sangle abdominale.

Mais le syndrome d'*insuffisance abdominale antérieure*
a été décrit depuis longtemps par Glénard[1] ; il est bien
connu des physiothérapeutes éducateurs : Müller, dans *Mon
système*, a publié à ce point de vue d'intéressants documents.

Dans son livre sur l' « *Éducation physique* — son in-
fluence sur la santé du soldat », notre ami le médecin-major
Daussat a fait une étude critique des travaux de Thooris.
Tout en rendant justice aux notions apportées par cet obser-

---

1. Glénard. *Phrénoptose* in *Revue des maladies de la nutrition*, 1905.

vateur, il fait à juste titre des réserves sur la généralisation.
Il rappelle d'abord toute l'importance accordée par Tissié (de
Pau) à la rectitude de l'axe osseux du corps. La contraction
de la sangle musculaire abdominale, qu'il est possible de fortifier par des exercices spéciaux, provoque une action synergique et antagoniste sur la voûte diaphragmatique. — Le
transverse abdominal est un véritable opposant gymnastique
au jeu du diaphragme. En immobilisant l'abdomen, on donne
un point d'appui au diaphragme. En redressant un homme
des pieds à la tête, et en lui faisant contracter le grand
droit, on voit l'abdomen se creuser en inspiration et le périmètre thoracique se développer largement. Tissié arrive à
dire : c'est « avec ses pieds que l'on respire », et il explique
ainsi cet aphorisme : « Les Suédois se préoccupent de ren-
forcer, par des exercices appropriés, l'articulation du cou-
de-pied, muscles ligaments, pour que cette articulation soit
un point d'appui solide et résistant sur le sol. Cette solidité
contribue à la fixité de la colonne vertébrale dans un plan
vertical et par suite au jeu du diaphragme. »

   La doctrine soutenue par Tissié est donc la suivante.

   Il est nécessaire que l'axe vertébral soit rigide (contraction des masses sacro-lombaires, des muscles, des gouttières
vertébrales, du carré des lombes, etc...), pour fournir au
diaphragme un point d'appui fixe et lui permettre de fonctionner. Il est utile qu'il y ait rigidité de la paroi abdominale
antérieure qui joue vis-à-vis du diaphragme le rôle adjuvant
que les muscles extenseurs jouent vis-à-vis des fléchisseurs de
l'avant-bras par exemple ; ce rôle adjuvant des muscles opposés est bien observé au cours des paralysies saturnines de
l'avant-bras où nous voyons les fléchisseurs intacts perdre en
grande partie leur fonctionnement par suite de l'atteinte
cependant élective des fléchisseurs.

Ces idées nous ramènent aux notions établies depuis long-temps par *Duchenne de Boulogne.* D'après ce savant obser-vateur, le diaphragme augmente le diamètre transverse du thorax en élevant les six dernières côtes : cette élévation est rendue possible par l'appui soutenu qu'il prend sur les vis-cères abdominaux. Les expériences d'éviscération, en suppri-mant le point d'appui viscéral, en démontrent l'utilité.

Daussat a étudié la respiration naturelle chez un grand nombre de soldats ordonnances du 19ᵉ escadron, il prend les périmètres horizontaux au-dessous des omoplates et à la hauteur du creux épigastrique, il juge à la vue de la rétrac-tion plus ou moins prononcée de la paroi abdominale. Il a divisé les sujets observés en sujets musclés (A), maigres, nerveux et peu musclés (B), gras et obèses (C), ptosiques, à ventre en besace avec paroi mince (D). Voici le résumé de ses observations :

Chez les sujets musclés, il se produit, au moment de l'ins-piration naturelle, une forte rétraction de la paroi abdomi-nale, qui accompagne une ampliation épigastrique costale de 4 à 7 centimètres. Dans l'inspiration avec rétraction volon-taire de l'abdomen, il se produit une certaine gêne de la res-piration avec demi-immobilisation du thorax. En somme, d'après Daussat, chez les sujets musclés, une contraction trop énergique des muscles abdominaux vigoureux semble produire une augmentation trop forte de la pression intra-abdominale et le refoulement trop intense des viscères dans le thorax, *l'action des abdominaux antagonistes contrarie la contraction du diaphragme.*

Les sujets maigres, nerveux, peu musclés, n'ont donné à l'auteur que des résultats variables. Chez les sujets gras obèses, l'inspiration naturelle s'accompagne d'une immobilité de la paroi abdominale, modifiée quelquefois en une rétraction ou un soulèvement peu marqués. Si l'on demande au sujet d'inspirer en rétractant le ventre, l'ampliation thoracique devient plus forte. Chez les sujets ptosiques (D), l'inspiration naturelle s'accompagne du soulèvement de la paroi ; le ventre passif se gonfle pendant l'inspiration. L'inspiration avec rétraction volontaire de la paroi abdomidale donne une augmentation du périmètre thoracique. Ainsi dans ces deux séries « la contraction d'une paroi faible maintient suffisamment les viscères pour qu'ils puissent servir de point d'appui solide au diaphragme. L'énergie de la paroi est uniquement employée à s'opposer à la descente des viscères et n'est pas assez forte pour s'opposer, comme dans le premier cas, à la descente du diaphragme ». De plus, Daussat a noté que dans la respiration naturelle des sujets musclés, la rétraction inspiratoire du ventre n'est pas due à une contraction musculaire, car ni la vue, ni la main ne sentent de reliefs musculaires. « Elle est le résultat de la traction exercée sur les plans cutané et musculo-aponévrotique par l'expansion thoracique et l'écartement des dernières côtes. »

Le diaphragme rentre donc dans la règle commune. Comme tous les muscles, il bénéficie de la *tonicité,* de l'*élasticité* des muscles opposants : il ne saurait bénéficier de leur contraction antagoniste.

Ce caractère anormal de la respiration avec rétraction forcée de l'abdomen aurait dû apparaître à Thooris même, puisque même pour cet auteur : « dans certains cas, le sujet doit exécuter les exercices respiratoires en position couchée; il faut suspendre tout autre travail pendant le séjour au peloton » et « certains sujets sont absolument réfractaires aux mouvements inspiratoires avec rétraction abdominale ».

A la critique très sagace de Daussat, il n'y a qu'un reproche à formuler ; c'est l'absence de contrôle à l'écran radiosco-

pique des expériences rapportées. Aussi nous a-t-il paru utile
de vérifier l'utilité de la rétraction abdominale inspiratoire
préconisée par Thooris en associant la mensuration, l'inspection et l'emploi des rayons X. Les conclusions auxquelles nous
aboutissons confirment de tous points les travaux primor-
diaux de Duchenne de Boulogne et ceux de Glénard, qui
n'ont pas retenu suffisamment l'attention de Thooris.

Duchenne de Boulogne a vu chez le chien vivant la base du
thorax doubler par la faradisation des phéniques. Après la
mort, l'augmentation ne dépassait pas un tiers, à cause du
relâchement de la paroi abdominale antérieure.

Depuis longtemps (voir en particulier *Revue des Maladies
de la nutrition,* 1895) *Glénard* a appelé l'attention sur le rôle
important que joue dans la pathogénie de l'entéroptose
l'abaissement du diaphragme. Après avoir rappelé les beaux
travaux de F. Frank (*Soc. Biologie,* 1903-4), il a insisté sur
ce fait que le diaphragme du chien mis en situation verticale
cesse de fonctionner. « Si alors par une compression large,
on soutient l'abdomen et l'on refoule les viscères en état de
ptose..., le diaphragme reprend en grande partie sa liberté
d'action... » F. Frank a d'ailleurs assimilé les résultats expé-
rimentaux aux phénomènes de ptose abdominale de la
clinique humaine. « On sait, dit Glénard, quels services on
rend aux malades en répondant à l'indication de combattre
la diminution de tension abdominale et de relever les
viscères prolabés », et « dans mes études sur les ptoses
viscérales, j'ai, dès la première description, noté parmi les
symptômes de l'entéroptose, les troubles de la fonction respiratoire et signalé au premier rang des effets obtenus par
la sangle chez les ptosiques le secours qu'elle apportait aux
mouvements d'inspiration » et, plus loin, « il y a donc, dans
les moyens de soutien intra-abdominaux du diaphragme,

deux facteurs : le volume des viscères abdominaux, la tension de la paroi. C'est l'équilibre entre les deux forces qui constitue la tension abdominale... »

Glénard a même noté la rétraction du diaphragme au cours de la respiration thoracique. « A mesure que le thorax s'agrandit, la paroi abdominale se déprime et cela d'autant plus qu'on l'examine à une distance plus éloignée de la base de la cage thoracique. »

Enfin par des mensurations précises, au moyen d'une poche à air communiquant avec un manomètre, Glénard établit que les deux respirations thoracique et abdominale se suppléent et se succèdent. Lorsque, dans une respiration thoracique, l'incursion costale est achevée, il y succède une respiration abdominale.

Concluons par notre appréciation personnelle. Il reste à Thooris le mérite d'avoir contribué à substituer l'éducation de la sangle abdominale au port d'une sangle orthopédique réclamée par Glénard. Il a eu tort de généraliser la notion de la rétraction inspiratoire de l'abdomen étudiée avant lui en particulier par Glénard et d'y voir une contraction musculaire, alors qu'il y a plutôt élongation et non raccourcissement.

De nos examens répétés faits avec mensurations et sous le contrôle des rayons X, nous avons acquis les conclusions suivantes : Il faut séparer dans le jeu du diaphragme trois modes de fonctionnement différent.

Le premier[1] est la respiration purement abdominale ; il

---

1. Guilloz et Henriot (*Archives d'électricité médicale*, 1899) donnent pour le jeu du diaphragme mensuré en hauteur les chiffres suivants : Entre les inspirations moyenne et forcée, 2 centimètres à gauche, 17 millimètres à droite. Entre l'inspiration et l'expiration forcée, 35 millimètres sur la ligne médiane, 38 millimètres pour la voussure droite, 34 millimètres pour la voussure gauche.

consiste dans une contraction énergique du diaphragme avec ballonnement de la paroi abdominale antérieure restant passive et ampliation minime du thorax. Nous le désignons sous le nom de *respiration diaphragmatique d'exclusion* ou de *respiration diaphragmatique de compensation*. Aux rayons X, le jeu du diaphragme atteint 2 à 2 1/2 espaces intercostaux. Nous considérons cette respiration comme anormale, néanmoins elle doit être utilisée dans l'éducation du diaphragme (respiration d'exclusion), elle peut être voulue, désirée, obtenue et maintenue dans les cas de thorax rigide (respiration diaphragmatique de compensation).

Le second est le *mode normal ordinaire*, il consiste en une respiration thoracique et diaphragmatique avec abaissement notable du diaphragme facile à vérifier aux rayons X. Grâce à la tonicité de la paroi abdominale antérieure et non à sa contraction (Thooris) ; grâce surtout à l'élargissement et au relèvement de la base du thorax [1], la paroi abdominale reste immobile ou se rétracte.

Le troisième déjà signalé par Glénard est le *mode complet, mode physiologique d'entraînement*. Au cours de la respiration le thorax s'amplifie et se soulève, le ventre d'abord subit une rétraction ou semble immobile ; mais lorsque le thorax a terminé son ampliation, l'abdomen à son tour dans une phase inspiratoire secondaire subit un avancement de sa paroi antérieure. Ce troisième type peut avoir un mode inverse, l'abdomen se gonfle par une descente puissante du diaphragme, puis tandis que l'abdomen reste gonflé, ou subit une légère diminution (Glénard), le thorax à son tour, dans une phase d'ampliation secondaire, subit un développement des plus marqués. On conçoit qu'aux deux variétés de ce troi-

---

1. L'élargissement du thorax est pour Bonnier (La Voix) la respiration normale du chanteur.

sième type, variétés pré-thoracique ou pré-abdominale, s'ajoute la variété *simultanée*, type d'entraînement parfait assez difficile à obtenir. Il faut accepter avec Glénard une certaine variation de ces types, selon que le sujet est assis, debout ou couché.

δ) LE RYTHME. — Nous vérifierons le rythme respiratoire soit par l'inspection, soit en posant une main sur la poitrine des sujets pendant que nous regardons une montre à seconde ou un métronome, soit plus exactement grâce à la méthode graphique. Les troubles du rythme peuvent dépendre de l'allongement ou du raccourcissement d'un temps de la respiration ou d'une variation trop grande de durée des respirations successives. Nous aurons à préciser ces points dans l'étude clinique.

D. — *Étiologie des insuffisances respiratoires.*

Nous venons de voir combien il est simple de vérifier les caractères de la respiration physiologique, nasale, suffisante, complète, rythmée. Nous allons maintenant préciser l'étiologie des anomalies de mécanisme respiratoire ; c'est-à-dire que nous allons nous demander dans quelles affections la respiration perd l'un de ces quatre caractères. L'étiologie de l'insuffisance respiratoire posera les indications de la cure d'exercice physiologique.

α) ÉTIOLOGIE DE L'INSUFFISANCE NASALE. — La cause la plus banale et la plus fréquente d'anomalie respiratoire est la disparition complète, relative ou passagère de la respiration nasale. Cette disparition peut s'observer chez trois catégories bien différentes de sujets :

a) Ceux qui portent entre l'entrée des narines et l'entrée épiglottique du larynx un obstacle mécanique permanent au passage de l'air inspiré, ce sont les obstrués *permanents* de Vacher et nos *rhinoadénoïdiens*.

b) Ceux qui, sur le même trajet, présentent un obstacle *intermittent* au passage de l'air inspiré, ce sont les *rhino-adénoïdiens intermittents*:

c) Ceux qui, sans avoir d'obstacle mécanique au passage de l'air inspiré ont perdu l'habitude d'utiliser la voie nasale de la respiration, ce sont nos *faux rhinoadénoïdiens*, avec une catégorie spéciale des abouliques de respiration (Lermoyez) que nous décrivons plus loin.

Entrons maintenant dans quelques détails, en utilisant la série de nos recherches antérieures, les traités spéciaux et un article de Vacher d'Orléans sur l'insuffisance nasale (*Presse médicale,* 22 novembre 1905).

a) L'insuffisance nasale par aplatissement des ailes du nez peut arriver à obstruer complètement l'une ou l'autre narine. Elle est souvent secondaire à une obstruction nasale d'origine quelconque qui a produit la suppression du fonctionnement de la narine, si bien que la narine non soulevée passe peu à peu de l'impotence fonctionnelle à une immobilité anatomique. Cet accolement de la narine est souvent fonction d'une inspiration brusque, rapide ou spasmodique, facile à corriger. D'après Vacher, la rhinite hypertrophique, les polypes, les crêtes de cloison et les déviations seraient les causes essentielles de l'aplatissement narinaire. Il faut y ajouter les paralysies faciales, cause de peu d'importance parce que le plus souvent temporaires.

En suivant la marche de l'air à travers les fosses nasales, nous allons trouver les principales causes d'obstruction nasale. Nous aurons soin de suivre ce trajet à droite et à gauche; car le sujet pour être normal doit présenter une intégrité bilatérale de la voie de conduction aérienne. Certes avec une voie unilatérale obstruée la respiration thoracique peut encore s'effectuer d'une façon suffisante ; il y a alors *respiration unilatérale de compensation*, mais la moindre modification du côté sain fera immédiatement verser le sujet dans l'insuffisance nasale. Pour être normales, les voies respiratoires doivent avoir cette surabondance voulue par la nature, qui permet de supporter sans défaillance physiologique les processus morbides.

Les obstacles anatomiques relevés dans les fosses nasales sont primitifs ou secondaires. Primitifs, ce sont les éperons, crêtes, déviations de la cloison, polypes ; l'hypertrophie de la tête du cornet inférieur ou de la muqueuse de ce cornet dans toute sa longueur, l'hypertrophie du cornet moyen avec saillie volumineuse de la bulle ethmoïdale, etc…

Quelquefois, il s'agit de queues de cornet qui obstruent l'orifice postérieur des fosses nasales.

Secondaires, c'est essentiellement le rétrécissement de la charpente osseuse des fosses nasales. Quelquefois, il est vrai, il s'agit d'une anomalie congénitale, mais plus souvent, la malformation est la conséquence de l'oblitération des fosses nasales. Ainsi se crée un véritable *circulus viciosus*, puisque l'obstacle anatomique ou physiologique engendre le rétrécissement par absence de développement de la charpente osseuse, rétrécissement qui, à son tour exagère l'obstruction nasale. Les cicatrices vicieuses, les synéchies sont également des obstacles secondaires.

Les obstacles au niveau du pharynx sont avant tout les végétations adénoïdes bien connues depuis les travaux de Meyer de Copenhague. Les médecins d'enfants ont fait connaître l'importance mécanique de ces végétations qui entravent au plus haut degré la respiration nasale. Dans une série de remarquables recherches (*Les infections adénoïdes*, Congrès international, 1900, *Société de thérapeutique* 1902 et 1904, *Archives de médecine des enfants,* 1904), *Gallois* a fait connaître toute l'importance des infections larvées ou latentes de cette troisième amygdale, dont les amas lymphoïdes siègent à la voûte du pharynx, au pourtour des pavillons des trompes d'Eustache et envahissent même l'orifice postérieur des fosses nasales [1].

Le polype naso-pharyngien est un obstacle des plus importants à la continuité respiratoire ; mais son évolution maligne chez l'enfant accapare les soins du médecin. Quant à l'abcès rétro-pharyngien, il présente à ce point de vue un intérêt tout particulier, la dyspnée étant souvent le symptôme révélateur.

Dans le bucco-pharynx l'hypertrophie des amygdales interrompt le courant d'air physiologique, c'est une question tranchée sur laquelle il y a accord unanime. Le rétrécissement de la voie aérienne due à cette hypertrophie s'accentue encore dans le décubitus dorsal et pendant la nuit, si bien que l'hypertrophie des amygdales présente un obstacle permanent aggravé d'un obstacle intermittent.

Avant de décrire les obstacles intermittents, faisons remarquer combien il était erroné de décrire sous le nom de faux adénoïdiens les porteurs d'un obstacle mécanique nasal à la respiration. Obstrués du nez, obstrués du pharynx sont des malades identiques, ayant tous besoin d'une désobstruction chirurgicale avant la cure physiologique selon la loi classique que nous avons contribué à établir : ils doivent être réunis sous le nom de *rhino-adénoïdiens* [2].

---

1. *Archives médico-chirurgicales des voies respiratoires*, janvier 1912.

2. Quant aux obstacles mécaniques, situés entre l'entrée du larynx et celle du lobule pulmonaire, ils sont moins aisés à modifier. Les ganglions trachéo-bronchiques ont là un rôle de première importance.

b) *Les obstacles intermittents* se divisent en deux séries. Nous croyons utile en effet de séparer l'obstacle dû à un coryza, à un rhume des foins, à une sinusite, etc., c'est-à-dire à un processus aigu, des obstacles souvent difficiles à préciser qui ne se présentent à l'observation que dans certaines conditions spéciales.

Il existe en particulier une catégorie nombreuse d'enfants qui ont une *suffisance nasale orthostatique* opposée à une *insuffisance clinostatique*. Il faut en rapprocher les cas de *rhinite à bascule*, où le sujet obstrue inconsciemment par la congestion de sa muqueuse nasale la narine du côté de son décubitus latéral. De même dans les cas de tamponnement des choanes en décubitus horizontal, où nous voyons des enfants normaux au point de vue respiratoire lorsqu'ils sont examinés debout, être obligés de recourir à la respiration buccale après quelques minutes de décubitus dorsal, de séjour au lit ou de sommeil par suite du gonflement de la muqueuse érectile des fosses nasales.

c) Lorsque l'on a éliminé les rhino-adénoïdiens permanents et intermittents, c'est-à-dire tous les sujets qui d'une façon constante ou temporaire présentent un obstacle mécanique à la respiration nasale, il reste la catégorie considérable de nos *faux rhino-adénoïdiens* c'est-à-dire des sujets qui, sans obstacle anatomique, bien que la voie aérienne reste libre, ont néanmoins l'habitude vicieuse de respirer par la bouche. Nous les avons divisés (voir page 20) en quatre catégories ;

1º Les uns ont été antérieurement porteurs d'un obstacle permanent qui a disparu chirurgicalement ou spontanément par suite du développement de la face ;

2º Les autres ont perdu l'usage respiratoire du nez au cours d'inflammations toxi-infectieuses de la pituitaire, affections dites sans gravité qui de ce fait ont été négligées ;

3° Quelques-uns deviennent de faux rhino-adénoïdiens sans raison nettement appréciable. L'habitude de courir trop long-temps rompant la synergie respiratoire par l'accélération des contractions des membres, surtout si l'on court avec une pierre dans la bouche, l'hérédité adénoïdienne (Lermoyez) ont été invoquées [1] ;

4° Enfin il faut mettre à part une catégorie peu nombreuse. Les *abouliques de la respiration nasale* (Lermoyez), qui asphyxient la bouche fermée malgré la béance de la voie nasale. Nous aurons l'occasion de rappeler que notre maître en a publié la première observation de guérison obtenue par notre technique.

β) ETIOLOGIE DE L'INSUFFISANCE THORACIQUE. — L'insuffisance thoracique, prise dans son sens physiologique c'est-à-dire l'insuffisance de l'ampliation de thorax à l'inspiration peut être secondaire à une insuffisance nasale anatomique ou fonctionnelle ; elle peut être indépendante de l'insuffisance nasale ou concomitante de cette insuffisance, dans ce cas elle reconnaît une étiologie pariétale ou viscérale [2].

1. Cathoire a signalé un mode curieux d'apparition du désordre respiratoire (*Méthode d'entraînement respiratoire à la course.* Caducée, 1905). Le désordre respiratoire s'introduit dans l'organisme par la course, parce que l'organisme ne peut pas faire une respiration lente, c'est-à-dire une contraction synergique lente des muscles respiratoires alors qu'il exécute des contractions brusques des muscles des membres. Le Dr Cathoire propose comme remède de « faire de la respiration un acte volontaire, d'égaliser le rythme de l'inspiration et de l'expiration et de les répartir également sur les six foulées du pas gymnastique, faire par suite trois courtes inspirations successives coïncidant avec trois foulées et une expiration continue mais renforcée par appui musculaire aux trois foulées suivantes. On arrivera ainsi à régler les mouvements respiratoires au taux normal de 30 à la minute, sans laisser aucun moment inutilisé dans un acte dont il importe de tirer le maximum de profit.

Il suffirait au maximum de 4 séances pour imposer cette discipline.

2. Il eût été intéressant de décrire ici muscle par muscle le fonctionnement du mécanisme respiratoire, d'étudier l'innervation et de décrire la complexité de la synergie de l'oxygénation sanguine. Faute de place

De même que nous signalerons plus loin *l'accommodation naso-diaphragmatique*, par laquelle le diaphragme doit limiter sa course dès que l'obstruction nasale limite l'introduction de l'air respiratoire, de même il existe une *accommodation naso-thoracique*[1], par laquelle le thorax doit limiter sa course pour la même raison, sous peine de produire dans le poumon des traumatismes que s'évite le *mécanisme régulateur de la respiration*. L'obstruction nasale a donc comme conséquence la diminution de la course inspiratoire et secondairement pendant la croissance l'atrophie du thorax ? Dans les cas où cette obstruction nasale est passagère, soit que le développement du squelette redonne la perméabilité aux fosses nasales, soit qu'il y ait libération chirurgicale ou régression spontanée, le thorax peut retrouver spontanément un jeu relativement suffisant. La réunion dans un même organisme d'un cœur ayant atteint un développement normal, et d'un thorax arrêté dans son évolution crée le type clinique isolé par G. Sée et étudié par Huchard, Potain et Vaquez sous le nom de *pseudo-hypertrophie du cœur de croissance*, appellation qui doit remplacer celle donnée par G. Sée à la première description de ce syndrome, c'est-à-dire celle de *hypertrophie du cœur de croissance*. La pseudo-

nous renvoyons aux traités de physiologie. Lire en particulier les belles études de Duchenne de Boulogne, de François Frank, du professeur Maurel sur la mensuration ; attacher une importance spéciale aux travaux de Dally, aux recherches méthodiques si sincères de Demeny (*Bases scientifiques, mécanisme et éducation des mouvements*), où se retrouve l'influence de Marey. Voir les leçons de Paul Bert sur la respiration... Vigneron, dans sa thèse 1909-1910, donne une étude graphique intéressante ; etc... Comparer Mendel, *Physiologie et pathologie de la respiration nasale*, Joal, etc...

1. L'atrophie du thorax est le plus souvent symétrique sans qu'il y ait corrélation précise entre le côté de l'obstruction nasale et une atrophie unilatérale du thorax. Cependant quelques auteurs récents ont trouvé un rapport entre le siège des obstructions nasopharyngées et les atrophies unilatérales du thorax. Voir les recherches de Lemoine et Sieur, en particulier.

hypertrophie du cœur de croissance caractérisée par les phénomènes de gêne circulatoire et essentiellement par des palpitations n'est qu'une forme clinique du grand groupe des *dissociations thoraco-corporelles,* conséquence des atrophies thoraciques par troubles respiratoires. Dans ces temps derniers, les auteurs modernes ont insisté sur le rôle que joue l'aérophagie dans la genèse des palpitations des adolescents. Thooris les a toutes rapportées à l'insuffisance du diaphragme et à l'absence de rétraction inspiratoire de la paroi abdominale antérieure ; il y a là une généralisation hâtive d'un aperçu intéressant.

Indépendante de l'insuffisance nasale, l'insuffisance thoracique peut avoir une origine soit pariétale, soit viscérale.

Pariétale, elle répond à tout processus d'arrêt du jeu des côtes (par ankylose ou ossification des cartilages) ou de douleur intéressant à un titre quelconque un tissu ou un organe de la paroi [1]. Ce sera aussi bien une névralgie intercostale, qu'une localisation rhumatismale (?) sur les muscles du thorax ou une fracture de côtes. Mme Nageotte appela l'attention sur la contention du thorax par les appareils plâtrés, on pourrait y joindre tout appareil orthopédique apliqué assez rigoureusement sur le thorax pour arrêter le jeu de la respiration. De la douleur des cellulites de Wetterwald qui suspend le jeu du thorax, il faut rapprocher les atrophies musculaires médicales ou chirurgicales, de quelque origine que ce soit. Ici nous devons faire une importante distinction. En présence d'un adolescent atteint de myopathie scapulo-humérale, se pose le problème de l'existence du jeune sujet,

---

1. Grâce aux beaux travaux de Wetterwald nous connaissons les algies cellulitiques du thorax, en particulier celles qui simulent l'angine de poitrine, comme elles simulent à l'abdomen l'appendicite. Ce sont des causes d'arrêt par douleur et par phobie du mécanisme respiratoire.

menacée par la maladie. L'insuffisance respiratoire a dans ce cas une importance bien secondaire et ce n'est qu'en seconde ligne qu'elle pourra retenir les préoccupations du médecin. Par contre un traumatisme de l'épaule, une fracture de la clavicule, un sarcome de l'humérus ayant entraîné une désarticulation interscapulo-thoracique, voilà autant de causes d'arrêt du jeu des côtes, autant de causes de cachexies. A ce point de vue, le traitement kinésithérapique sera de nature à éviter les hypostases, les congestions, ou le développement du bacille de Koch comme nous le verrons tout à l'heure. La paralysie infantile quand elle frappe les muscles du thorax prêterait à de semblables considérations. Combien est complexe dans ces cas le rôle du kinésithérapeute allié au médecin ! Daussat a signalé comme cause d'arrêt du jeu thoracique le développement exagéré des muscles qui brideraient les côtes.

Viscérale, l'insuffisance de jeu thoracique répond à des causes multiples. Il n'existe pas de processus péricardique, pleural ou pulmonaire dont la première conséquence ne soit pas l'immobilisation thoracique, réaction de défense pendant la période aiguë peut-être, mais réaction de cachexie, lorsque la phlogose étant passée, l'inertie thoracique n'est plus qu'un reliquat d'habitude vicieuse. Nous aurons à revenir en détail sur les cas étudiés séparément.

Nous consacrerons un chapitre spécial au syndrome décrit par Mme Nageotte sous le nom de raideur juvénile.

γ) ETIOLOGIE DE L'INSUFFISANCE DIAPHRAGMATIQUE. — Malgré les recherches de Glénard qui étudiera la ptose du diaphragme, *l'insuffisance diaphragmatique* ne semble pas avoir été considérée avant nos recherches comme un syndrome isolé utile à connaître et à étudier en clinique. Depuis, il a fait fortune au point que quelques auteurs ont voulu lui attribuer un rôle prépondérant et exclusif, théorie simpliste, erreur que l'on pourrait proposer pour chacune des grandes divisons de l'insuffisance respiratoire. Son étiologie est considérable, et comme l'insuffisance thoracique, elle est soit primitive, soit secondaire à l'obstruction nasale.

a) Nous avons décrit sous le nom d'*accommodation naso-diaphragmatique* la limitation de l'incursion du diaphragme produite par la pénétration déficiente de l'air à travers des fosses nasales obstruées... Quand l'obstacle nasal est levé, le diaphragme peut reprendre un jeu physiologique. Lorsque avant la libération le diaphragme s'abaisse puissamment, il en résulte un effondrement de la paroi thoracique antérieure qui permet la descente du diaphragme sans qu'il y ait nouvelle pénétration d'air : cet effondrement de la paroi antérieure du thorax ne se produit que chez de jeunes sujets à squelette peu résistant, nous l'avons dénommé *effondrement paradoxal du thorax*[1]*;* il est en effet paradoxal, puisqu'il se produit à l'inspiration et remplace la dilatation normale et habituelle de la cage thoracique.

L'*accommodation naso-diaphragmatique* avec son corollaire, l'*effondrement paradoxal,* montre combien il y a de solidarité physiologique et pathologique entre les différents rouages du mécanisme respiratoire.

De même nous trouvons l'insuffisance diaphragmatique unie à l'insuffisance thoracique dans les cas de pyrexies ayant frappé le poumon et la plèvre. De plus, nous trouvons ce double syndrome dans les convalescences des maladies générales, même sans localisation pulmonaire ou pleurale. Au cours

1. Mocquot et Pichard chez l'homme, P. Bert chez le chien ont noté des discordances fonctionnelles entre les différentes régions du poumon.

de la maladie aiguë, par épuisement, par fatigue, par restriction utile (?) des combustions, le fébricitant a limité sa respiration, mais ce n'est pas en vain que des semaines s'écoulent avec un mécanisme respiratoire restreint. Le phénomène de défense devient une faute, une lésion physiologique qu'il faut atténuer et faire disparaître.

b) *Toute affection abdominale peut donner l'insuffisance diaphragmatique.* En dehors de ces domaines mixtes, l'insuffisance diaphragmatique a un domaine propre considérable qui comprend tous les phénomènes morbides frappant un organe de la cavité abdominale, ou atteignant la paroi abdominale antérieure.

Nous avons montré, avec l'étude critique faite par Daussat des travaux de Thooris renouvelés de Glénard, que le diaphragme, comme tous les muscles, trouvait une aide puissante dans la conservation et le maintien de la tonicité des muscles opposants ; or ces muscles opposants, ce sont les muscles de la paroi abdominale antérieure. Toute atteinte à ces muscles, névralgie, paralysie, surcharge graisseuse, devient donc une cause d'insuffisance diaphragmatique.

Mais il n'y a là qu'une minime partie des causes de cette insuffisance. Elle se trouve provoquée par tout processus abdominal mécanique, ou infectieux, ou douloureux. *Processus mécaniques,* ce sont les distensions de l'estomac, l'aérophagie, la grossesse, l'ascite, les fermentations gastro-intestinales. La cachexie des nourrissons atteints de gros ventre est en partie due au refoulement du diaphragme. *Infectieux,* ce sont toutes les péritonites partielles, péri-hépatite des cirrhoses et des congestions du foie, péri-cholécystite de la lithiase biliaire, péri-gastrite de l'ulcère de l'estomac ; il n'est pas nécessaire qu'il y ait rapport direct entre le diaphragme et le siège de la péritonite. Les salpingites, les pelvi-péritonites, l'appendicite auront sur le diaphragme la même action d'arrêt que le péricholécystite. Il est probable que dans ce cas, l'action se réunira à la troisième série des processus abdominaux créateurs d'insuffisance diaphragmatique. *Processus douloureux* [1], ce sont les lésions abdominales qui s'améliorent par le repos, qui craignent la mobilisation. Un malade porteur d'un ulcère de l'estomac, un lithiasique atteint de colique hépatique s'habitue à ne pas respirer du diaphragme pour s'éviter la douleur qui résulterait de la mobilisation du foie ou de l'estomac par la pompe foulante diaphragmatique. Plus tard persiste l'habitude vicieuse, d'ailleurs il s'agit de maladies assez longues pour que nous ayons à compter autant avec une habitude vicieuse qu'avec une réaction de défense prolongée. Ici, comme pour les végétations adénoïdes, la cure kinésithérapique devra être précédée ou au moins accompagnée d'une cure hygiénodiététique de la lésion même. Cette nécessité aurait dû être indiquée par les auteurs qui ont accepté, en le rendant anonyme, notre principe de la double cure anatomique et physiologique des affections du rhino-pharynx.

Nous restons fidèle à notre principe. *Tout obstacle mécanique au jeu respiratoire, qu'il soit naso-pharyngien, thoracique ou abdominal, doit être levé médicalement ou chirurgicalement si possible, avant la cure kinésique.*

δ) ETIOLOGIE DES TROUBLES DU RYTHME. — Nous attachons une importance spéciale aux troubles du rythme respiratoire. Nous verrons plus loin que la fatigue des chanteurs est la conséquence de l'inversion du rythme respiratoire du chant. Nous séparons les troubles du rythme des dyspnées,

1. Voir le fascicule de Stapfer et le rôle de la Respiration en Kinésie gynécologique.

type Küssmaul ou Cheyne Stokes, qui relèvent de causes pro-fondes. Les troubles que nous envisageons proviennent quel-quefois d'habitudes vicieuses ou d'une gêne respiratoire. Sou-vent liés à la respiration buccale, bucco-nasale, ou intermit-tente, conséquence d'une douleur qui interrompt le jeu du diaphragme ou des côtes, ayant comme origine le réveil d'un point de côté, dus au spasme inspiratoire de l'asthme, à la difficulté expiratoire de l'emphysème, ils doivent retenir la préoccupation du médecin. En particulier, le ralentissement inspiratoire doit faire soupçonner un obstacle à l'inspiration sur le trajet laryngo-trachéo-bronchique. La radioscopie plus d'une fois dénouera le problème.

Dans les troubles du rythme, le kinésithérapeute se sou-viendra qu'il est médecin. Ce n'est pas trop des ressources alliées de la médecine clinique et de la kinésithérapie clinique pour étudier ces problèmes.

CHAPITRE IV

LA TECHNIQUE

La conduite du traitement comporte deux éléments. Ce seront d'abord la connaissance des manœuvres essentielles ou accessoires à utiliser, ce sera ensuite la façon dont seront groupées les différentes manœuvres dans les différents cas soumis à notre direction.

A) *Manœuvre essentielle. La manœuvre essentielle de la kinésithérapie respiratoire est l'exercice de respiration physiologique*, c'est-à-dire un exercice qui consiste à faire exécuter au malade une respiration normale exclusivement nasale[1], prise doucement, continuée longuement, menée profondément. Cette respiration ne doit pas avoir le début brutal que lui donne les débutants, ni l'allure saccadée qu'elle aura fréquemment chez les rhino-adénoïdiens au début de la cure. Elle doit être rythmée par le médecin qui cherche à faire observer les rapports normaux de durée de l'inspiration et de l'expiration, mais doit savoir ramener à une cadence normale une cadence erronée en la modifiant peu à peu, sans brusquerie et sans accélération. C'est là tout le talent du bon kinésithérapeute, la mesure est donc battue avec la main comme dans l'épreuve physiologique. Sa main n'est pas un

1. La bouche doit être rigoureusement fermée. Mais lorsque le sujet est bien entraîné, il devra pouvoir respirer uniquement par le nez, tout en gardant la bouche ouverte. C'est une épreuve de contrôle des plus utiles (Hugues).

métronome ; il sait diriger la respiration en suivant, pour le ramener à la normale, le rythme erroné de son malade ; il sait ralentir l'ascension de la main qui règle l'inspiration ou accélérer la descente qui dirige l'expiration.

Le développement de la poitrine doit être obtenu aussi bien dans le sens antéro-postérieur que dans le sens transversal ou vertical, aussi bien dans les régions supérieures que dans la zone thoracique inférieure ou moyenne. Mais ce n'est là qu'un desiderata. Au début il sera impossible, le plus souvent, d'obtenir le type tout à fait normal, seul type physiologique de la respiration. Le médecin ne devra pas s'en préoccuper.

Il devra aussi utiliser les deux variations suivantes : l'*exercice de respiration à type thoracique supérieur*, et l'*exercice de respiration diaphragmatique d'exclusion*, ce dernier d'une grande importance, puisqu'il constitue la manœuvre essentielle de la cure des insuffisances diaphragmatiques.

a) L'EXERCICE DE RESPIRATION A TYPE THORACIQUE SUPÉRIEUR est simplement une respiration physiologique, naturellement exclusivement nasale, pendant laquelle le sujet s'applique à dilater les régions supérieures de la poitrine. C'est en général un résultat facilement atteint. En cas de difficulté d'exécution, nous recommandons de recourir aux deux manœuvres suivantes : d'abord en appuyant sa main sur la partie supérieure ou supéro-latérale du thorax, le médecin dirigera pour ainsi dire l'effort respiratoire du malade. Si cette manœuvre n'est pas suffisante, il faut utiliser notre procédé de la *constriction inférieure de la base du thorax* déjà préconisée par Schreiber.

Voici comment, dans notre Mémoire de novembre 1903 du *Journal de Physiothérapie*, nous présentions nos recherches à ce sujet. (Nous avions, dès juillet 1903, annoncé la description de cette manœuvre.)

« Dans le courant du mois de juillet 1903, une leçon de E. Hirtz faisait allusion au procédé de la constriction du thorax décrit par cet auteur au Congrès contre la tuberculose tenu à Naples du 25 au 28 avril 1900.

« *En comprimant la partie inférieure de la cage thoracique*, dit-il, on peut constater les modifications suivantes : la durée totale de chaque respiration est à peu près la même que dans le cas précédent, mais l'expansion est plus profonde c'est-à-dire que l'expiration et l'inspiration sont plus longues et prolongées aux dépens des lignes de vacuité et de plénitude plus brèves ; cela s'explique aisément par la gêne qu'apporte le lien aux mouvements respiratoires inférieurs, et par suite à la suppléance que doivent fournir les sommets. »

Suit une intéressante discussion qui montre l'utilité des graphiques dans le diagnostic précoce de la tuberculose. Mais ni dans le cours de l'article, ni dans les conclusions, *il n'est dit que l'auteur ait cherché dans cette « suppléance des sommets » un moyen thérapeutique.*

Pour nous, la constriction de la base du thorax est non pas un moyen d'étude, mais un moyen thérapeutique que nous utilisons de deux façons.

a) Aux enfants et aux adolescents prédisposés à la tuberculose, chez lesquels nous constatons cette immobilité de la région sous-claviculaire, bien étudiée par les auteurs classiques et qui se traduit sur nos tracés par *le bredouillement sous-claviculaire*, nous faisons mettre deux heures par jour pendant plusieurs semaines une ceinture large qui en comprimant les côtes moyennes, au besoin les inférieures et même le ventre, provoque la suppléance des sommets.

b) D'autre part, et personne ne contestera l'originalité

absolue de cette manœuvre, nous pratiquons la gymnastique respiratoire chez les sujets avec et sans cette sangle thoraco-abdominale. Les mouvements sont alors surtout des mouvements des bras, extension en hauteur, écartement des bras, etc., mouvements passifs et actifs.

Nous avons remarqué l'effet puissant et favorable de la constriction du thorax chez les malingres et prédisposés non atteints de tuberculose. Quand il s'agit de tuberculose pulmonaire, fût-ce au début, la plus grande prudence est de règle. Nous ne voulons pas traiter cette question, mais il faut avoir soin de ménager les foyers malades; et loin de faire d'emblée la constriction de la base du thorax à un jeune bacillaire ayant un foyer sous-claviculaire droit, par exemple, nous lui ferons de la gymnastique respiratoire du poumon gauche et du diaphragme, pendant longtemps avant de vouloir agir sur le lobe où a germé le bacille de Koch.

Il est intéressant de remarquer que le corset tant décrié remplit le rôle de ceinture et effectue la constriction de la base du thorax. En provoquant une respiration à la fois sous-claviculaire et thoracique, mais surtout sous-claviculaire, il est peut-être un moyen de prophylaxie de tuberculose, et, à ce titre, mériterait l'indulgence des médecins. »

Nous n'avons cessé depuis lors d'étudier dans un but thérapeutique cette intéressante manœuvre.

b) L'exercice de respiration à type diaphragmatique pur, respiration diaphragmatique d'exclusion, (fig. 4)est un exercice d'application, il n'est pas destiné à laisser subsister une respiration à type anormal : les rapports du chant et de la respiration, montrent que forcer les chanteurs à acquérir, développer, maintenir une respiration diaphragmatique, c'est commettre une erreur de technique et de physiologie. En faisant des réserves sur l'opinion trop schématique émise

par Thooris du retrait inspiratoire de l'abdomen dans la respiration normale, il n'en reste pas moins que l'exercice de
respiration diaphragmatique (respiration diaphragmatique
d'exclusion) doit s'accompagner de l'ampliation respiratoire
de l'abdomen.

Pour faire exécuter cet exercice, le malade s'étend sur une
chaise longue dans un décubitus entièrement horizontal ;
puis le médecin lui demande de respirer en provoquant le

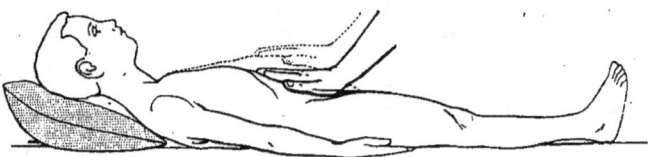

Fig. 4. — Respiration diaphragmatique d'exclusion.

gonflement inspiratoire de l'abdomen et le retrait expiratoire. Il bat la mesure de la main droite qui se lève pendant
l'inspiration et s'abaisse pendant l'expiration. Si le sujet ne
comprend pas, ou ne peut exécuter cet exercice, il faudra lui
répéter que ce gonflement est identique au gonflement abdominal de l'effort. S'il reste incapable d'obtenir ce résultat, il
reste à l'éducateur une double ressource qui consiste à lui
faire pratiquer des gonflements abdominaux d'effort sans
inspiration, puis à le faire respirer avec une contre-pression
abdominale. Le gonflement abdominal de l'effort sans inspiration est une manœuvre trop simple pour nécessiter un
commentaire. Tantôt le médecin demandera au malade de
laisser retomber son ventre dès que le gonflement sera produit, tantôt il priera le sujet de garder ce gonflement pendant
quelques secondes. La même variation d'ailleurs sera faite
dans l'exercice vrai de respiration physiologique. Quant à
la contre-pression abdominale, nous la pratiquons depuis

1903 avec la main de préférence, ou avec un objet de poids faible posé sur la région épigastrique, ombilicale ou sus-pubienne. Cette contre-pression joue le rôle de résistance, elle dirige l'effort du diaphragme et contri-bue à la rééducation.

c) Le rythme de son côté crée des variantes importantes :

En règle générale, la respiration sera composée de la succession sans arrêt volontaire de l'inspiration et de l'expiration; elle sera donc battue à deux temps. Mais souvent le médecin en modifiera le rythme soit en faisant répéter l'inspiration ou l'expiration (*respirations à trois ou quatre temps de Knopf, respirations saccadées de Hugues*), soit quelquefois en interca-lant un arrêt entre les temps normaux (*respirations avec pause post-inspira-toire ou post-expiratoire*).

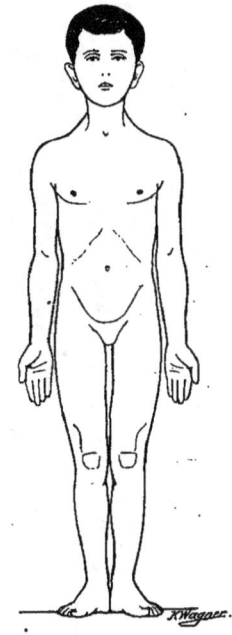

Fig. 5. — Position debout.

Dans l'exercice de respiration ordi-naire, le médecin augmentera l'air cou-rant; dans les exercices à trois temps, il développera l'air de réserve et l'air complémentaire.

Il est souvent utile, pour éduquer un des temps respira-toires, de compter pendant l'inspiration du sujet ou de le faire compter progressivement pendant l'expiration (Sänger de Marbourg).

B. Les attitudes et mouvements auxiliaires de l'exercice de respiration. — Nous ne cesserons de répéter que l'obtention d'une respiration nasale suffisante complète est notre but.

Dans notre technique, la respiration physiologique est tout, le mouvement est l'accessoire, l'adjuvant, à aucun moment il ne saurait devenir l'essentiel [1].

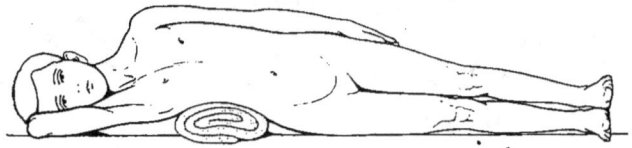

Fig. 6. — Décubitus latéral avec coussin.

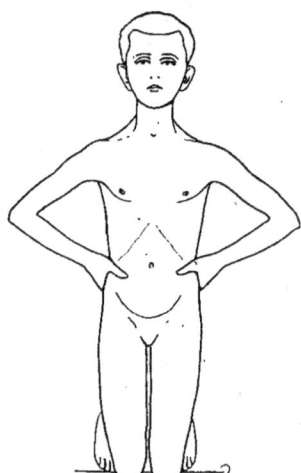

Fig. 7. — Position fonda-
mentale à genoux.

Néanmoins les mouvements ont besoin d'être décrits de façon précise ; ils ne seront pratiqués d'ailleurs qu'après avoir utilisé les attitudes fondamentales. Qu'il s'agisse d'attitudes ou de mouvements, l'écueil est l'acrobatie, soit que le malade y pousse le médecin par goût du sport, soit que le médecin s'y laisse conduire pour exercer une action psychique sur son sujet.

Attitudes simples, mouvements simples, telle est la règle. — α) Comme *attitudes*, on utilisera la position debout (fig. 5), la situation à genoux (fig. 7), la station assise, le décubitus dorsal ou abdominal, bras allongés le long du corps, le décubitus latéral, la tête reposant sur le bras, en un mot toutes les positions que la vie ordinaire et courante nous fait prendre et pendant lesquelles il ne doit pas y avoir interruption de mécanisme respiratoire.

1. Voir les actes du Congrès, bibliothèque de la Faculté, n° 22.530.

Dans le décubitus latéral, il peut y avoir utilité à mettre un coussin sous le thorax de façon à limiter le jeu de l'émithorax de décubitus et à provoquer un jeu plus complet de l'hémithorax supérieur (fig. 6).

Pour restreindre le jeu d'un ou de deux sommets, on peut

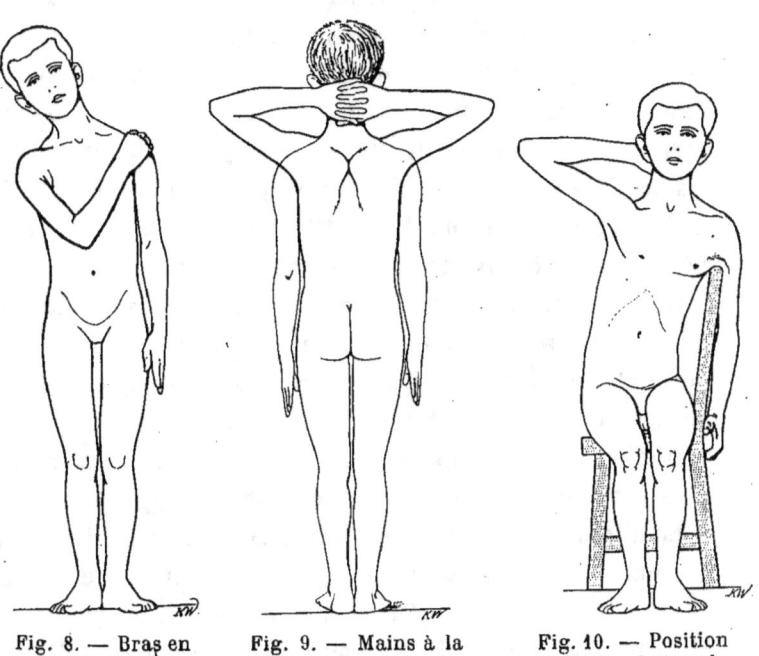

Fig. 8. — Bras en sautoir. Tête inclinée.

Fig. 9. — Mains à la nuque.

Fig. 10. — Position de la chaise de Naunyn.

faire mettre en sautoir au-devant de la poitrine l'un ou l'autre bras ; c'est-à-dire, l'avant-bras étant fléchi à angle aigu sur le bras faire prendre par la main l'épaule du côté opposé. Cette position empêche tout écart important entre les insertions des muscles inspirateurs préthoraciques. Elle peut se compléter par la flexion de la tête, ou mieux par son inclinaison latérale (fig. 8) avec flexion qui limite le jeu de l'angulaire de l'omoplate, des scalènes et du sterno-cléido-

mastoïdien, et supprime la rigidité de la colonne vertébrale
cervicale, condition du fontionnement complet de ces
muscles. Au contraire, en mettant la main à la nuque,
(fig. 9) avant-bras naturellement fléchi sur le bras et coude
bien effacé, la tête étant redressée, le regard dirigé en
avant et un peu en haut, le sujet exagère la dilatation des
parties supérieures du thorax ; mais comme cette dilatation
est presque immuable, il respire par le diaphragme (Hugues).
Assis de côté sur une chaise ordinaire, un bras allongé
derrière le dossier de la chaise, le sujet limite la course
respiratoire de ce côté, il l'exagère de l'autre, s'il porte la
main opposée à la nuque (fig. 10). De même dans la situation debout, thorax incliné (Naunyn, Hugues).

Comme d'ailleurs l'attitude correspond non pas à une idée
de gymnaste, mais à l'indication clinique née de la constatation
de territoires pulmonaires ayant besoin d'exercice, le médecin
variera les positions à son gré ; il veillera à leur strict
maintien, prélude indispensable de l'exercice de respiration.
La station debout bras en croix, avec ou sans appui, la station
debout, assis ou couché avec bras tendus en avant du corps,
les mains du sujet tenant à un écart variable une simple
canne que soutient la main gauche du médecin ou que maintient un assistant sont à recommander. De même l'attitude
bras fléchis et coudes en arrière dans la position du départ de
course ; et l'attitude debout mains aux hanches qui fait porter
au bassin le poids du thorax et qui en facilite le jeu (Hugues).
Par contre le décubitus abdominal rend la respiration difficile et pénible ; il ne doit s'utiliser que sur des sujets bien
entraînés ou dans un but spécial.

Mme Nageotte le déclare utilisable dans un exercice court.
Voici ce qu'elle en dit (*loco citato*, p. 404).

« Décubitus ventral : inspiration profonde, pendant l'expiration on appuie sur le dos et sur la région lombaire à l'aide des deux mains afin d'aplatir en quelque sorte le tronc contre le plan résistant. Une inspiration très profonde suit cette expiration, et la respiration est dans cette position très complète, contrairement à ce que l'on pourrait croire a priori ; il est vrai d'ajouter que cela ne dure pas et qu'au bout de trois ou quatre fois les respirations deviennent de plus en plus superficielles. » C'est en somme une attitude d'exception.

Quant aux manœuvres compliquées, aux attitudes pénibles indiquées par les Suédois, elles ont leur raison d'être dans un entraînement sportif, dans la recherche du développement corporel des individus sains, normaux ou redevenus sains et normaux. Ce sont exercices de gymnastique, et non exercices médicaux, ils n'ont rien à voir avec la méthode médicale de l'exercice physiologique de respiration. Pour donner un exemple, nous ne voyons pas l'utilité d'attacher un enfant en décubitus abdominal sur un divan, le torse dépassant le divan et de l'obliger, pour ne pas tomber à faire une contraction violente et soutenue des muscles des gouttières vertébrales : encore une fois ce serait confondre athlétisme et kinésithérapie.

Les exercices dans les stations d'immobilité donnent, maintiennent et développent la rigidité de la colonne vertébrale, ils appliquent l'omoplate sur le thorax et offrent un point d'appui ferme aux muscles respirateurs (Tissié), ils assurent le fonctionnement des muscles du thorax et de l'abdomen, condition de possibilité de l'exercice respiratoire, ils sont capitaux et doivent être sans cesse répétés. Ils se feront à deux temps, et seront sous la surveillance du médecin.

A ces exercices dont la mesure est à deux temps, il faut ajouter les exercices décrits par Knopf, exercices à trois et à quatre temps, déjà signalés et dont il faut préciser la tech-

·nique. L'exercice à trois temps varie selon que l'inspiration ou l'expiration est dédoublée. Dans le premier cas, on demande au sujet lorsqu'il a fait une inspiration normale de faire une inspiration complémentaire forcée en inspirant une nouvelle quantité d'air, selon la mesure.

Inspiration (1), inspiration complémentaire (2), expiration (3).

L'intervalle laissé entre les temps (1) et (2) doit être moins marqué que celui qui sépare le temps (2) et (3).

Dans le deuxième cas, on demande au sujet après l'expiration simple de faire un nouvel effort d'expiration active pour vider davantage sa poitrine, selon la mesure.

Inspiration (1), expiration (2), expiration complémentaire (3). ·

L'intervalle laissé entre les temps (1) et (2) doit être supérieur à celui qui sépare les temps (2) et (3).

L'exercice à quatre temps comprend :

Inspiration (1), inspiration complémentaire (2), expiration (3), expiration forcée (4).

Ces exercices ne doivent être demandés ·qu'à des sujets déjà entraînés et dans des cas spéciaux.

Les respirations avec *temps d'arrêt* s'utiliseront en marquant le temps d'arrêt par un arrêt de la main qui commande le rythme, ou en comptant à haute voix. Ce temps d'arrêt se marquera surtout à la fin de l'inspiration ; il devra se faire à glotte ouverte en se souvenant que les manœuvres d'effort à glotte fermée pendant l'entraînement sont défavorables et ne doivent être utilisées qu'à bon escient.

β) *Les respirations accompagnées de mouvements passifs* [1], forment la deuxième série des manœuvres. Elles ont une

---

·1. Voir Derecq, *Tuberculose infantile ;* Bourcart, *Traité de Gymnastique suédoise de Wide ;* Levertin, etc...

importance capitale et font avec les exercices précédents la base des traitements, elles produisent une fatigue véritablement inappréciable et donnent un bénéfice rapide et constant. Les mouvements passifs seront unilatéraux, bilatéraux, rythmés à deux, trois, quatre temps selon que le médecin jugera nécessaire des temps d'arrêt ou des inspirations et expirations complémentaires. Voici la description des principales manœuvres : elle est identique à celle des manœuvres dites suédoises avec cette modification que le mouvement est l'accessoire et que la respiration reste le fait essentiel sur lequel se concentre l'attention du médecin.

a) *Série de mouvements passifs de la cage thoracique.*

1) *Dans le mouvement de soulèvement des côtes*, très recommandé par les Suédois, le jeune malade étant assis sur un tabouret, le médecin se place devant lui, applique les mains sur les parties latérales du thorax, les pouces étant placés sous l'aisselle. Une pression assez énergique faite d'arrière en avant pendant une inspiration volontaire favorise la pénétration de l'air dans la poitrine ; en relâchant sa pression dans un deuxième temps, terminé par une contre-pression, le médecin favorisera l'expiration.

b) *Série de mouvements passifs des bras : sujet assis.*

2) *Dans le mouvement passif de natation* (fig. 11 et 12), le sujet étant assis, les bras horizontaux tendus en avant, écartez-les en les élevant légèrement pendant l'inspiration, ramenez-les à la position primitive pendant l'expiration. Dans cet exercice, le médecin est debout, en face du sujet, la cadence lui est facilitée, s'il pose un de ses pieds en avant de l'autre. Ce premier exercice peut se varier à l'infini, le mouvement peut être donné aux deux bras. Si le mouvement est donné à un seul bras, on dit que le mouvement est un mouvement unilatéral passif de natation. Si le mouvement

est donné d'une façon inégale aux deux bras, l'un d'eux faisant sa course complète maxima, l'autre décrivant seulement de petites oscillations, il s'agit de notre *mouvement passif de natation à oscillations inégales*. Si au cours de l'exercice, les oscillations inégales d'un bras tendent en augmentant d'amplitude à égaler celles de l'autre bras, il s'agit d'un *mouvement passif de natation à oscillations inégales progressives*. Il peut y avoir intérêt à utiliser l'oscillation progressive des deux côtés. Enfin, lorsque l'inspiration est faite pendant le retour des bras à la position première et l'expiration faite pendant l'écartement des bras, il s'agit de *mouvement passif de natation à respiration renversée*. Les mouvements inverses modèrent la respiration.

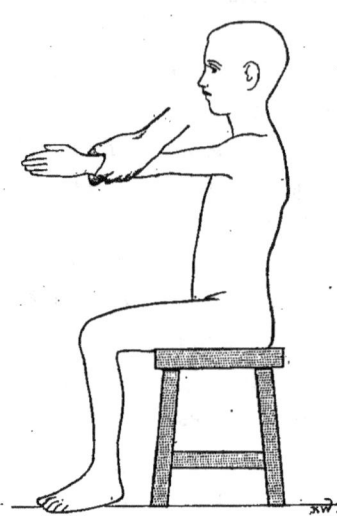

Fig. 11. — Ecartement horizontal (départ).

Mouvement de natation simple, mouvement de natation à oscillations inégales, mouvement de natation à oscillations progressives, mouvement de natation à respiration renversée, autant de médicaments kinésiques différents, que nous aurons à utiliser au cours de la mise en pratique du traitement.

3) *Mouvement passif assis des bras en U* (fig. 14) constitue un mouvement passif à grandes oscillations des plus intéressantes. Le sujet étant assis, les bras horizontaux tendus en avant, pendant l'inspiration vous les abaissez en les portant légèrement en dehors, puis vous les relevez en haut et en

dehors et vous les amenez de chaque côté de la tête jusqu'à la position verticale ; pendant l'expiration retour, à la posi-

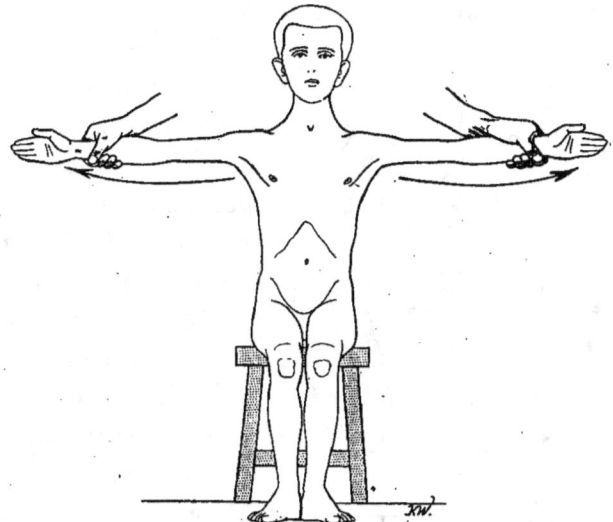

Fig. 12. — Mouvement de natation à oscillations symétriques (arrivée).

tion de départ. C'est un mouvement de fin de cure, car comme

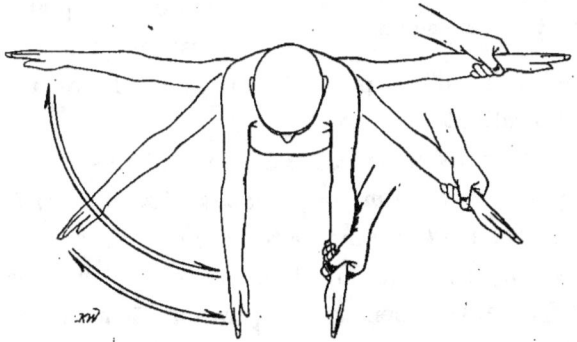

Fig. 13. — Mouvement de natation à oscillations progressives.

tous les mouvements de grande amplitude, il s'adresse aux sujets déjà entraînés. Il est facile de concevoir les variantes du mouvement en U : mouvement en U unilatéral ; mouvement en U à oscillations unilatérales progressives ; mouvement en U à oscillations bilatérales progressives ; mouvement en U inversé.

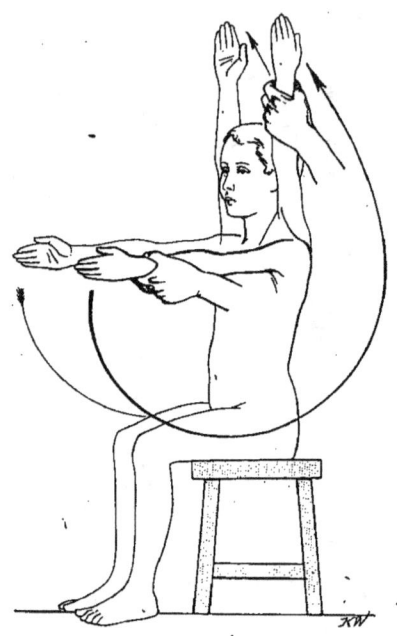

Fig. 14. — Le mouvement en U.

4) **Le mouvement passif des bras tendus en élévation transverse**, ou *mouvement passif assis transverse des bras tendus* s'exécute ainsi (fig. 15). Le sujet étant assis, le médecin se place derrière lui, ce qui est plus favorable que de se mettre devant le sujet ; il saisit chaque bras ou chaque poignet de sa main correspondante. Pendant l'inspiration il élève les bras dans le plan transverse jusqu'à un niveau variable, ou jusqu'à la position verticale, il les abaisse pendant l'expiration.

5) Dans le mouvement passif des bras tendus en élévation antéro-postérieure, ou *mouvement passif assis antéro-postérieur du bras tendu*, le médecin placé devant le sujet élève pendant l'inspiration les bras tendus dans le plan antéro-postérieur et les abaisse pendant l'expiration. Ce mouvement est un mouvement de faible respiration surtout si la course en est limitée. Des positions intermédiaires permettront toute graduation entre le mouvement en plan transverse et le mouvement en plan antéro-postérieur.

Les mêmes variantes s'utilisent dans les mouvements assis passif transverse ou antéro-postérieur que dans les manœuvres précédentes, ce seront les mouvements uni-latéraux, à oscillations progressives, bilatérales ou uni-latérales, etc. Dans les manœuvres uni-latérales, la main immobile pourra occuper telle position que désirera le médecin pour associer l'immobilité d'une région, la restriction du jeu d'une zone, ou l'édu-

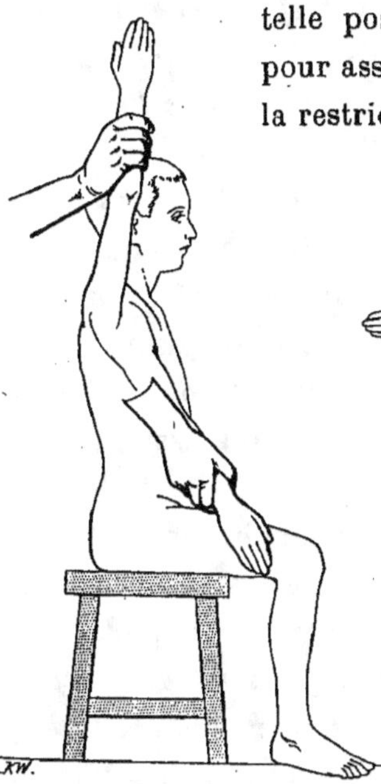

Fig. 15. — Elévation transverse
du bras tendu.

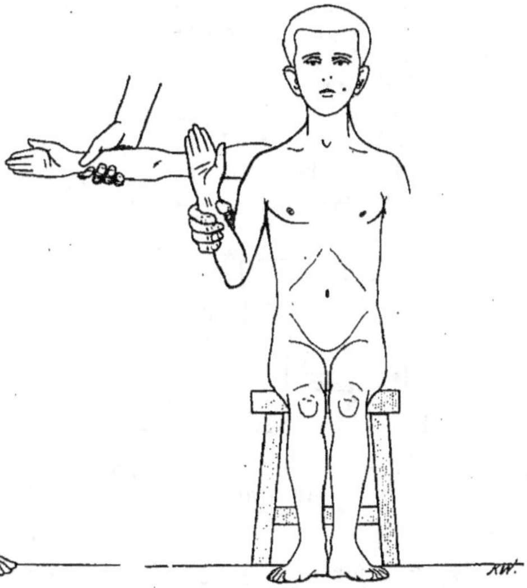

Fig. 16. — Extension transverse du bras fléchi.

cation lente et progressive à l'ampliation plus ou moins forte de l'autre côté. Le bras en sautoir et l'inclinaison de la tête limitent le jeu du sommet, le bras allongé le long du corps est une position neutre, la main à la hanche laisse un jeu moyen, la main à la nuque, coude effacé, favorise l'ampliation apexienne.

L'extension des bras fléchis est une manœuvre qui peut se faire dans différents mouvements avec variantes :

6) Le sujet étant assis, bras fléchis, coudes au corps, mains aux épaules, le médecin se place devant lui, saisit les poignets. Pendant l'inspiration, il écarte les mains et les amène à la position primitive pendant l'expiration. C'est le *mouvement passif assis d'extension du bras fléchi transverse* (fig. 16).

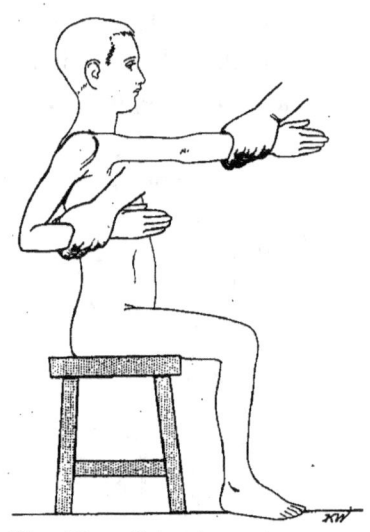

6 *bis*) *Mouvement passif assis antéropostérieur d'extension du bras fléchi,* s'en différencie par ce que les bras sont tirés en avant (fig. 17). Il est facile de concevoir les variétés unilatérales avec situation variable du bras immobile, à oscillations progressives unilatérales ou bilatérales, etc.

7) Le mouvement assis, bras fléchis de traction supérieure, ou *mouvement passif assis de traction supérieure du bras fléchi,*

Fig. 17. — Extension antéro-postérieure du bras fléchi.

est une des manœuvres les plus utiles et les plus efficaces. Se mettre debout sur un tabouret (au besoin) derrière le sujet, saisir aux poignets les avant-bras du sujet et les amener à la position tendue pendant l'inspiration. Il sera favorable d'accompagner la traction en l'air d'une légère déviation en arrière. L'expiration ramène à la position première. Mêmes variantes unilatérales à position variable, à oscillations progressives uni ou bilatérales, etc...

8) *Le mouvement passif assis de propulsion postérieure des coudes* s'exécute ainsi. Le sujet est assis, mains aux hanches, les bras dans le plan transverse. Le médecin saisit le

sujet au niveau des coudes ou légèrement au-dessus à la partie inférieure du bras et les amène en arrière pendant l'inspiration ; à l'expiration les bras sont remis à la position initiale. Le mouvement assis de propulsion antérieure des

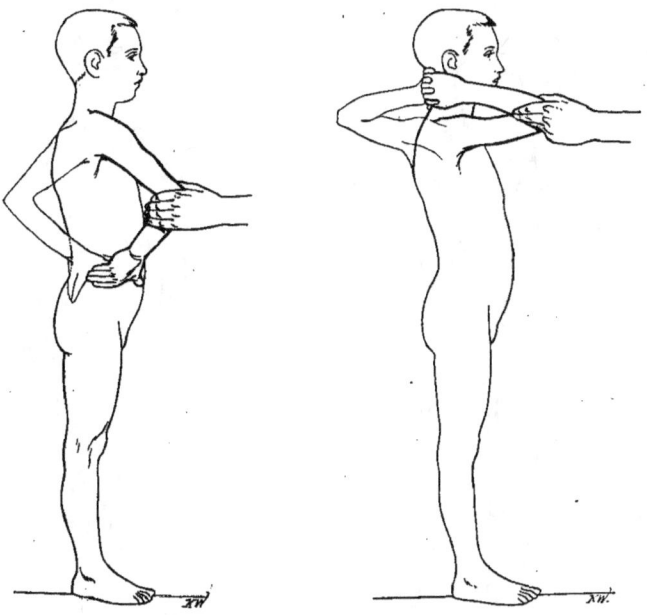

Fig. 18. — Rétropulsion
du coude.

Fig. 19. — Rétropulsion du coude.
Main à la nuque.

coudes s'exécute de la même façon en amenant les coudes en avant ; c'est d'ailleurs un des mouvements les moins intéressants. Comme variante, le sujet place les mains derrière la nuque ; c'est le mouvement passif assis de propulsion postérieure des coudes, variété, mains nuque (8 *bis*) (fig. 18 et 19).

b') *Série de mouvements passifs, sujet debout.* — Le sujet étant debout peut être entraîné à exécuter les mêmes manœuvres (fig. 20, 21, 22). Il sera alors quelquefois nécessaire que le médecin se mette sur un tabouret, surtout pour le mouve-

ment de traction supérieure des bras fléchis. D'une façon générale, il nous a semblé que l'exercice exécuté debout produisait
une fatigue un peu plus grande et nécessitait par conséquent

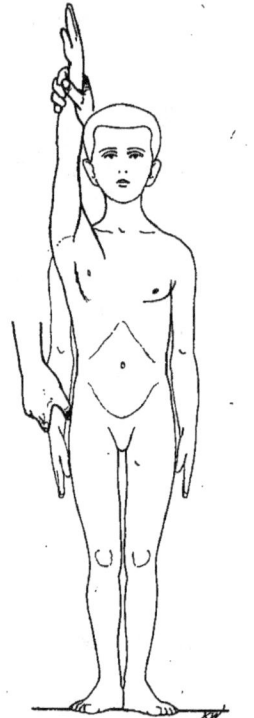 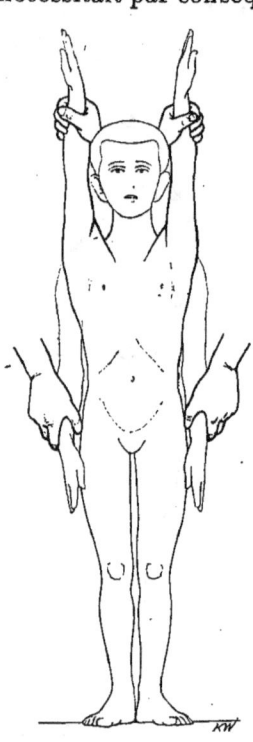

Fig. 20. — Elévation transverse   Fig. 21. — Elévation transverse
unilatérale des bras.   bilatérale des bras.

un entraînement plus marqué. C'est essentiellement sur le
sujet debout, en dehors des mouvements précédents que doit
être exécuté le *mouvement de circumduction des bras tendus*
mouvement passif de grande amplitude.

9) *Ce mouvement de grande torsion* (fig. 23) s'exécute
ainsi. Le sujet est debout, bras le long du corps, un pied
devant l'autre et légèrement porté sur le côté de façon que la
station soit solide. Le médecin se met derrière lui et le sai-

sissant au niveau des avant-bras avec une prise variable, il porte pendant l'inspiration les bras tendus en avant et en dehors, puis en haut, pour les ramener en bas par un mouvement demi-circulaire de rotation pendant l'expiration.

Ce mouvement peut être l'objet de multiples variations; il sera d'autant plus puissant que

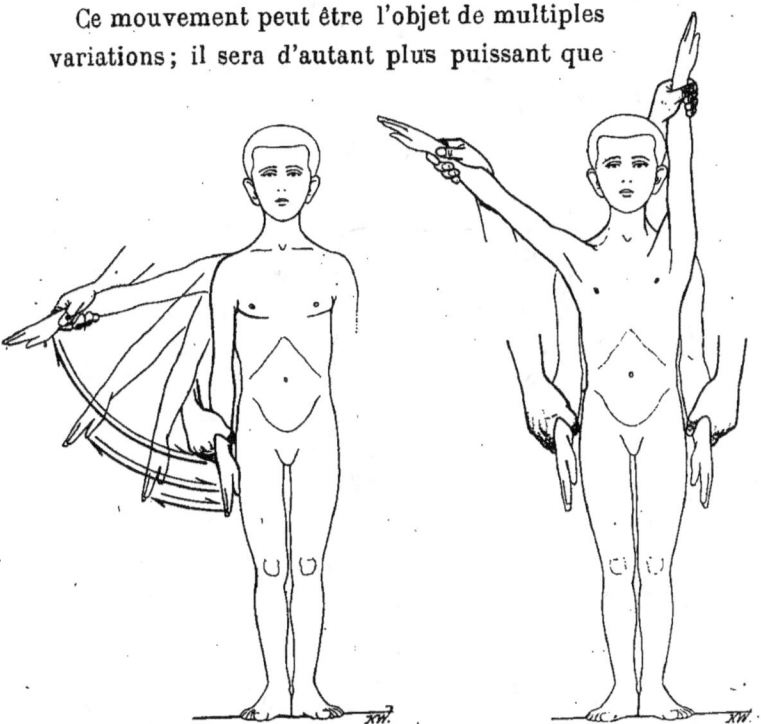

Fig. 22. — Abduction transverse unilatérale à oscillations progressives.

Fig. 22 bis. —Abduction des bras à oscillations inégales.

la rotation des bras sera plus complète ; c'est-à-dire que le bras à sa position supérieure se rapprochera davantage de la verticale ; il permet de diminuer l'expiration en prolongeant le temps de l'inspiration et en marquant la césure respiratoire soit au milieu, soit aux deux tiers de la course. Il se prête enfin aux variantes ordinaires, en devenant unilatéral à oscillations progressives uni ou bilatérales. Nous verrons plus loin que transformé en mouvement actif, il représente le mouvement maximum et nécessite toujours certaines réserves.

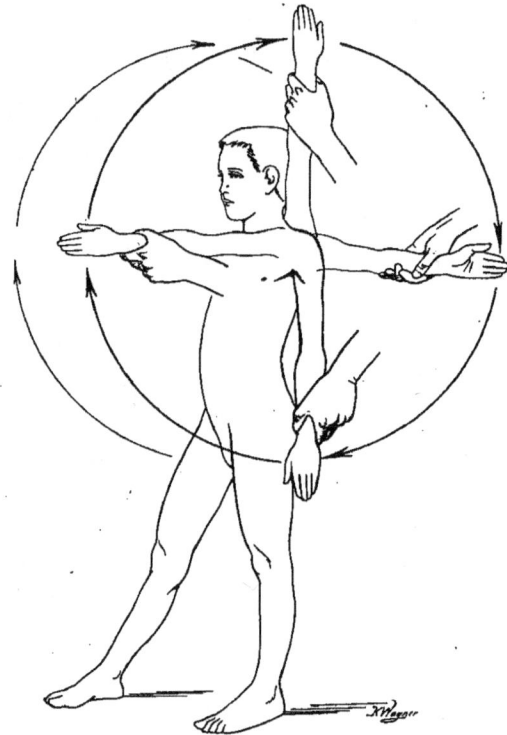

Fig. 23. — La circumduction passive des bras.

b″) *Mouvements passifs sur le sujet couché.* — Les diverses manœuvres que nous venons d'indiquer s'exécutent aisément sur le sujet couché. Nous retrouvons les mêmes mouvements de traction en avant, en arrière, d'écartement des bras tendus, etc... Seule la position du médecin varie ; il se tiendra sur le côté ou derrière la tête du sujet, ayant les épaules environ à la hauteur du sujet ; c'est dire qu'il restera debout, ou se tiendra assis selon la hauteur du divan ou du plinth. Il nous semble nécessaire que le sujet soit étendu sur un lit dur. Le plinth des suédois n'est pas indispensable.

10) Une attention particulière mérite d'être donnée au mouvement de torsion demi-circulaire des bras exécuté dans le décubitus dorsal, *mouvement dorsal de torsion* (fig. 24),

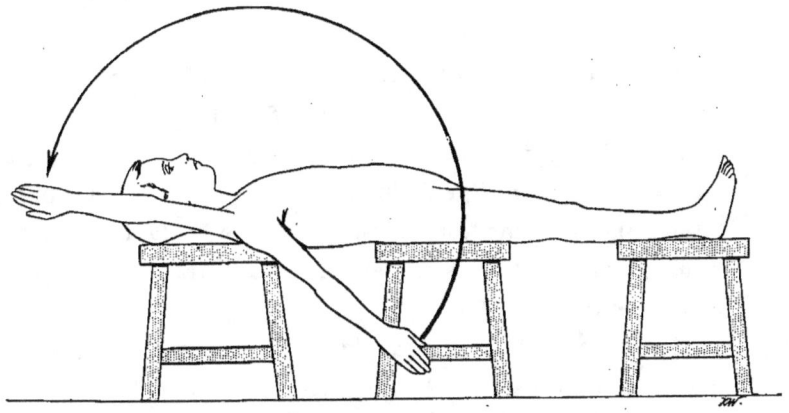

Fig. 24. — Le procédé des trois tabourets.

qui a une importance primordiale chez les grands emphysémateux et les asthmatiques. Quelques auteurs, comme Gagey, en ont fait la base de leur pratique. Gagey a fait construire une table spéciale pour l'exécution de ce mouvement. Nous ne recourons pas à ce meuble d'ailleurs fort bien construit, mais remplaçable par le procédé des trois sièges (fig. 24). Le sujet est étendu, le siège et les jambes sur un divan, la région lombaire soutenue par un tabouret de bois, la région scapulaire, la nuque et la tête reposent sur une chaise ou sur un deuxième tabouret. Le médecin placé derrière lui, saisit les bras à une hauteur variable, les élève d'abord puis les porte en dehors pendant l'inspiration, il les ramène pendant l'expiration à leur position première.

Ce mouvement passif de circumduction peut être l'objet des mêmes commentaires que le mouvement debout passif de rotation.

Nous avons déjà insisté sur l'éducation du diaphragme dans la position couchée particulièrement favorable pour l'éducation de ce puissant muscle. Au cours des différents mouvements exécutés en décubitus dorsal, le médecin aura à se préoccuper de la synergie diaphragmatique. Elle se maintiendra aisément en intercalant entre les différents exercices quelques exercices de respiration diaphragmatique pure. Chez beaucoup de sujets à thorax puissant, il faut se rappeler que le diaphragme peut descendre puissamment (Glénard, Thooris), avec une rétraction apparente de la paroi abdominale antérieure, sauf en fin d'inspiration complète (G. Rosenthal).

c) *Mouvements passifs de la tête.* — Ils sont peu importants, car la tête s'abandonne difficilement, de plus, nous verrons que les mouvements actifs de tête sont d'une action douce et admirablement tolérée. Nous renvoyons donc à leur description.

d) *Mouvements passifs du tronc.* — Dans le *Traité des Maladies de l'Enfance* de Grancher (2ᵉ éd. tome V), nous avons donné les deux exemples suivants :

11) *Mouvement passif de flexion du tronc sur les jambes.* — Ce mouvement est réversible, c'est-à-dire que le temps de l'inspiration et celui de l'expiration peuvent être interchangés. Il est difficile à exécuter chez les sujets un peu volumineux ou même robustes. Le sujet étant assis sur le divan, les jambes étendues, couchez-le pendant l'inspiration, relevez-le pendant l'expiration ou renversez les temps, ce qui facilitera la contraction du diaphragme. Chez les sujets forts, ce mouvement se pratiquera avec l'aide de la mécanothérapie (fig. 25).

12) Le sujet étant à cheval sur une chaise fixée dans le plancher ou solidement maintenue, une pression en sens contraire des mains du médecin placées l'une sur l'omoplate l'autre à la région pectorale de l'autre côté, produit la rotation du tronc. Notre ami Reymond (de Genève) insistait beaucoup sur l'im-

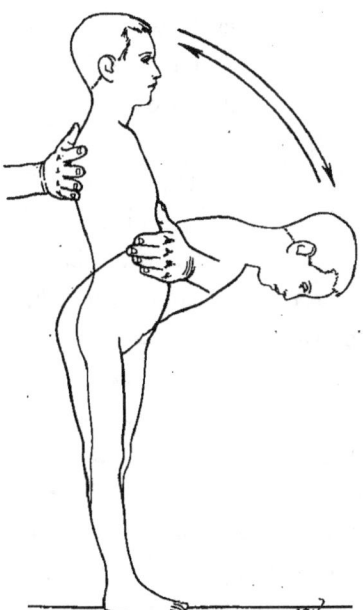

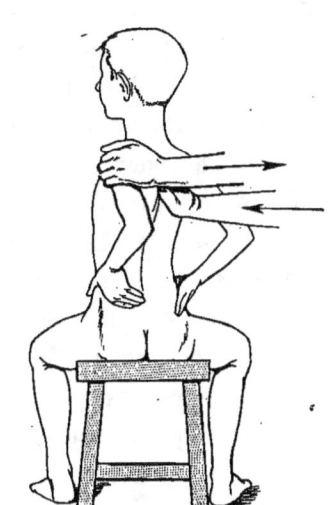

Fig. 25. — Flexion demi-passive du tronc.

Fig. 26. — Rotation passive du tronc.

portance de ce mouvement. C'est le *mouvement passif de torsion du thorax.*

Nous y ajoutons :

13) *Le mouvement passif d'abaissement latéral du thorax* s'exécute surtout sur le sujet debout. Une pression de la main sur l'épaule détermine l'abaissement latéral du tronc avec élévation de l'épaule du côté opposé. La main saisissant le bras ramène ensuite le sujet à sa position première.

Cette manœuvre est des plus intéressantes, car elle est réversible au point de vue respiratoire. Le médecin peut demander l'inspiration pendant l'un ou l'autre temps, il peut exécuter la manœuvre sur l'une ou l'autre épaule ; enfin, il peut transformer ce mouvement dans la manœuvre suivante.

14) *Mouvement passif d'abaissement alternatif des épaules.* — Ce mouvement n'est autre que la synthèse du mouvement précédent exécuté des deux côtés. Au départ l'épaule droite est abaissée, l'épaule gauche est élevée dans le plan transverse. A la fin de l'inspiration les épaules ont alterné dans leur situation qu'elles reprennent à la fin de l'expiration.

Ce mouvement peut se modifier, l'inspiration ne durant que pendant le relèvement du corps, l'expiration pendant l'abaissement ou vice-versa. Il est élégant de compliquer la manœuvre d'une légère torsion du tronc.

15) *Mouvement de flexion véritable du tronc en avant et en arrière* : il s'exécute indifféremment en position assise ou dans la position debout. La flexion se produit au niveau de la colonne lombaire, de même que le redressement qui peut ramener le corps à la position verticale ou s'accompagner d'une flexion en arrière. Ce mouvement ne sera jamais que demi-passif, nous le retrouverons avec les mouvements actifs.

e) Mouvements passifs des jambes. — Nous insistons beaucoup sur ces manœuvres, dont l'utilité en gynécologie, si bien établie par Stapfer, n'est plus à démontrer ; ils ont de plus une action diurétique des plus curieuses, comme nous le verrons plus loin. Ils se font de préférence dans la position couchée. En voici quelques exemples :

16) Mouvement de flexion de la jambe sur la cuisse avec flexion de la cuisse sur le bassin ou *mouvement passif dorsal de flexion de jambe* : (fig. 27) le sujet étant en décubitus dorsal, lui saisir la jambe droite avec la main droite et la

cuisse à sa partie inférieure avec la main gauche; refouler la
jambe en arrière, pendant que la cuisse se fléchit sur le
bassin, pendant l'inspiration. Revenir à la position initiale
pendant l'expiration.

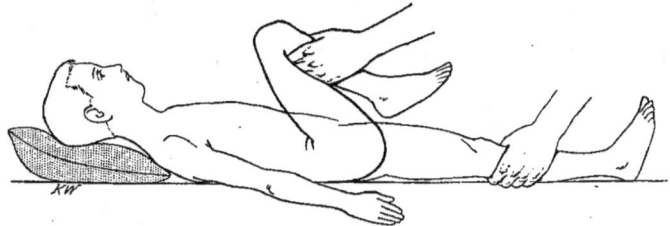

Fig. 27. — Flexion passive du membre inférieur.

Ce mouvement fondamental supporte nombre de variantes.
Il sera rarement bilatéral à cause du volume des membres

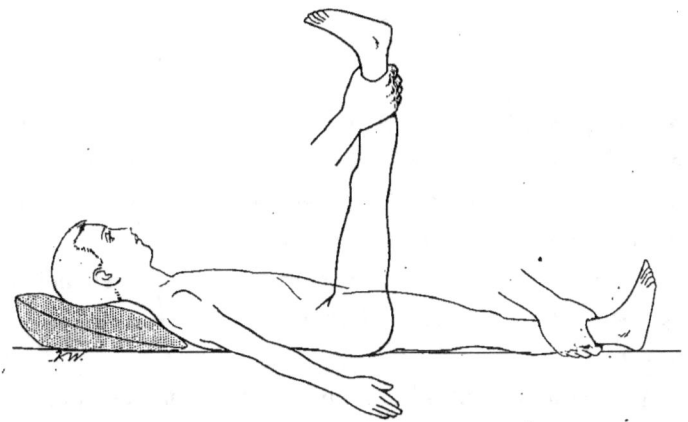

Fig. 28. — Elévation passive du membre inférieur.

inférieurs (voir Mécanothérapie). Il faudra donc le pratiquer
alternativement de l'un et l'autre côté. Il pourra *comporter
des temps d'arrêt* qui en varieront la mesure, *être progressif*,
c'est-à-dire mener le membre inférieur à un état de flexion
plus ou moins prononcé, s'accompagner, quand il est unila-

téral, de variations de situation de la jambe laissée dans l'immobilité, étendue, ce qui diminue la puissance de cet exercice, ou fléchie dans le plan du corps, le pied posant à plat sur le divan, ce qui donne son maximum d'action.

Pendant cet exercice, tantôt le sujet respire à son gré pourvu que la respiration soit nasale et rythmée, tantôt on

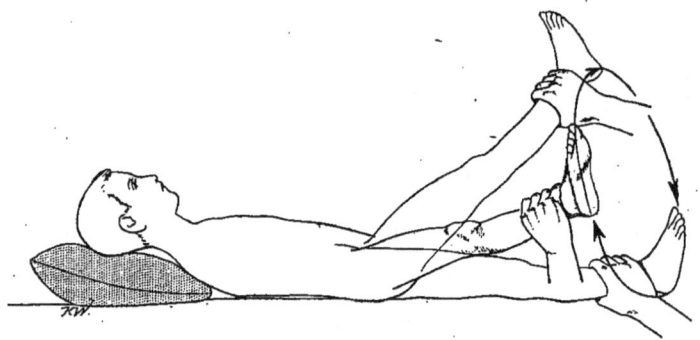

Fig. 29. — Circumduction passive de la jambe.

provoquera la respiration de dominante diaphragmatique ou diaphragmatique d'exclusion en exerçant une pression avec un objet léger sur la région épigastrique et en demandant au malade de soulever cet objet au temps de l'inspiration.

Le mouvement ci-dessus décrit peut être inversé au point de vue respiratoire, il a alors une action modératrice sur la respiration.

Bien plus simples, mais bien moins actifs sont les mouvements d'élévation, d'abduction ou de rotation des membres inférieurs tendus.

17) Le sujet étant couché, saisir la jambe au niveau de la partie inférieure et la porter en haut ou en dehors pendant l'inspiration, la ramener à la position première pendant l'expiration. C'est le mouvement passif dorsal d'élévation de la jambe (fig. 28).

18) Le sujet étant couché, saisir la jambe à la partie inférieure et lui faire décrire un cercle pendant l'inspiration et
l'expiration. C'est le *mouvement passif dorsal de circumduction unilatérale de la jambe* (fig. 29).

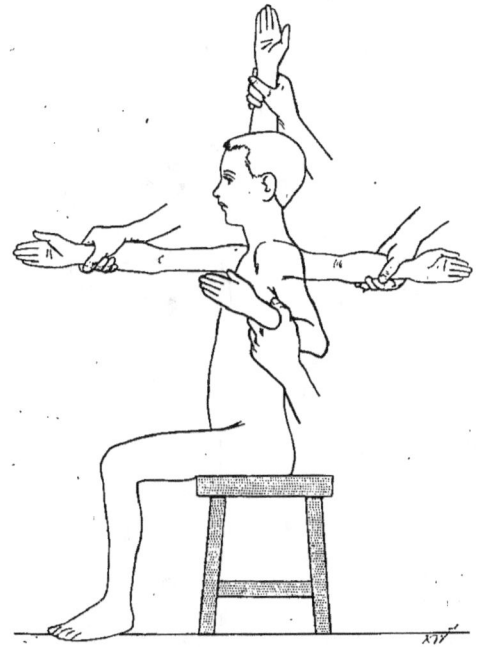

Fig. 30. — Mouvement dissocié, élévation à droite, traction à gauche.

Les exercices 17 et 18 donneront lieu à de multiples variations : la longueur de l'incursion, l'uni- ou la bilatéralité, la
possibilité d'intercaler des temps d'arrêt, la progressivité,
sont les éléments différentiels. *Le mouvement rotatoire du
membre inférieur tendu* peut se comprendre en variant la
durée de l'inspiration et de l'expiration, ou même en décrivant un cercle complet pendant l'un et l'autre temps de la
respiration. Ce cercle décrit peut être modifié, soit dans
son sens de rotation, soit par substitution d'une corde à une

partie du cercle. Par exemple, le pied décrira son cercle
de droite à gauche, puis de gauche à droite, par exemple
l'inspiration se fera pendant un demi-cercle, puis le pied
sera ramené à la position première en l'abaissant simplement
selon le diamètre du cercle, etc...

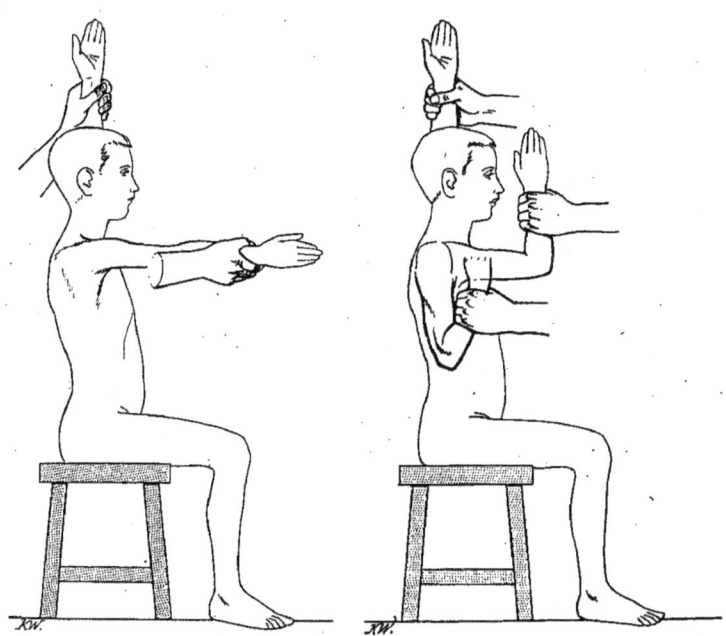

Fig. 31. — Abduction horizontale
à droite, abaissement antéro-
postérieur à gauche.

Fig. 32. — Traction en haut à
droite, bras gauche immobile.

f) Tels sont les principaux mouvements passifs que le
sujet exécutera pendant l'exercice de respiration. Nous
avons décrit les exercices simples; mais au fur et à mesure
que le sujet saura respirer, dans le but à la fois de développer
la fonction, de la rendre indépendante du jeu des bras et des
jambes, de lutter contre l'essoufflement, il y aura lieu de
recourir aux modifications dont nous ne pouvons qu'indiquer
l'idée directrice : la réunion de plusieurs exercices sans

temps d'arrêt donne de la résistance ; la réunion dans le même exercice de manœuvres différentes à incursions variables entraîne contre l'essoufflement et le bredouillement respiratoire ; la *dissociation bilatérale* s'introduit dans les exercices en faisant exécuter par exemple à un bras un mouvement d'abduction transverse, pendant que l'autre est l'objet d'une traction antéro-postérieure, ou pour donner un exemple différent, en faisant exécuter à une jambe un mouvement d'élévation et à l'autre un mouvement circulaire. Un mouvement faisant suite à une attitude permet de répéter l'inspiration ou l'expiration (fig. 30, 31, 32).

D'ailleurs les combinaisons pourront s'adresser aux deux bras, aux deux jambes, comme à un bras et à une jambe (traction en dehors du bras avec élévation du membre inférieur, rotation du membre inférieur avec écartement du bras, etc..., etc...).

II

γ) Les mouvements actifs sont ceux qui ont retenu le plus souvent l'attention des auteurs : ils sont multiples, variables à l'infini, ils ne me paraissent pas avoir la même importance que les mouvements passifs donnés par le médecin. Au fur et à mesure de ma pratique, j'en ai de plus en plus diminué et retardé l'emploi[1] tout en le gardant avec prédilection pour les *ankilosés du thorax* et les demi-ankilosés, asthmatiques et emphysémateux. C'est une faute grave que de commencer un entraînement respiratoire par les mouvements actifs.

1. La clinique est donc entièrement d'accord avec les expériences très précises faites à l'École de Joinville (travaux de Savornin) chez des sujets sains avec contrôle spirométrique (Lecat, *thèses Paris*, 1910-1911, vol. 28). Les mouvements actifs n'ont aucune action exagératrice de l'amplitude thoracique. Or, dans nombre des cas, la clinique en signale le danger. Donc leur emploi doit être rare et non la règle.

Sous ces réserves voici les principaux de ces mouvements :

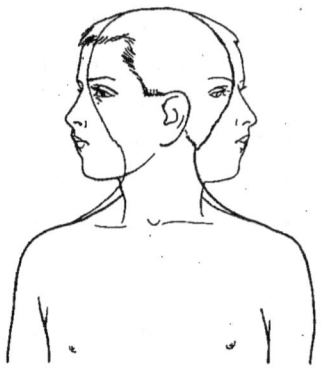

Fig. 33. — Rotation active de la tête.

a) Les mouvements actifs de la tête sont des mouvements de flexion, d'extension, d'inclinaison, de rotation. Ils consistent à faire porter la tête d'un côté pendant l'inspiration, à revenir au regard direct pendant l'expiration ou à partir de la position de tête droite pour arriver à la position de tête gauche à la fin de l'inspiration et vice-versa ; ils sont bien supportés, mais ont des indications limitées (fig. 33).

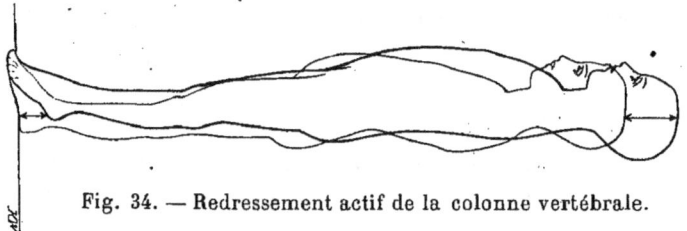

Fig. 34. — Redressement actif de la colonne vertébrale.

19) Le mouvement d'inclinaison est très utile cependant

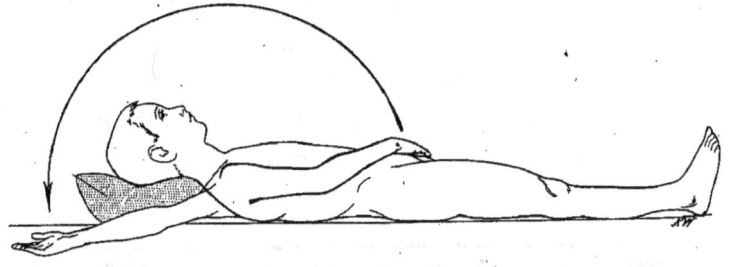

Fig. 34 *bis.* — Circumduction active du bras.

pour relâcher les muscles respiratoires comme les scalènes

et le sterno-cléido-mastoïdien ; il sert à ménager la région apexienne.

20) Le *mouvement d'extension de la tête avec élévation du corps sur la pointe des pieds* redresse la colonne vertébrale ; il nous paraît être d'une grande importance (fig. 34). Les mouvements de redressement et d'extension de la tête portée en arrière acquièrent une action bien plus précise lorsque les bras sont repliés, les mains entre-croisées portées à la nuque. Dans ce mouvement de redressement de la tête, l'action des scalènes (Nageotte-Wilbouchevitch) est très puissante ; l'exercice s'adresse spécialement aux sommets du poumon ; il s'oppose au mouvement d'inclinaison qui en ménage le fonctionnement.

b) Parmi les mouvements actifs du tronc et des membres il faudra utiliser surtout les plus simples, flexion du tronc en avant (mouvement de plongeon), flexion du tronc en arrière [1], sur les côtés ; flexion des jambes, les bras tendus se portant en avant ou sur les côtés ; écartement des bras se portant en avant, en croix ou verticalement de chaque côté de la tête ; élévation de la jambe en avant avec ou sans flexion, circumduction de la jambe tendue portée en avant, etc... Voici les principaux de ces mouvements :

21) Le sujet, étant debout, met un pied l'un devant l'autre ; il a au départ les bras fléchis, les mains en avant des épaules et un peu au-dessous de leur niveau ; les coudes sont relevés si bien que le membre supérieur forme un V horizontal. Pendant l'inspiration les coudes se portent en arrière, légèrement en bas et la poitrine se bombe. A l'expiration retour à la position première. C'est le *mouvement debout actif de rétropulsion en V.*

---

1. Dans la position debout, le renversement du tronc en arrière est une manœuvre douce. Au contraire, dans la situation à genoux, ce renversement avec respiration est un exercice très énergique (Hugues) qui ne sera utilisé qu'avec prudence.

22) Le *mouvement debout actif de natation à sec* (Knopf) est un mouvement d'écartement dans un plan horizontal des bras tendus en avant dans la position de départ. Il se prête à toutes les variations d'uni ou bilatéralité, etc..., que nous avons déjà indiquées en décrivant le même mouvement donné.

23) Le *mouvement actif de circumduction des bras* (fig. 34 *bis*) a une grande puissance. Dans ce mouvement, le sujet a au début les bras allongés le long du corps ; il les élève et les fait passer de la position verticale mains en bas à la position horizontale dans une abduction modérée, puis à une position verticale mains en l'air avec un léger écartement entre la tête et chaque bras. Pendant le premier temps, le sujet prend une longue inspiration en s'aidant d'une légère surélévation sur la pointe des pieds, qui contribue au redressement de la colonne vertébrale ; pendant l'expiration plus rapide, il rejette les bras en arrière et revient à la position de départ.

Ce mouvement actif très puissant doit être employé avec une prudence qu'on ne saurait exagérer. Exécuté sur les trois tabourets, en décubitus dorsal, il convient spécialement aux ankilosés du thorax.

24) Le *mouvement actif de respiration en quatre temps* de Mme Nageotte est un type d'exercice avec arrêt de respiration. En voici la description (Nageotte). Premier temps : l'enfant en station debout élève les bras parallèlement en avant et en haut, tendus, la face palmaire des mains tournée en dedans ; deuxième temps : l'enfant abaisse les bras latéralement jusqu'à la hauteur des épaules en conservant les mains en supination ; troisième temps : passage des mains de la supination à la pronation ; quatrième temps : les bras reviennent à la position du fixe. L'inspiration est faite pendant l'élévation des bras, puis l'enfant garde son souffle pendant le

deuxième et le troisième temps et fait une forte expiration
pendant le quatrième temps.

25) *Mouvement unilatéral d'élévation latérale du bras
avec inclinaison de la tête. Mouvement de fente des escri-*

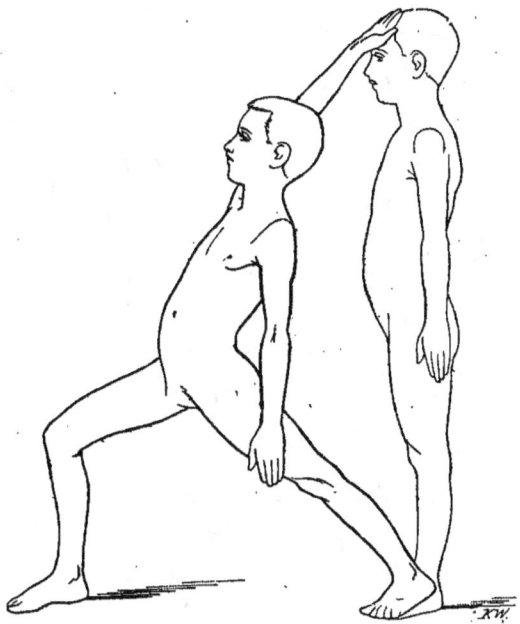

Fig. 35. — Fente en avant.

meurs avec élévation verticale des bras. — L'élévation latérale des bras peut devenir le point de départ d'une série
graduée d'exercices actifs, du plus haut intérêt (fig. 35).

A son minimum, le sujet élève simplement un bras tendu
dans le plan latéral pendant l'inspiration, et le rabaisse pendant l'expiration. A son intensité moyenne le sujet élève le
bras jusqu'à l'amener verticalement dans l'axe du corps et
incline la tête latéralement comme si elle était chassée par
le bras. A son complet développement, le sujet fait la même

BIBLIOTHÈQUE NATIONALE R.F. IMPRIMÉS

manœuvre du bras et même fléchit légèrement l'avant-bras
sur le bras au-dessus de la tête qu'il incline de l'autre côté,
pendant qu'il fait un mouvement plus ou moins accentué de
fente latérale. Cette série progressive est à elle seule tout un
entraînement méthodique, d'autant plus que le mouvement

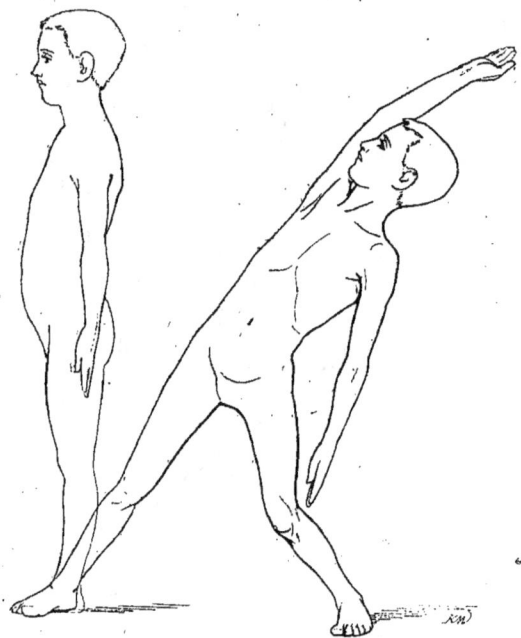

Fig. 36. — Fente en arrière.

latéral du bras, comme nous l'avons vu, a pu au début être
donné passivement avant de devenir un mouvement actif.

Le mouvement de fente des escrimeurs doit être préféré,
à notre avis, au *mouvement de fente en arrière* des Suédois
dont Lagrange à plusieurs reprises a donné la description.
Voici ce mouvement (fig. 36).

26) C'est « un mouvement dans lequel le tronc se renverse
dans l'extension forcée, les bras étant fortement portés dans

l'abduction horizontale, en même temps qu'une des jambes se porte en arrière de manière à offrir, en s'écartant de celle qui demeure fixe, une large base de sustentation à tout le corps. Pendant l'expiration le corps est reporté dans une attitude qui fait cesser l'action des forces inspiratrices et favorise mécaniquement la sortie de l'air de la poitrine. Par exemple les bras s'abaissent, le tronc se courbe, les jambes se remettent sur la même ligne ; quelquefois même les membres inférieurs se fléchissent et le sujet passe de l'attitude agrandie qui a favorisé l'inspiration à l'attitude accroupie qui favorise l'expiration. »

Certains mouvements actifs utilisent une aide du médecin comme *le mouvement d'abaissement du tronc par flexion des jambes*, avec mains soutenues par le médecin (fig. 37).

27) Le sujet étant debout porte les mains en avant et prend les mains du médecin qui les lui tend et qui est placé devant lui. Dans un premier temps, il fléchit les jambes et s'accroupit, le tronc restant droit; dans un deuxième temps il revient à la position première. On conçoit aisément que l'exercice puisse être inversé avec l'inspiration se faisant au temps du redressement au lieu de se faire au premier temps. De même, il est simple de marquer des temps d'arrêt, ou, au lieu de donner les mains au malade, de lui faire saisir une canne horizontale, maintenue par un mouvement circulaire d'abord en avant, puis au-dessus de la tête, bras tendus, etc...

Le mouvement de piaffage, élévation alternative de chaque jambe fléchie, se comprend de lui-même (fig. 38).

Nous arrivons enfin à certaines manœuvres d'athlétisme qui trouveront rarement leur place dans les exercices physiologiques de respiration mais qui feront partie des manœuvres adjuvantes ou accessoires. Ce n'est que chez un sujet extrêmement robuste et même entraîné aux sports que l'on peut utiliser la manœuvre suivante, qui a pour but de faire agir les expirations thoraciques à l'exclusion des muscles abdominaux.

28) « Le malade est placé dans une position telle que les

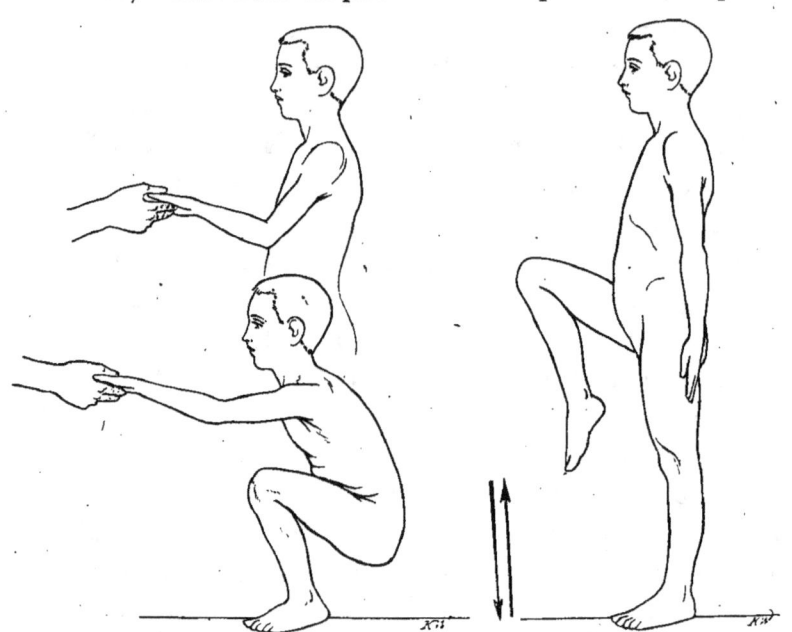

Fig. 37. — Flexion demi-active des jambes (le tronc devrait rester droit).

Fig. 38. — Le piaffage.

muscles droits de l'abdomen soient allongés et mis dans l'impossibilité d'agir.[Par exemple, le sujet, couché à plat ventre sur une banquette horizontale, relève la tête et les épaules en contractant les muscles extérieurs de la colonne vertébrale. Dans cette attitude les muscles droits de l'abdomen sont allongés et mis dans l'impossibilité de se contracter pour abaisser les côtes. C'est alors que le sujet s'efforce d'expirer l'air contenu dans sa poitrine et pour arriver à ce résultat il doit faire appel à toutes les forces expiratrices, surtout aux intercostaux, dont il s'agit de réveiller l'atonie. » On arrive au mouvement de respiration dans le vide lorsque le sujet couché à plat ventre de la banquette y est fixé par les jambes, et a le torse jusqu'à la ceinture dépassant l'extrémité antérieure du plinth, etc...

ठ RESPIRATION PENDANT LES ACTES ORDINAIRES DE LA VIE. — La rééducation respiratoire, ayant pour but de donner au sujet une bonne respiration d'une façon continue, a utilisé les attitudes simples et les mouvements simples. De même elle va compléter son œuvre en apprenant au sujet à respirer pendant les actes ordinaires de la vie. Mettez votre élève à une table et qu'il écrive en scandant nettement sa respiration ; qu'il lise ou parle en sachant respirer (traitement du bégaiement), qu'il chante sans perdre le souffle et sans faire les contorsions étranges qu'enseignent les professeurs de chant[1], ennemis de la simplicité et ininstruits des éléments physiologiques ; qu'il marche sans perdre la régulation des fonctions alvéolaires, etc...

Voyez-le après la leçon d'escrime, après la promenade à cheval et la course en bicyclette, le rythme doit rester calme.

Ce sont là les épreuves de maîtrise respiratoire, elles parfont l'entraînement. Récemment Labouré d'Amiens, auteur jadis d'une méthode simplifiée, voulait bien les adopter dans sa communication au Congrès Végétarien de Bruxelles, 1910, qui le ramène à notre opinion personnelle.

1. Les rapports du chant et de l'exercice de respiration sont des plus intéressants à étudier, d'autant que quelques-uns se laissent entraîner à une véritable surenchère. Le chanteur doit avoir une soufflerie nasopulmonaire suffisante et il doit respirer physiologiquement. Il ne doit pas, dans la respiration ordinaire, conserver la prolongation de l'expiration indispensable au chant. Ainsi il évitera toute fatigue ; mais s'il veut être un bon chanteur, il lui faut avoir un larynx parfait, une éducation ou au moins un sens musical très développé. Laissons le chant aux artistes et les troubles respiratoires aux médecins.

On voit quelles sont la variété, la richesse des manœuvres kinésithérapiques de l'Exercice respiratoire. Mais il ne faudra pas se laisser séduire par le mouvement considéré en lui-même. Il ne sera jamais que l'auxiliaire très précieux de la respiration volontaire, prise doucement, menée profondément, contrôlée médicalement.

C. — *Manœuvres accessoires et traitements adjuvants.*

Dès notre mémoire de juillet 1903 du *Journal de physiothérapie*, nous avions insisté en particulier en analysant les très beaux travaux de Knopf sur l'utilité des manœuvres accessoires et des traitements adjuvants. Nous préférons remettre la question des traitements adjuvants à l'étude clinique de chaque cas particulier. Quant aux manœuvres accessoires, il faut séparer :

a et *a'*) les manœuvres kinésithérapiques pures, d'éducation et de développement musculaires (*a'*), auxquelles nous ajoutons la question de l'emploi des dilatateurs narinaires (*a*) ;

b) les manœuvres de massage ;

c) les ressources de l'électricité ;

d) la culture du système nerveux.

a) Au cours de l'éducation de la respiration nasale, il est facile de constater que nombre d'adolescents, au moment de l'inspiration, accolent les ailes du nez contre la cloison. Ce phénomène rendrait impossible tout passage d'air par la voie narinaire normale. Il est donc naturel que certains auteurs aient voulu remédier à cet inconvénient par l'emploi prothétique de dilatateurs narinaires. Ces instruments maintiennent les narines béantes ; les uns prennent appui sur la cloison nasale, les autres, comme le modèle de Robert Foy, prennent appui sur la paroi interne de l'aile du nez ; ils sont constitués par un fil métallique savamment contourné. Il est simple d'utiliser dans le même but les olives narinaires en verre des physiologistes.

D'une façon générale nous repoussons l'emploi permanent de ces appareils ; ils ont comme inconvénient essentiel de ne pas être éducateurs, c'est-à-dire de ne pas conduire à un mécanisme spontané automatique naturel et normal de la respiration. Quand un sujet, à l'inspiration, aspire ses ailes du nez, c'est le plus souvent parce qu'il prend la respiration trop brusquement. Apprenez-lui à prendre sa respiration doucement et à l'amplifier progressivement. Le courant d'air inspiratoire se chargera de la distension narinaire, il supprimera cette pression négative causée uniquement par une inspiration trop brutale (dissociation nasothoracique) ; le port de l'olive narinaire deviendra inutile.

Nous mettrons à part, bien entendu, les cas de paralysie faciale et certaines conformations anatomiques vicieuses congénitales ou acquises qui peuvent même quelquefois justifier une intervention opératoire.

Nous avons insisté souvent au cours de ce chapitre de technique sur la différence qu'il y a entre une manœuvre musculaire et un exercice respiratoire. Rien ne sert d'avoir des muscles développés, si le sujet ne sait coordonner ses efforts vers la synergie respiratoire. Nous avons souvent, à ce propos, rapproché la fonction respiratoire de la danse, de la natation, etc... Un athlète ne sera pas, du fait de son athlétisme, un bon danseur ou un bon nageur. L'insuffisance respiratoire correspond rarement à une insuffisance fondamentale des muscles respiratoires ; mais souvent elle correspond à leur épuisement passager.

Néanmoins un développement musculaire satisfaisant sera un gage d'aptitude physique, une probabilité d'efficacité de l'exercice de respiration. Si donc être robuste et bien respirer sont deux choses bien différentes, néanmoins la robustesse sera un élément favorable pour l'éducation respiratoire.

Nous devons donc renvoyer aux traités qui s'occupent du développement physique en général. Néanmoins, nous attachons une importance particulière au développement de la paroi abdominale antérieure et au développement des muscles du dos qui maintiennent rigides la colonne vertébrale. Les exercices particulièrement propres à fortifier la ceinture musculaire pré-intestinale sont le meilleur corset.

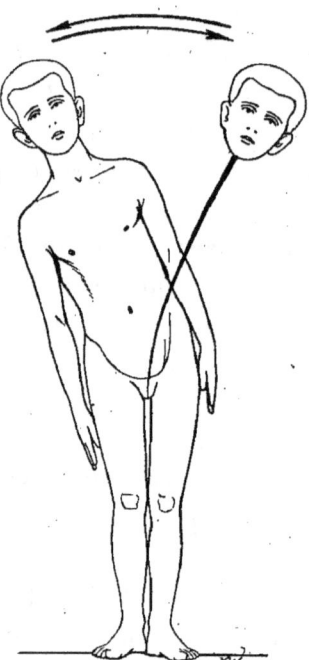

Fig. 39. — Inclinaison latérale du tronc.

Ils sont bien décrits dans l'excellent livre de Müller « Mon système » qui s'est répandu en France avec un légitime succès depuis notre communication à la Société de l'Internat (avril 1907). L'auteur en a fait la préface à l'édition française. Depuis longtemps, Glénard (1885-1910) a appelé l'attention sur la haute valeur de la sangle abdominale ; plus récemment, Thooris, Fernet sont revenus sur la question.

ε) POUR DÉVELOPPER LA SANGLE ABDOMINALE, voici les exercices à exécuter. Ils forment la gymnastique spécifique de la constipation. (Ils peuvent d'ailleurs s'accompagner secondairement d'une respiration rythmée.)

Station debout. — Inclinaison du corps en avant et en

arrière, mains à la nuque, aux hanches, ou bras levés au départ, au contact des pieds à l'arrivée.

Inclinaison latérale du corps, mains en croix aux hanches ou à la nuque (fig. 39 et 40).

Fig. 40. — Inclinaison latérale bras en croix.

Circumduction du tronc, mains aux hanches ou bras écartés en croix (mouvement de fauchage).

Rotation du tronc, mains aux hanches ou bras levés, mains réunies (mouvement de cône de Hugues) (fig. 42).

Élévation des genoux, jambes pliées ou mouvement de piaffage.

(Tous ces mouvements sauf le dernier se répètent dans la position à genoux.)

Décubitus dorsal. — Redressement du tronc (fig. 41).

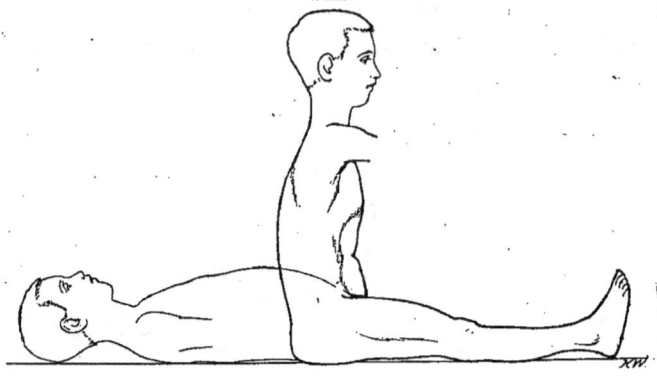

Fig. 41. — Redressement du tronc.

Relever chaque jambe tendue, puis les deux jambes tendues.

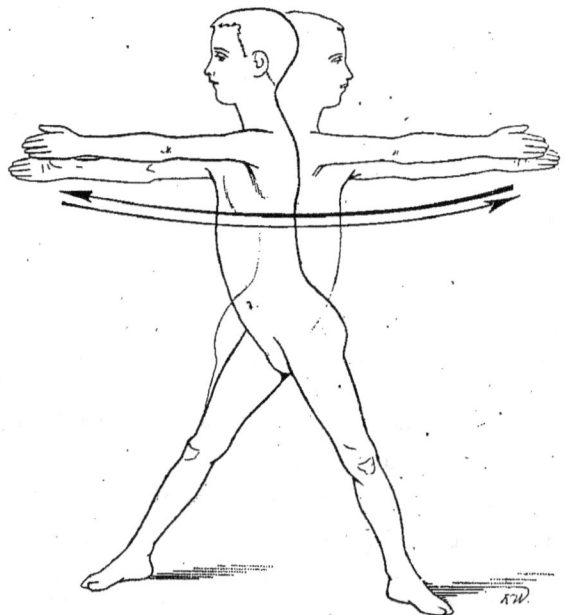

Fig. 42. — Rotation du tronc.

Mouvement de circumduction dans un sens déterminé, puis

dans le sens contraire de chaque jambe tendue ou des deux jambes tendues.

Ramener les jambes pliées au-devant du corps, et les étendre sans leur faire toucher terre.

Décubitus abdominal. — Se soulever sur la paume des mains placées au niveau des épaules, bras fléchis, puis revenir au

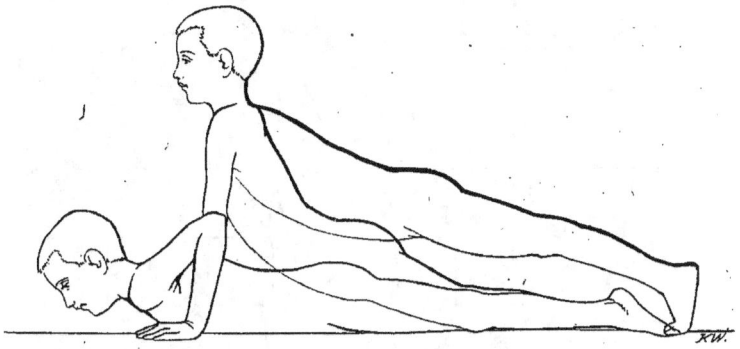

Fig. 43. — Soulèvement du corps rigide sur la paume des mains.
La flexion de la colonne indique le mouvement mal exécuté.

point de départ. On peut se soulever sur l'extrémité des doigts (Müller) (fig. 43).

Une séance comprenant 5 exercices répétés 10 à 20 fois peut se faire après les séances d'exercices de respiration.

ε) Pour développer la rigidité vertébrale : Pour que la colonne vertébrale soit d'aplomb, puisque « l'on respire avec les pieds » (Tissié, de Pau). Voici quelques exercices tirés en partie des travaux de Tissié.

Station debout. — Rechercher l'attitude droite (Dal-croze).

Adossé à un mur, mouvement d'élévation des bras restant collés au mur jusqu'à occuper une position verticale (fig. 44).

Bras fléchis horizontaux, mains aux épaules, cous-de-coude en arrière.

Écartement des bras, mouvements de natation avec résistance (exercices, etc.).

Flexion en arrière du tronc.

Suspendu à un plan incliné, traction sur les bras.

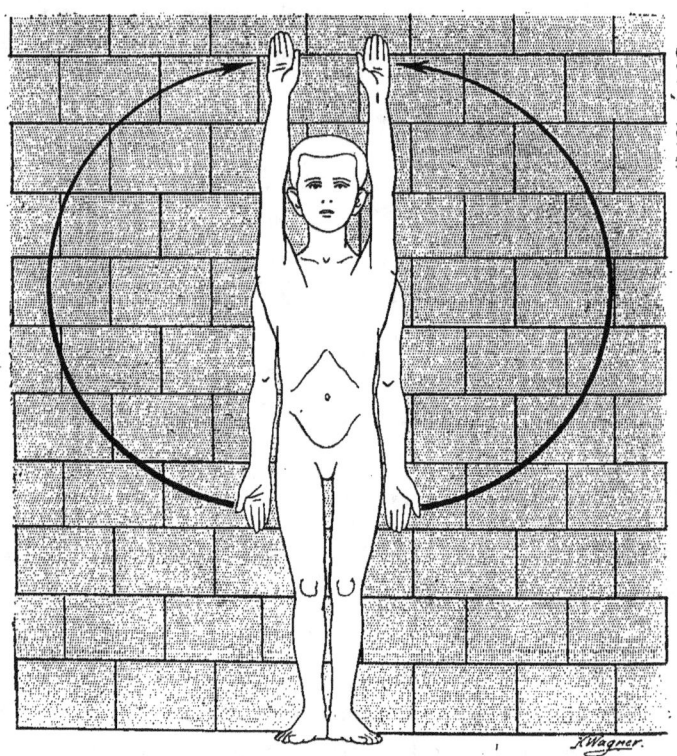

Fig. 44. — Circumduction des bras au mur.

Suspendu à un plan incliné, élévation à angle droit d'une ou des deux jambes.

Station couché. Décubitus facial avancé (des Suédois), etc.

Gymnastique des épaules (fig. 45).

Ces exercices pourront être intercalés dans la séance de rééducation à la dose de 2 à 5 exercices répétés 5 à 20 fois. L'indication clinique sera maîtresse.

« Halls Daly (Lecat, thèse Paris, 1911. Desfosses, *Gymnas-tique respiratoire*, 23 juin 1911, Masson), en examinant des sujets aux rayons X, a constaté le redressement de la colonne vertébrale dans l'inspiration profonde. »

Desfosses comme Hugues a insisté sur l'importance de l'entraînement des muscles fixateurs de l'épaule. Il a raison; l'épaule est avec la colonne vertébrale un point d'attache fixe de muscles respirateurs des plus puissants comme le dentelé. L'effacement des épaules, l'élévation et l'abaissement des épaules, etc., rentrent donc parmi les meilleures manœuvres accessoires.

Nous ne pouvons insister ici sur l'importance de la surveillance des attitudes dans la vie ordinaire des adolescents : en particulier il faut veiller à ce que le mobilier scolaire ne soit pas un facteur énergique d'écrasement des thorax et d'immobilité respiratoire par les attitudes

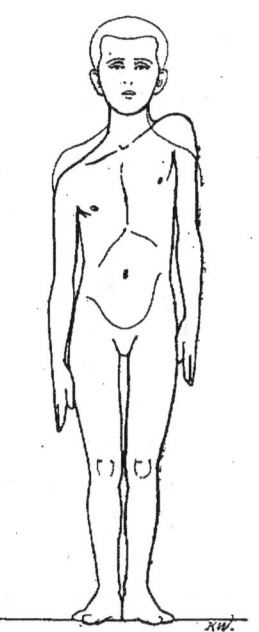

Fig. 45. — Gymnastique des épaules.

contorsionnées de l'écriture (voir les travaux des médecins des Écoles, de Dufestel en particulier).

La constriction inférieure du thorax a été décrite avec la respiration à type thoracique supérieur. La compression latérale ou totale du thorax au temps de l'expiration trouvera sa place à l'étude de l'emphysème.

b) Voici ce que Knopf dit du massage, dans une page dont nous avons donné la traduction dans notre *Mémoire inaugural*. « Si les muscles de la ceinture scapulo-thoracique sont atrophiés, les exercices sont insuffisants et il faut leur adjoindre l'électricité et surtout le massage. *Ce massage sera fait par le médecin,* car c'est une manœuvre importante que l'on ne peut laisser à un masseur, à une garde.

Voici la méthode de massage préconisée. Placer le patient sur une table modérément haute ou sur un lit sans ressort. La hauteur du lit doit permettre à l'opérateur de se pencher sur le malade, de faire toutes les manœuvres, de graduer sa force sans se fatiguer lui-même. En cas de mauvais état général, on peut se servir pour faire le massage d'huile de foie de morue.

Quatre mouvements seront utilisés : la friction, le pétrissage, le tapotement et le pincement. On obéira aux indications générales, suivre le courant veineux, masser selon le trajet du côlon, faire des manœuvres très douces. De temps à autre, le patient contractera son diaphragme et le relâchera après quelques secondes. Cet exercice du diaphragme sera exécuté assis et debout.

Entrons maintenant dans la technique même du massage : pour les muscles antérieurs du bras, de l'avant-bras et du thorax, commencer la friction au bout des doigts, remonter successivement à l'articulation du poignet, au coude, à l'épaule. Puis par un mouvement tournant de la main, masser la partie latérale du thorax, en pénétrant le plus possible dans la région de l'omoplate. Aux frictions succède le pétrissage ; le muscle est pétri par des mouvements qui sembleraient tendre à l'arrachement des ventres musculaires. En dernier lieu vient le tapotage fait avec la main entière à plat ou avec le bord cubital. On termine par quelques manœuvres de pincement de la peau.

Lorsque la région antérieure est massée, le malade se retourne et s'étend sur le ventre ; la région postérieure est alors massée plus vigoureusement que la région antérieure. La séance en tout doit durer environ une demi-heure.

A la fin de la séance (nous trouvons cette prescription inutile et parfois dangereuse), on fera exécuter au malade une dizaine de fois le mouvement qui suit. Le malade porte les bras au-dessus de la tête en prenant une forte inspiration, et après quelques secondes revient à la position première. »

Au chapitre de l'emphysème, nous décrirons les manœuvres accessoires de tapotement, hachage, etc...

c) Le traitement électrique sera surtout recommandé dans la cure des grandes asthénies au stade de début lorsque la volonté déficiente rend impossible tout effort de la part du malade. Nous renvoyons aux traités spéciaux, qui recommanderont l'électricité statique comme tonique générale, et pour réveiller l'activité musculaire des applications courtes de courants de haute fréquence et de courants faradiques à interruptions espacées.

d) Quant au système nerveux, son rôle est considérable. Nombre d'insuffisants respiratoires sont simplement des sujets dont le système nerveux n'est pas assez fort, assez résistant pour envoyer aux muscles l'ordre synergique de la respiration. Il faudra alors faire intervenir toute la thérapeutique hygiénique et médicamenteuse utile en pareil cas. En tête l'hydrothérapie avec la douche chaude, tiède, puis froide, le drap mouillé préconisé par Hayem ; puis l'opothérapie nerveuse[1] ; et le traitement marin depuis le bain chaud de varech conservé à l'état intact[2], jusqu'aux injections progressives de plasma Quinton. Les agents médicamenteux, l'arsenic, les glycérophosphates comme la strichnine et son succédané l'yoimbine seront également de précieuses ressources, etc.

1. *Bulletin de Thérapeutique,* 30 juillet 1911.
2. *Société de Thérapeutique*, octobre 1911.

D) *La question de la mécanothérapie* [1].

Dans ce chapitre de technique, nous n'avons jusqu'à présent laissé aucune place à la machine Zander. Est-ce à dire que nous la proscrivions absolument dans la poursuite du retour et du développement du jeu physiologique de l'appareil respiratoire ? Nous ne la recommandons pour l'enfant que dans certains cas où le rythme respiratoire a besoin d'être longuement dirigé et où la machine seule peut faire ce qui est au-dessus des forces d'un homme. Sur ce point, la machine l'emporte non par une supériorité effective, mais par la possibilité d'une action prolongée.

Nous réservons chez l'adulte l'usage de la machine aux individus gros, gras, pléthoriques difficiles à manier, chez qui l'exercice physiologique manuel serait impossible. Mais ces sujets devront être incités à suivre une cure d'amaigrissement, car l'obésité est une des causes et non des moindres de l'insuffisance respiratoire. Nous nous réservons au cours des différentes indications cliniques spéciales de préciser quelles sont les machines utilisables, quel en est le maniement, quelle est la durée des séances, etc.

È) *Nombre et longueur des séances*.
(Importance de quelques conditions, difformités, âge, etc.)

Nous aurons avec chaque cas en particulier à envisager la direction du traitement. Deux principes nous dirigeront : ··

Etant donné que l'exercice de respiration est éducateur et remet en activité un mécanisme normal dévié ou arrêté, il ne doit provoquer aucune fatigue. On ne doit donc pas

[1] Levertin. *Gymnastique médico-mécanique* Zander Stockolm, Biblioth. de la Faculté. 57, 357.

atteindre ni la sensation de fatigue, ni l'accélération du pouls qui en est le symptôme révélateur.

Étant donné que l'exercice de respiration est éducateur, il faut que les séances s'espacent de manière à laisser à l'organisme le temps d'enregistrer les habitudes données : il faut que les séances soient assez rapprochées pour éviter à l'organisme la désuétude de l'impulsion éducatrice et la perte du bénéfice acquis. Deux à quatre séances par semaine sont la vitesse la plus favorable en dehors des indications spéciales.

Au cours de cette monographie, nous aurons à noter certains obstacles à la cure. Il est simple d'en donner la clé révélatrice. *Tout obstacle au jeu mécanique de la respiration, qui est au-dessus des forces médicales, diminue l'action de la cure physiologique.* Donc ne pas être surpris si le rétrécissement trachéal des trachéotomisés, la compression bronchique des grosses adénopathies bacillaires, la gibbosité d'un mal de Pott, etc., s'opposent à l'obtention de résultats remarquables. De même toute diminution de la force nerveuse. Parmi les conditions un peu plus spéciales, notons l'âge. L'exercice de respiration est une méthode qui aime la jeunesse : avec l'âge adulte, le thorax moins flexible, les viscères moins souples prennent moins facilement de nouvelles habitudes.

CHAPITRE V

DIRECTION DE LA CURE DANS LES DIFFÉRENTS CAS CLINIQUES

Les auteurs qui ont dans ces temps derniers publié des manuels de gymnastique respiratoire terminent leur exposé après le chapitre de technique générale ; ils laissent le médecin dans un singulier embarras au sujet de la conduite à tenir dans les différents cas cliniques soumis à son observation. Il faut éviter cette erreur. Nous allons maintenant envisager les diverses catégories de malades présentant les indications et voir comment le praticien mettra en œuvre la cure physiologique.

A) *Exercices de respiration et phases aiguës des maladies.*

La première question qui se pose est celle-ci. Dans les maladies inflammatoires et aiguës et en particulier dans les affections aiguës de l'appareil respiratoire, y a-t-il lieu de recourir à l'exercice physiologique de respiration ? Quand doit on y recourir ? Comment doit-on s'en servir ? Quel résultat peut-on espérer ? Quel écueil faut-il craindre ?

Envisageons d'abord la première question à un point de vue général. Nous nous heurtons chez les partisans de l'abstention à une double erreur, erreur de point de vue et erreur d'interprétation.

L'erreur de point de vue consiste à croire qu'il est possible de mettre l'appareil respiratoire au repos. Certes il peut être possible ou désirable de restreindre le fonctionnement pulmonaire ; mais le repos complet de l'organe est impraticable ; il ne saurait être obtenu d'une façon relative que par le pneumo-thorax provoqué selon la méthode de Forlanini ; car les corsets plâtrés d'immobilisation ont été, je crois, entièrement abandonnés. En pratiquant des manœuvres de kinésithérapie pulmonaire on obéit donc aux lois naturelles, surtout si, comme nous le verrons plus loin, l'exercice ménage les territoires phlogosés pour développer le jeu des territoires indemnes. De plus, l'erreur de point de vue se double d'une erreur d'interprétation : malgré le développement scientifique de la kinésithérapie, une partie du public et malheureusement un grand nombre de médecins considèrent encore les manœuvres de kinésithérapie comme des manœuvres de violence ; pour eux la gymnastique respiratoire est schématisée par un écartement violent des bras tendus, comme le massage se confond avec un pétrissage brutal. Il faut leur expliquer, leur faire comprendre que la kinésithérapie pulmonaire médicalisée a comme principal but de faire disparaître les erreurs de physiologie respiratoire commises par les malades ; loin d'être une manœuvre violente, la kinésithérapie pulmonaire apparaît alors comme une indication sédative et d'une utilisation favorable dans les plus grands désordres pulmonaires.

Nous allons donc envisager la conduite à tenir dans trois cas principaux, l'hémoptysie, les processus inflammatoires de l'arbre respiratoire (de la bronchite à la pneumonie lobaire) et la pleurésie. Toutefois nous reporterons l'étude de la pleurésie au chapitre de la prophylaxie de la tuberculose.

α) Au cours de l'*hémoptysie* et en particulier de l'hémo--

ptysie tuberculeuse, le malade couché sur le dos avec une
vessie de glace sur les sommets et au niveau des testicules a
besoin de repos et de tranquillité. Souvent il respire par la
bouche ; toujours la respiration entrecoupée, suspirieuse, inégale est un exemple de désordre respiratoire. C'est cette
anarchie respiratoire qu'il faut calmer. Avec grande douceur,
sans avoir la prétention de faire faire un exercice ou une
manœuvre précise, demandez au malade de respirer par le
nez, essayez de lui rythmer la respiration ; retenez ses
efforts s'il cherche à respirer fortement et ne cherchez nullement à développer son ampliation thoracique ; si vous le
pouvez, faites fonctionner son diaphragme en provoquant une
respiration diaphragmatique d'exclusion avec bombement
modéré du ventre. Que la prudence soit votre règle, et si
vous n'avez pas entièrement l'habitude de diriger des traitements kinésiques, abstenez-vous de peur d'attribuer à la
méthode des inconvénients qui résulteraient de votre inexpé-
rience. En un mot, il faut faire de l'*exercice physiologique
de restriction*. Ici plus que partout ailleurs, songez aussi que
la kinésithérapie n'est qu'une manœuvre médicale à ajouter
aux autres médications, que le médecin n'a pas le choix
entre deux traitements, l'un physique, l'autre hygiénodiététique et médicamenteux opposés l'un à l'autre, mais qu'il a
le devoir d'utiliser toutes les armes de l'arsenal thérapeutique, aussi bien celles du traitement manuel que celles four-
nies par l'hygiène et la diététique, etc. L'immobilisation du
sommet par les bandelettes de diachylum (Nidner) peut être
utile.

β. AU COURS DES INFECTIONS DE L'ARBRE RESPIRATOIRE[1], le pro-

1. Récemment encore Edgar Cyriax de Londres (*Medical Record,*
17 juin 1911) est revenu sur les différentes manœuvres de mobilisation
t de massage applicables au traitement d es maladies des voies respi-

blème se pose de plusieurs façons selon les maladies envisagées.

a. S'il s'agit d'une *laryngo-trachéite* inflammatoire ou d'une *bronchite simple*, affection de peu de durée sans gravité particulière, il faut veiller à rendre au malade la respiration nasale, il faut lui rythmer la respiration. La correction des fautes physiologiques retiendra seule notre attention, car pour le reste il est indiqué d'attendre la guérison. Nous avons au moment de la convalescence un meilleur résultat avec moins de séances.

Donc montrez au malade à respirer par le nez, faites-le respirer tous les matins vingt fois par le nez en décubitus dorsal, par les deux narines, puis dix fois par l'une puis l'autre narine. Après vingt respirations diaphragmatiques d'exclusion, terminez par dix respirations spontanées, bras en croix, et vous aurez fait votre devoir de kinésithérapeute. A chaque visite vous ferez répéter les soixante-dix respirations ; vous demanderez au malade de les faire matin et soir les jours où vous ne viendrez pas. Au moment de la convalescence, vous aurez à développer l'amplitude du thorax par un entraînement que nous décrirons plus loin.

b. Le problème est bien plus complexe, quand il s'agit de *congestions pulmonaires*, de *pneumonies* ou de *broncho-pneumonies*. Dans les cas simples, courts, peu graves, où l'existence même du malade n'est en jeu à aucun moment, il est assez facile à résoudre. Bien que notre conviction soit établie à la fois sur l'innocuité de la méthode et sur l'importance des applications précoces de la kinésithérapie, il est relativement et provisoirement logique d'attendre la défervescence pour effectuer les manœuvres, mais dans les cas

ratoires comme la pneumonie, la bronchite et la tuberculose pulmonaire.

sérieux, lorsqu'il s'agit de permettre au malade de résister à sa maladie, nous condamnons absolument l'abstention. Nous nous appuyons sur quatre arguments :

Un argument de fait, tiré des travaux antérieurs de médecins étrangers, qui en s'ignorant mutuellement arrivent aux mêmes conclusions (1).

Un argument physiologique, sur le soulagement du cœur par les pratiques de kinésithérapie (2).

Un argument de compréhension de la méthode, *qui n'est pas un gavage d'oxigène* (3).

Des faits personnels rapportés à la Société de l'Internat (1904). *Revue de Kinésie*, 1908 (4).

1° La gymnastique respiratoire, disions-nous dès 1904, dans notre *Précis des Broncho-pneumonies* (collection Hutinel, Joanin, éd.), est d'un précieux secours même pendant le cours de la maladie. Cette proposition ressort des articles de *Hongton Mitchell* dans *The Britisch Medical Journal*, de *Hermann* dans le *Thérapeut. Monatschift* de 1901 et de *Treuthardt* (*Revue médicale de la Suisse Romande*, 1898, p. 39).

Hermann dit qu'en présence d'un enfant de six mois atteint de bronchite profonde avec signes d'asphyxie progressive, rapidité considérable du pouls (160), et de la respiration (80 à la minute), il eut l'idée de faire la respiration artificielle en faisant pendant deux heures des pressions sur les fausses côtes. Quand le danger immédiat fut conjuré, il fit continuer ces manœuvres par les parents. Depuis, l'auteur emploie dans tous les cas de bronchite et de broncho-pneumonie les pressions sur les fausses côtes au moment de l'expiration et fait chaque jour une séance d'une demi-heure. Les enfants en éprouvent un grand soulagement, la dyspnée diminue et le pouls reprend de la force.

Hongton Mitchell a utilisé les mouvements de la respiration artificielle avec compression du thorax par les bras au moment de l'expiration.

Treuthardt rapporte avoir sauvé des enfants en combinant les frictions chaudes faites d'abord au vin, puis au rhum avec les pressions méthodiques du thorax. Dès qu'il a obtenu quelques inspirations profondes, il détermine mécaniquement le vomissement par le doigt ou le manche d'une cuiller introduit dans la gorge.

Dès 1904, nous nous inspirions de la donnée très remarquable fournie par les auteurs précités de l'application de la kinésithérapie au traitement des maladies aiguës de l'appareil respiratoire ; mais poursuivant notre œuvre de systématisation, nous posions en principe la nécessité de se guider sur l'importance des phénomènes locaux. « A la phase de bronchite les mouvements de respiration artificielle seront faits matin et soir pendant cinq minutes et on ne craindra pas de compléter l'expiration en exerçant *sans violence* une pression des bras du sujet sur son thorax ; lorsque survient un foyer, il faut supprimer les pressions thoraciques et faire deux fois par jour une séance de trois à cinq minutes de respiration artificielle.

« Il est bien entendu qu'il s'agit de mouvements passifs d'abord unilatéraux du côté sain, puis bilatéraux à oscillations inégales, enfin bilatéraux vrais.

« Si le malade est en âge de le faire, on appellera son attention sur l'importance de la respiration diaphragmatique, le plus souvent insuffisante, et on fera faire quelques exercices de respiration diaphragmatique.

« Comme moyen adjuvant, il sera bon de faire exécuter dans le lit quelques mouvements passifs et actifs des jambes (flexion et extension) qui auront une action décongestionnante et de veiller à la variation du décubitus. »

En donnant les règles de pratique, nous préciserons la durée des séances que nous avons encore raccourcies. Les pressions fortes sur le thorax, des séances d'une demi-heure sont des *erreurs par excès* que nous voyons commettre au début par nombre de physiothérapeutes. Il est également inadmissible de confier aux parents des manœuvres des plus délicates comme les pressions du thorax.

2° Déjà également en 1904, nous attirions l'attention de nos lecteurs sur la nécessité de ne pas laisser dans l'immobilité musculaire complète le fébricitant et en particulier le malade atteint de pyrexie pulmonaire. Les nombreux travaux de médecins du cœur, en particulier les travaux sur le *cœur périphérique*, les données bien établies par les kinésithérapeutes masseurs ont mis hors de doute l'aide puissante apportée à l'organe central par la régularisation de la circulation viscérale et périphérique. Faut-il rappeler les travaux sur le massage de l'abdomen, sur le traitement des varices par la marche, etc. [1]... Or chez le broncho-pneumonique et le pneumonique dont le cœur fatigué par la fièvre, intoxiqué par les poisons solubles doit lutter contre l'imperméabilité des foyers, vous croyez logique de ne pas aider la circulation périphérique? Quel danger chimérique voyez-vous à faire matin et soir dix mouvements passifs de flexion et d'extension de chaque bras et de chaque jambe, et tous les deux jours un léger massage de l'abdomen? Une seule contre-indication se pose; la crainte d'embolie, s'il y a trace ou menace, ou probabilité simple de phlébite. Le pathologiste pose des règles dont le clinicien toujours maître a toujours le droit de suspendre l'application. Nous concluons :

Il est logique au cours des pyrexies d'aider le cœur des

1. Voir le fascicule consacré au massage.

*malades en leur faisant exécuter quelques mouvements
passifs. Ces mouvements passifs pourront être pratiqués par
les aides ou par la famille contrairement aux exercices de
respiration réservés au médecin même.*

3° Quant à l'exercice de respiration même, son emploi va
paraître naturel, et toute appréhension va disparaître dès
qu'il sera bien entendu que le problème n'est pas de gaver
le malade d'oxygène, mais avant tout de corriger les fautes
de physiologie respiratoire. Il ne s'agit pas d'une manœuvre
de force; *il s'agit d'établir le régime pulmonaire au cours
d'une maladie des poumons comme on établit le régime sto-
macal au cours des gastropathies les plus intenses.*

4° Nous avons apporté notre contribution personnelle à la
kinésithérapie de la phase aiguë dans des communications
du bulletin de la Société de l'Internat et dans un article de la
Revue de kinésie.

Dans notre première communication à la Société de l'Internat (1904, p. 50, 26 mai) nous publions les résultats
obtenus dans un cas de broncho-pneumonie à entérocoque
survenu chez un tuberculeux. Dans une deuxième communication (Société de l'Internat, 1904, p. 131) nous étudions un cas de broncho-pneumonie à pneumocoque traitée
par la rééducation respiratoire jointe au traitement classique. D'autre part, dans la *Revue de Cinésie* de novembre
1908, nous publions un cas de broncho-pneumonie grippale
sans coccobacille de Pfeiffer guérie par les traitements
classiques et physiothérapiques.

Ces cas vont nous servir à étudier l'interprétation et la
variation des *règles générales de conduite* que nous allons
énoncer.

La première règle est celle-ci :

Dans les maladies aiguës, quelles qu'elles soient, évitez

*de laisser le malade respirer par la bouche. La langue
sèche et rôtie n'est souvent qu'un symptôme d'insuffisance
nasale ; elle ne correspond pas forcément à une fièvre intense
ou à un état adynamique.*

Jamais l'union intime de la kinésithérapie et des autres
médications ne s'est imposée à l'esprit, comme pour la réali-
sation de cette première règle établie par nous depuis le début
de nos recherches. Pour arriver au but, il faut que le malade
soit dans une chambre vaste et bien aérée (prescription
d'hygiène), que l'alimentation suffisante soit diurétique (diététique : régime liquidien avec lait, jus de raisin, jus de
fruits, compotes, purées très claires, etc...), que l'orifice des
narines et le bord des lèvres soient enduits de solutions résistant autant que possible à l'évaporation, comme les collu-
toires glycérinés au borate de soude. Enfin, à moins que
l'état du malade l'interdise, demandez au malade de respirer
par le nez et faites-lui faire dix à vingt respirations nasales.

Il m'a semblé qu'au cours de la dothiénentérie qui crée
une insuffisance respiratoire à formes thoraco-diaphragma-
tique complète et nasale souvent totale, tout exercice respiratoire amenait de la céphalée. Dans de pareils cas abstenez-
vous. De toutes façons, restez cliniques. Un malade qui
respire depuis toujours par la bouche ne saurait être éduqué
en pleine dyspnée. *Alexander* a montré en pareil cas l'infé-
riorité de la voie nasale désuète : soyons cliniciens avant
tout.

La deuxième règle est celle-ci :

*Les mouvements passifs et le massage du ventre apportant
une aide précieuse à la circulation, lorsque cette fonction
ne bénéficie plus de la marche et de l'exercice ordinaires de
la vie quotidienne, ne laissez pas vos fébriles immobiles dans
le lit, faites-leur matin et soir 5 à 10 mouvements de flexion*

et d'extension des membres. Terminez par un léger massage
abdominal de 2 à 5 minutes.

Sur ce point, naturellement, n'allez point contre la clinique.
Ne mobilisez pas une jambe, s'il y a menace ou possibilité
de phlébite ; ne faites le massage le plus doux à une appendicite qu'à bon escient, si vous êtes physiothérapeute con-
sommé et partisan des idées de *Bourcart*. Tenez compte
des restrictions de *Hirschberg*.

Enfin voici le schéma de la conduite de kinésithérapie respiratoire dans les maladies aiguës des voies respiratoires :

Le premier jour, faire prendre au malade l'habitude de la
respiration nasale et lui faire exécuter 5 à 20 respirations nasales profondes, spontanées, sans diriger l'extension
de la poitrine.

Le deuxième jour, exercice de 10 à 20 respirations en
décubitus dorsal, puis 10 respirations en décubitus latéral du
côté malade ; ces dernières selon indication clinique.

Le troisième jour :

20 respirations en décubitus dorsal ;

20 respirations en décubitus latéral du côté sain ;

20 respirations diaphragmatiques d'exclusion ;

10 respirations avec flexion de la jambe sur la cuisse et de
la cuisse sur le bassin.

Du quatrième au septième jour, la séance comprend :

20 respirations en décubitus dorsal ;

20 respirations diaphragmatiques d'exclusion ;

20 respirations avec flexion du membre inférieur de
chaque côté.

Vers le huitième jour vous ajoutez :

20 respirations avec écartement faible, puis progressif,
puis complet du bras du côté sain et vous continuez ainsi
jusqu'à la défervescence (voir plus loin les convalescences).

Nous ajoutons les recommandations générales suivantes :

Si le sommet du poumon est intéressé, ayez soin de faire mettre en sautoir le bras du côté du foyer et de faire incliner la tête.

Si le foyer siège à la base, la respiration diaphragmatique d'exclusion ne sera contre-indiquée qu'en cas de foyer bilatéral, car le diaphragme ne fonctionnera d'abord que du côté sain, ainsi que le démontre l'examen aux rayons X.

Nous allons voir l'application de ces données générales en faisant un retour sur nos documents personnels. Il est bien évident que le médecin devra acquérir le sens kinésithérapique qui donne la sensation de l'exercice utile et de la limite à observer. Il pourra restreindre et souvent dépasser les doses initiales faibles que nous venons d'indiquer.

Dans les broncho-pneumonies des nourrissons et des enfants en bas âge, il est impossible d'obtenir une respiration volontairement rythmée. Il faut alors se contenter de mouvements de flexion et d'extension des jambes, 5 à 20 matin et soir, et de l'occlusion de la bouche à la main sans insister, après toilette du vestibule des fosses nasales et soins d'asepsie des fosses nasales. La traction des bras en arrière, l'écartement des bras tendus en avant seront à recommander à condition de se contenter d'une course incomplète et douce. Comme manœuvre accessoire, légères pressions latérales du thorax, hachement et tapotement très léger. Voici une prescription schématique.

20 flexions des jambes ;

10 tapotements du dos à main plate ;

20 tractions du bras droit en arrière (foyers à base droite et au sommet gauche).

La conduite est plus rigoureuse dès que le sujet a l'âge de rythmer sa respiration.

Chez notre premier malade, adolescent tuberculeux atteint d'une broncho-pneumonie pseudo-lobaire à entérocoque de la base droite, avec foyer de bacillose ouvert sous la clavicule droite, nous constatons par la mensuration qu'il y a insuffisance respiratoire totale. La mensuration nous donne en effet, au centimètre symétrique :

Périmètre subomo-sus-mammaire : 45-46 — 45,5-47 ;

Périmètre xyphoïdien : 44-45 — 45-46.

[Dans toutes nos mensurations, les chiffres d'expiration sont donnés avant les chiffres d'inspiration, et des deux chiffres d'expiration ou d'inspiration, le chiffre du côté droit est noté le premier[1], celui du côté gauche le deuxième.]

Le 25 février, alors que le malade est en pleine période fébrile (38°8′ et 39°6″), nous commençons les exercices de respiration et en plusieurs reprises, vu la tolérance du malade, nous pouvons instituer une *séance initiale entre-coupée maximum* dont voici la formule :

20 respirations nasales en décubitus dorsal ;

20 respirations diaphragmatiques d'exclusion ;

20 respirations en décubitus dorsal avec écartement du bras gauche.

Le 2 mars les températures sont encore 39°8′ et 39°4′ le soir; on ajoute à la séance :

20 respirations avec traction du bras gauche en arrière.

Le 8 mars, la température oscille entre 37°6 et 38°; nous adjoignons à la séance :

20 respirations avec écartement progressif bilatéral des bras.

---

1. M⁰⁰ Nageotte trouve que, inscrire 4 chiffres pour exprimer une mensuration, c'est faire une recherche compliquée. Il serait évidemment plus rapide et plus simple de se passer des données indispensables de la mensuration.

Du 18 au 23 mars, c'est-à-dire au début de la convalescence, la séance se compose des manœuvres suivantes :

20 respirations en décubitus dorsal ;

20 respirations diaphragmatiques ;

20 avec écartement des deux bras, traction en arrière des deux bras, respiration dans la position assise.

Tous ces exercices ont été fort bien supportés ; ce qui nous a permis, dès le début, de dépasser les règles que nous avions posées dès ce moment.

Dans l'analyse du résultat obtenu, nous avons fait remarquer que le nombre des respirations est tombé progressivement de 36 à 28 par minute, que la diurèse s'est rapidement établie, que la broncho-pneumonie a évolué assez rapidement malgré la gravité spéciale de sa nature entérococcique[1]. Le poids n'a diminué que de 700 grammes.

Enfin à la sortie de l'hôpital, l'ampliation thoracique atteignait 4 centimètres au périmètre xyphoïdien et 4cm,5 au périmètre supérieur. Voici la mensuration du 22 mars :

Périmètre subomo-sus-mammaire : 45-46 — 47-48 ;

Périmètre xyphoïdien : 45-46 — 47,48,5.

Le malade restait encore un *malingre fonctionnel* puisqu'il avait une cage thoracique normale avec un jeu insuffisant ; mais il était à ce point de vue très amélioré.

Nous considérons aujourd'hui que la direction de la cure a été un peu rapide.

La deuxième observation publiée à la Société de l'Internat met bien en valeur les deux actions essentielles de la méthode, l'action diurétique et l'action trophique. Il s'agit d'un jeune malade de 18 ans qui est atteint, le dimanche 19 juin 1904 dans la matinée, d'un point de côté avec frisson

1. La broncho-pneumonie continue. *Revue de Médecine*, juin 1902.

et présente le 20 juin à son entrée à l'hôpital tous les signes d'une broncho-pneumonie pseudo-lobaire de la base gauche. Il fera sa défervéscence du 24 au 27 juin.

En dehors du traitement classique (nitrite d'amyle, XX gouttes sur un mouchoir en inhalations matin et soir, lotions vinaigrées. Ventouses scarifiées *loco dolenti*, etc.). Voici la progression kinésithérapique suivie :

Du 20 au 23, *période fébrile*, le malade fit, le matin, 10, 15 et 20 respirations nasales dans le décubitus dorsal, et je l'engageais à respirer autant que possible par le nez.

Du 24 au 28, *période de la défervescence*, la séance quotidienne comprend :

20 respirations en décubitus dorsal ;

20 respirations en décubitus dorsal avec flexion de la jambe droite ;

20 respirations en décubitus dorsal avec flexion de la jambe gauche.

Du 28 juin au 6 juillet, la séance comprend en outre :

20 respirations bras au-dessus de la tête ;

20 respirations avec oscillations unilatérales du bras droit.

Voici les résultats des mensurations, qui montrent le bon effet obtenu.

Périmètre subomo-sus-mammaire :

A l'arrivée : 39.39-41.40 ; à la sortie : 39.39-42.42 ;

Périmètre xyphoïdien :

A l'arrivée : 36.36-39.38 ; à la sortie : 36.36-40.40.

Nous voyons donc que le jeu thoracique qui était à l'entrée de 3 et 5 centimètres et qui était asymétrique est redevenu symétrique et atteint à la sortie les chiffres de 6 et 10 centimètres ; il a doublé.

La diurèse s'installe en pleine période fébrile et dépasse 1.500 centimètres cubes avec une température voisine de 39°5.

Enfin il n'y a pas d'amaigrissement de convalescence ; car le 28 juin, premier jour de convalescence, le malade pèse 48 kilogrammes ; il augmente progressivement pour atteindre 52^{kg},500 le 7 juillet.

La courbe schématise ce résultat.

Prenons encore, comme exemple type de direction de traitement, notre observation de broncho-pneumonie grippale (sans coccobacille de Pfeiffer) guérie par les traitements classique et kinésithérapique. Nous résumons notre article de la *Revue de Cinésie* (novembre 1908).

Il s'agit d'un comptable âgé de 31 ans, entré le 27 février 1905 salle Béhier, n° 24, pour des accidents aigus datant déjà de plusieurs semaines. Depuis le 3 février sa santé périclite, du 13 au 20 février survient une amygdalite phlegmoneuse qui guérit par ouverture spontanée, ce qui n'amène pas une amélioration de l'état général. Du 27 février au 22 mars évoluera une infection générale avec arthralgies infectieuses, bronchite diffuse et foyer de broncho-pneumonie à la base gauche.

La formule bactériologique a été la suivante :

Pneumocoque, staphylocoque doré et blanc, rare entérocoque, pas de coccobacille de Pfeiffer [1]. Voici comment dans notre article nous avons rapporté le traitement kinésique joint au traitement classique et comment nous avons interprété le résultat.

Le 6 mars, D... est en pleine broncho-pneumonie, dans un état lamentable, langue sèche et rôtie, prostré ; il a 1 200 grammes d'urine qui éliminent 1^{gr},25 p. 1 000 de chlorures. Ce jour-là je lui fais exécuter avec précaution :

1. Nous avons insisté sur cette nouvelle preuve de la non-spécificité grippale du coccobacille de Pfeiffer, démontrée dans notre thèse dès 1900, confirmée dans une série de mémoires, et acceptée actuellement par un grand nombre d'auteurs tant en France qu'à l'étranger.

10 respirations nasales en décubitus dorsal, bras au corps.

10 respirations nasales, le bras droit (côté sain) derrière la tête.

10 respirations nasales diaphragmatiques, bras au corps.

Le 11 mars, à l'acmé de la fièvre, j'ajoute :

10 respirations avec écartement minime des bras (manœuvre d'exception due à la tolérance complète du sujet). Les exercices sont répétés tous les jours de 10 à 20 fois, sans que nous dépassions 80 respirations à chaque séance. Les résultats sont les suivants :

1° D'abord notons la tolérance absolue, et comment en serait-il autrement puisque nous tâtons la susceptibilité du malade et ne cherchons pas à violenter la nature. Au contraire, nous augmentons le bien-être organique en évitant des heurts aux organes.

2° Dès le début des exercices, là *diurèse se produit et cela sans attendre la convalescence*. Le taux des chlorures par litre reste d'abord constant, mais la quantité éliminée s'accroît en raison de l'accroissement de la quantité d'urine.

Le 6 nous avions 1 200 centimètres cubes d'urine avec NaCl 1^{gr},25 p. 1 000.

Le 16 nous notons 2 500 centimètres cubes d'urine avec 1^{gr},25 p. 1 000 NaCl.

Mais le 17, nous notons 3 000 centimètres cubes d'urine avec 5 grammes NaCl par litre ! (en période fébrile).

3° On observe parallèlement dès le début des exercices physiologiques une modification de la courbe des poids et un développement de l'incursion thoracique. *Il n'y a pas d'amaigrissement de la convalescence.*

Le 15 mars, le poids est de 58 kilogrammes. C'est la première fois que l'état très amélioré du malade autorise une pesée. Le

19, le poids est de 58^{kg},400, avec 400 grammes d'augmentation malgré la crise de déchloruration. Puis nous enregistrons 59 et 60 kilogrammes et le malade sort trop tôt pour avoir repris son poids antérieur maximum.

Le jeu respiratoire était le 13 mars de 1 centimètre seulement : entre l'inspiration et l'expiration notre *centimètre symétrique* accusait une différence de 1 demi-centimètre.

Le jour de la sortie nous notions (30 mars) :

Périmètre subomo-sus-mammaire : 42-41 — 48-47 ;

Périmètre xyphoïdien : 43-43 — 48-48 ;

soit un jeu thoracique de 10 à 12 centimètres.

Notre conclusion est des plus raisonnables :

Nous ne voulons pas prétendre que l'évolution favorable de cette infection complexe soit due uniquement à la kinésithérapie. Nous avons bien souvent répété, après l'avoir démontré, que les exercices physiologiques n'ont aucune action anti-infectieuse ; mais nous voulons montrer combien la méthode de respiration physiologique produit avec constance ses effets toujours identiques : augmentation de la diurèse, amélioration de la nutrition générale, développement de l'incursion thoracique, diminution de la congestion pulmonaire ; effets qui peuvent, en se dessinant dès la phase aiguë, favoriser l'issue favorable des pyrexies des voies respiratoires.

Les trois exemples que nous venons de donner prouvent que nos règles générales seront souvent dépassées, grâce à la tolérance des malades. Souvent les respirations en décubitus dorsal simple seront remplacées par des respirations avec bras, côté sain, derrière la tête, ou en décubitus latéral sur le côté malade. Toujours la même recommandation reviendra : Soyez prudents avant d'utiliser les mouvements passifs des bras. Vous serez toujours récompensés d'une prudence qui n'est pas de l'inaction, vous n'aurez jamais à vous louer d'une marche rapide inutilisée par l'organisme.

La dyspnée, la toux, l'élévation de température, et surtout les douleurs locales indiquent une séance trop longue ou des exercices trop précoces. Le kinésithérapeute prudent n'observera pas ces incidents. La cure bien dirigée amène des résultats toujours identiques qui ne sont pas négligeables. Nous ne ferons que les énumérer ; car nous en retrouverons la description avec le traitement des pleurésies et des convalescences.

Diurèse avec déchloruration, arrêt de la dénutrition, décongestion pulmonaire et reprise du jeu thoracique forment le *trépied* kinésithérapique. Nous verrons, en étudiant les convalescences, que la méthode n'a aucune action anti-infectieuse.

* *

L'étude consacrée aux pleurésies infectieuses et aux pleurotuberculoses primitives et secondaires sera faite avec l'étude de la prophylaxie et du traitement kinésique de la tuberculose pulmonaire. C'est là, avec la prophylaxie de la tuberculose des rhinoadénoïdiens, un des plus beaux titres de gloire de l'*Exercice physiologique de Respiration*. Elle vient de faire l'objet d'un chapitre de la thèse de notre élève Couput.

Nous abordons immédiatement la question qui fut le *primum movens* de nos recherches et qui est actuellement classique.

B. — *Des rhino-adénoïdiens vrais ou faux et de l'exercice physiologique de respiration*.

Pendant les années d'externat et d'internat où nous avons eu l'honneur de profiter de l'enseignement si limpide de notre vénéré maître Grancher, nous l'entendions nombre de fois, lorsqu'il auscultait les enfants avec sa précision et son exactitude merveilleuses, dire : « Cet enfant ne sait pas respirer. » De là naquit l'idée directrice de nos recherches. Le maître disait : « l'enfant ne sait pas respirer » ; il ne disait pas : il respire peu. Il avait donc la sensation que l'enfant commettait des erreurs et des fautes contre la physiologie respiratoire. Plus tard, notre maître nous approuva d'avoir porté notre attention sur la qualité et le mode de respiration en évitant de tomber dans l'erreur de la recherche du gavage d'oxygène. Nos efforts ont donc porté dès le début de nos recherches sur les enfants qui ne savent pas respirer : le nombre en est immense ; ce sont tous ceux qui ont un obstacle anatomique à la respiration entre l'orifice externe des fosses nasales et l'entrée du larynx (rhino-adénoïdiens), tous ceux qui, sans avoir d'obstacle, respirent comme s'ils en présentaient un, tous ceux qui, par habitude, imitation, faux principe, commettent des erreurs de physiologie respiratoire.

Puisque le problème est posé, supposons-nous en présence d'un enfant rhino-adénoïdien [1] et voyons quelle est la conduite à tenir pour éviter ou combattre l'atrophie du thorax et la tuberculose secondaire. La marche des idées médicales sera la suivante :

1° Faire un diagnostic exact, en relevant tout ce qui est obstacle mécanique, tout ce qui est obstacle physiologique, en déterminant exactement l'état des viscères de la cage thoracique, examen du poumon, des ganglions trachéo-bronchiques, du cœur, etc... Ce diagnostic complète l'examen extérieur de l'enfant. On a déjà noté la poitrine étroite,

1. *Pathologie générale de Bouchard*, t. III. Lermoyez et Boulay. *Insuffisance et obstruction nasales.*

aplatie, immobile, la bouche ouverte, les épaules détachées en arrière, le ventre saillant, etc... [1].

2° Faire, au niveau des fosses nasales, du rhinopharynx, toutes les interventions chirurgicales, mécaniques, physiologiques, kinésithérapiques, etc... utiles et capables de favoriser, de faciliter, de rendre plus efficace le traitement de rééducation de la respiration.

3° Effectuer le traitement kinésithérapique lui-même, c'est-à-dire l'exercice physiologique de respiration avec les manœuvres accessoires indiquées. L'exercice de respiration se pratique dans des attitudes simples avec des mouvements passifs et actifs et avec les actes ordinaires de la vie (lecture, écriture, marche, pas gymnastique, etc...).

4° Maintenir le résultat, éviter les rechutes, le compléter en passant de l'exercice physiologique de respiration, manœuvre médicale, à l'exercice musculaire, suédois, danois, ou français, pourvu qu'il soit médical et physiologique, progressif et rationnel et non pas militaire et empirique.

Précisons quelques points :

1° Le diagnostic exact comprend, avec notre épreuve inspiratoire et la mensuration du thorax, l'examen du médecin spécialiste, averti à l'avance de ce que nous désirons. Il relèvera tous les obstacles mécaniques, déviations, néo-formations, etc..., capables d'arrêter la circulation aérienne intranasale. Nous ne revenons sur ce point que pour dire avec notre ami *de la Jarrige* combien il est regrettable que les médecins dits de médecine générale se désintéressent de l'exploration des premières voies respiratoires. Si tout médecin ne doit pas être capable d'enlever des végétations adénoïdes, il est inadmissible qu'un médecin instruit ne soit pas

1. Joal. Recherches spirométriques dans les affections nasales. *Revue d'otologie*, mai-juin 1890 ; Escat. *Sténose congénitale des fosses nasales*.

capable de reconnaître une déviation de cloison, ou une obstruction adénoïdienne des choanes.

Il est également indispensable que soit relevé avec minutie l'état anatomique et physiologique des poumons. Nous avons insisté plus haut sur la mensuration *symétrique* des thorax infantiles, on nous permettra d'insister sur l'examen aux rayons X qui seuls indiquent avec précision le jeu du diaphragme. La séparation lumineuse du diaphragme et du cœur à la fin de l'inspiration est un signe de premier ordre, qui indique l'excellence du jeu du diaphragme. Cette séparation lumineuse vue à l'écran accompagnera le *signe de Litten* sur lequel nous appellions l'attention dans notre rapport au premier congrès de physiothérapie (Liége, 1905)[1].

Le *signe de Litten* consiste dans la perception d'une ondulation descendante, légèrement oblique d'avant en arrière et de haut en bas, qui franchit pendant l'inspiration les derniers espaces intercostaux dans la région inféro-latérale du thorax. Le signe de Litten se perçoit avec beaucoup de netteté chez les jeunes sujets qui respirent normalement ; il est absent le plus souvent non seulement dans les maladies des voies respiratoires (*Presse médicale*, 1905, travail américain analysé par Jarvis), mais aussi chez les rhino-adénoïdiens non opérés ou opérés et non rééduqués. Son apparition est un signe de retour à l'activité physiologique des bases, ainsi que des régions latérales et inférieures du poumon ; elle marque la disparition ou au moins l'atténuation de notre insuffisance diaphragmatique. A ce titre, ce signe, trop peu recherché en France et qui inscrit la course du diaphragme sur la paroi, mérite d'être signalé.

2° Ainsi donc, l'examen complet du jeune rhino-adénoïdien

[1] *Pathologie générale* de Bouchard, t. III. Lermoyez et Boulay, *Insuffisance et obstruction nasales.*

a décelé par l'épreuve inspiratoire et les miroirs de Courtade et de Glatzel une insuffisance nasale. Les mensurations sont prises, l'auscultation est soigneusement notée, l'examen aux rayons X a été pratiqué, le signe de Litten contrôlé. Avant de commencer la cure, il faut, comme nous le disions plus haut, faire au niveau des fosses nasales, du rhinopharynx, toutes les interventions chirurgicales mécaniques, physiologiques, kinésithérapiques utiles et capables de favoriser, de faciliter, d'amorcer, de rendre plus efficace le traitement par l'exercice de respiration.

Ce traitement préalable consiste essentiellement dans les interventions des spécialistes, et nous renvoyons aux données des indications qui énumèrent la nature des obstacles rencontrés. Nous avons déjà insisté sur les rhinites à bascule, sur les cas d'*insuffisance nasale temporaire* due à des poussées congestives diathésiques, sur l'*insuffisance nocturne* due à la tuméfaction, dans les décubitus dorsal ou latéral, de la muqueuse pituitaire ; son caractère érectile est bien connue.

Souvent il faudra savoir exiger du spécialiste l'ablation d'un obstacle mécanique, considéré par lui comme inoffensif, alors que toute l'évolution pathologique d'un sujet en découle.

Les interventions spéciales une fois faites, il semblait que l'on pût procéder à la cure d'exercice de respiration : telle était notre technique quand Robert Foy est venu ajouter à la cure chirurgicale des obstacles du rhinopharynx, une cure physiologique de *rééducation nasale*, à laquelle il attache une haute importance. Elle devrait, d'après lui, précéder la *rééducation respiratoire* rendue souvent inutile par ces manœuvres préparatoires.

---

[1] Joal. *Recherches spirométriques dans les affections nasales.* Revue d'otologie mai, juin 1890.
Escat : *Sténoses congénitales des fosses nasales,* etc.

Nous discuterons l'opportunité de cette manœuvre et son indication ; nous indiquerons l'erreur de point de vue commise à notre idée par notre collègue. Cette étude surtout critique et en grande partie éliminatoire trouvera sa place au chapitre suivant, consacré à l'*aboulie respiratoire* de Lermoyez. Ce maître présenta la première guérison de ce syndrome obtenue par nous en deux séances ; M. Robert Foy l'a décrit postérieurement comme un syndrome nouveau sous le nom d'*impotence nasale* et a jugé insuffisante une thérapeutique ayant supprimé l'erreur physiologique invétérée en deux séances !

3° Nous arrivons ainsi à la description du traitement kinésithérapique même :

Son indication sera la persistance, après l'opération, des fautes physiologiques de respiration, et l'existence d'une étroitesse thoracique simple ou compliquée de lésions pulmonaires, que la kinésithérapie peut combattre. Après l'intervention, les neuf dixièmes des enfants retrouvent spontanément, d'après Lermoyez, la respiration nasale ; le dernier dixième est justiciable de la méthode, d'autant plus que la persistance de la respiration buccale laisse s'accumuler dans les cavités nasales les sécrétions catarrhales : cette cause d'irritation chronique peut amener la récidive des végétations adénoïdes outre l'anosmie, la pharyngite chronique, etc. [1]...

Ce retour à la respiration nasale se fait en général sans heurt ; d'autres fois, l'enfant, pendant quelques jours, présente une respiration saccadée, irrégulière, spasmodique qui montre un défaut d'adaptation entre les sensations dues au passage de l'air par le nez d'une part et la synergie des

[1] La respiration buccale est la grande cause occasionnelle des corps étrangers des voies aériennes. Voir Anselme Schwartz : *La Chirurgie du Thorax*.

muscles inspirateurs de l'autre. L'exagération de cet état constitue le syndrome d'apnée nasale par défaut d'adaptation étudié par Siems de Menton. Nous en dirons quelques mots en étudiant l'aboulie respiratoire.

Soit un adénoïdien opéré ou un faux rhinoadénoïdien examiné, pesé, mensuré.

α) *Respiration buccale sans autre trouble physiologique ou anatomique.* — Prenons le cas le plus simple. Les mensurations sont satisfaisantes ; le sujet garde seulement l'habitude vicieuse de la respiration buccale ou du type bucco-nasal. Un traitement court sera suffisant. Faites trois fois par semaine une séance de dix exercices répétés vingt fois. Vous obtiendrez la guérison en une à quatre semaines. Vous pourrez, avec les manœuvres de respiration, utiliser la ré-éducation de la sensibilité nasale selon la technique de R.

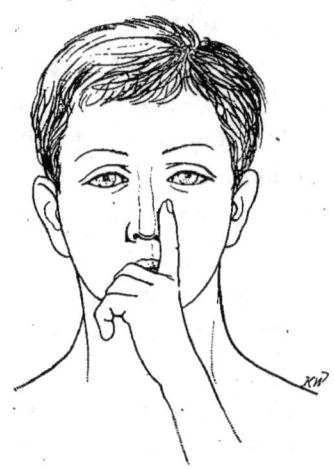

Fig. 46. — Epreuve physiologique de la respiration uni-narinaire.

Foy ; mais cette addition sera le plus souvent inutile.

L'enfant est dans votre cabinet, nu jusqu'à la ceinture s'il s'agit d'un garçon ; une grande fillette gardera une chemise légère. Il n'a eu aucune fatigue pour venir ; de même, il rentrera chez lui doucement et sans hâte. Faites de préférence la séance deux heures après le repas. Quant au rythme, vous tendrez au rythme physiologique de 15 par minute mais en vous inspirant du rythme habituel de votre malade que vous ne corrigerez que peu à peu. Des rythmes plus rapides sont d'ailleurs ordinaires.

Voici la formule d'une séance de début.

Respirations physiologiques : 1° debout, immobile, bras pendants ; 2° debout, immobile, mains aux hanches ; 3° debout, mains croisées derrière la nuque ; 4° debout, bras croisés au-dessus de la tête ; 5° debout avec surélévation sur la pointe des pieds au moment de l'inspiration ; 6° debout, avec occlusion alternative de l'une ou l'autre narine (fig. 46) ; 7° assis, mains derrière la tête ; 8° assis, mains tombantes ; 9° couché avec bras allongés le long du corps ; 10° couché, avec bras allongés de chaque côté de la tête.

On voit, par cet exemple, que nous donnons au début une place capitale aux respirations physiologiques dans des attitudes immobiles.

Voici une séance de fin de cure :

Respirations physiologiques : 1° debout, mouvement passif de natation ; 2° mouvement passif des bras tendus en élévation transverse (mouvement debout transverse, passif des bras tendus) ; 3° mouvement assis de traction supérieure des bras fléchis (mouvement passif assis de traction des bras fléchis) ; 4° mouvement de torsion demi-circulaire des bras, debout; 5° mouvement passif d'abaissement alternatif des épaules; 6° mouvement en décubitus dorsal de flexion de la jambe ; 7° mouvement debout actif de rétropulsion en V des bras; 8° mouvement actif de circumduction des bras ; 9° mouvement de fente des escrimeurs avec élévation du bras droit; 10° mouvement de fente des escrimeurs avec élévation du bras gauche.

Donc, en fin de cure, on utilise un mélange de mouvements passifs et actifs de grande amplitude.

Les jours où le jeune sujet ne vient pas consulter le médecin, on lui donne à exécuter chez lui matin, midi et soir, un exercice simple. Par exemple on prescrit :

Matin, midi et soir, faire 20 respirations diaphragmatiques d'exclusion en décubitus dorsal et 10 respirations nasales ordinaires avec occlusion de l'une ou l'autre narine.

Ou bien :

Matin, midi et soir, faire 15 respirations nasales simples ; 15 respirations nasales avec occlusion de la narine droite ; 15 respirations nasales avec occlusion de la narine gauche.

En fin de cure, il est bon de recommander au jeune sujet de continuer longtemps encore un exercice simple, le matin seulement.

β) *Mais le rhinoadénoïdien opéré a un thorax étroit, avec diminution du jeu thoracique.* — Ici un traitement de plus longue haleine s'impose ; sa longueur sera proportionnelle aux modifications osseuses apportées par l'atrésie des voies respiratoires et à la possibilité d'atténuation de l'atrophie thoracique relative. Il devra se composer d'une ou plusieurs cures de trois à quatre mois séparées par des intervalles de repos, ou en tout cas de moindre entraînement. Un entraînement trop prolongé n'est plus suivi par l'organisme. La nécessité de périodes de repos se comprend aisément ; il s'agit d'organismes de valeur faible. L'effort leur est pénible et difficultueux, il leur faut de temps à autre une halte pour reprendre leur course.

Voici le schéma de la première cure.

Le premier mois, trois à quatre séances par semaine, le deuxième mois et le troisième, deux séances par semaine, le quatrième une séance par semaine. Dans les trois premiers mois, respirations dans des attitudes diverses puis avec mouvements passifs en donnant de plus en plus d'amplitude et d'importance aux mouvements passifs. Ne faire de mouvements actifs que dans les deux derniers ou même le dernier mois.

Voici quelques types de séances :

Séance du premier mois. [Exercices de respiration avec attitudes variées et mouvements passifs de courte amplitude.]

1° Debout immobile ;

2° Debout, avec occlusion alternative de l'une ou de l'autre narine ;

3° Debout, avec mains à la nuque ;

4° Debout, avec une seule main à la nuque (10 fois main droite, 10 fois main gauche) ;

5° Couché, respiration diaphragmatique d'exclusion, bras au corps ;

6° Couché, respiration diaphragmatique d'exclusion, mains à la nuque ;

7° Assis, mains derrière la nuque ;

8° Assis, avec traction antérieure des bras fléchis ;

9° Debout, avec mouvement passif de natation ;

10° Debout, avec mouvement passif d'extension des bras fléchis dans le plan antéro-postérieur.

Séance de fin du deuxième mois. — Attitudes et mouvements passifs de grande extension :

1° Debout, bras immobiles pendant le long du corps ;

2° Debout, avec élévation sur la pointe des pieds ;

3° Debout, avec traction antérieure des bras fléchis ;

4° Debout, avec traction supérieure des bras ;

5° Debout, avec abduction transverse des bras ;

6° Couché, avec élévation de la jambe gauche ;

7° Couché, avec écartement des deux pieds, jambes tendues soulevées ;

8° Assis, avec mouvement de natation ;

9° Assis, avec mouvement en U des bras ;

10° Assis, avec mouvement de rotation demi-circulaire des bras tendus à angle droit sur le corps.

Séance de fin du troisième mois. — Respirations avec mouvements passifs de grande amplitude et mouvements actifs d'amplitude croissante :

1° Debout, immobile ;

2° Couché, respiration diaphragmatique d'exclusion ;

3° Debout, mouvement passif en U des bras ;

4° Debout, mouvement passif de circumduction des bras ou de l'un ou l'autre bras ;

5° Debout, mouvement de traction antéro-supérieure des bras fléchis ;

6° Couché, avec élévation active de l'une ou l'autre jambe tendue ;

7° Couché, avec flexion active des deux jambes tendues ;

8° Couché, avec écartement actif des deux bras tendus, perpendiculaires au corps ;

9° Debout, avec mouvement actif de circumduction des bras ;

10° Debout, avec mouvement passif en U.

Il n'y a pas à craindre la répétition d'un même exercice dans une séance. Il faut avoir soin de toujours terminer par un exercice passif qui diminue la fatigue consécutive.

Donnons encore en exemple un type de dernière séance, représentant pour nous le maximum d'entraînement. Ce sera un mélange de mouvements passifs de grande amplitude et de mouvements actifs très larges, joints à des respirations avec mouvements usuels. Les exercices unilatéraux actifs se réuniront aux exercices bilatéraux. Voici ce schéma :

1° Debout, avec circumduction passive des deux bras ;

2° Assis, lecture et écriture ;

3° Debout, avec circumduction active des bras ;

4° et 5° Debout, avec mouvement de fente des escrimeurs ;

6° et 7° Debout, exercice de marche et de pas gymnastique modéré ;

8° Couché, avec flexion des deux jambes et respiration dia-phragmatique ;

9° Debout, avec circumduction passive des bras ;

10° Assis, avec mouvement passif en U.

Notre technique diffère, on le voit, singulièrement de cer-taines méthodes simplifiées. Thooris déclare que le malingre est purement un insuffisant diaphragmatique et le guérit en rééduquant purement et simplement sa paroi abdominale antérieure. Il y a une généralisation regrettable d'un point particulier de la kinésithérapie.

γ) Malheureusement, le rhino-adénoïdien ne se soumet pas toujours à notre direction à un stade aussi favorable. *Souvent il a un thorax étroit et des signes d'adénopathie trachéo-bronchique.* Il faut alors étudier et noter soigneusement la température prise quatre fois par jour et séparer les cas avec fièvre des cas sans fièvre. Les cas avec fièvre seront étudiés avec la conduite à tenir en cas de lésion tuberculeuse. Les cas sans fièvre modifient la conduite exposée précédemment ; ils imposent un emploi très restreint des mouvements actifs même en fin de cure, et la prolongation des exercices passifs de courte amplitude. Sous ces réserves, voici la marche à suivre.

En dehors du traitement hygiénodiététique et médicamen-teux, faire au jeune sujet trois séances par semaine de cinq à dix exercices répétés de trois à vingt fois selon le résultat et l'état général. Au début, la plus grande prudence est indiquée. On associera les attitudes aux mouvements passifs des jambes. Voici quelques types de séance de début.

Séance initiale. Respirations physiologiques :

1° Debout, immobile (10 fois).

2° et 3° Debout immobile, avec occlusion de l'une ou l'autre narine (10) et (10).

4° Couché, respiration diaphragmatique d'exclusion (15).

Plus tard :

1° Couché, respiration diaphragmatique d'exclusion (20).

2° et 3° Couché, flexion passive du membre inférieur (10) et (10).

4° Couché, bras derrière la tête (5).

Quand la tolérance est arrivée, restez dans les attitudes et les mouvements passifs. Par exemple exécutez l'ordonnance suivante :

1° Couché, respiration diaphragmatique d'exclusion (15).

2° Couché, écartement des deux membres inférieurs (15), soulevés, tendus.

3° Couché, élévation alternative des deux jambes (20).

4° Assis, mouvement passif de natation à petite amplitude (10).

Recommencer les quatre exercices précédents.

Toute réaction de fièvre, de toux, doit faire cesser ou interrompre la cure pendant quinze jours au moins, même si la réaction est terminée. Si la fièvre reparaît après une nouvelle tentative, la suspension du traitement sera discutée. Toutefois ces incidents sont rares, si la progression est prudente, si la main médicale est douce et instruite.

δ) Les cas d'adénopathie trachéo-bronchique ne constituent pas le cas le plus défavorable. Loin de là, ils doivent être considérés, en l'absence de fièvre, comme des cas où il est facile d'avoir un bon résultat. Il n'en est plus de même lorsque le rhino-adénoïdien est soumis à notre direction, déjà porteur d'une lésion bacillaire du sommet. Si la lésion est au début, s'il s'agit selon notre dénomination d'un *sommet de Grancher,* des cures remarquables seront obtenues avec prudence, mais ici, nous sommes en présence de la tuberculose pulmonaire. Comme les rhino-adénoïdiens porteurs de lésions pulmonaires bacillaires nécessitent la même technique prudente que les bacillaires n'ayant pas eu dans leurs antécédents d'obstacle rhinopharyngé à la circulation de l'air respiratoire, nous reportons leur étude au chapitre qui a trait au traitement des lésions parenchymateuses bacillaires.

4° Il nous faut maintenant *décrire les incidents de la cure* (α), *en indiquer la durée* (β), *formuler le résultat* (γ) que l'on est en droit d'espérer et d'obtenir. Nous aurons en même temps à nous préoccuper de *maintenir le résultat, d'éviter les rechutes*, de compléter l'effet favorable en passant de l'exercice physiologique de respiration [manœuvre médicale appartenant aux malades, aux faibles, aux mal développés] à l'exercice musculaire suédois, danois ou français, qui convient aux sujets normaux et redevenus normaux, encore qu'il doive s'inspirer d'idées médicales et physiologiques et non pas de principes militaires.

α) Incidents de la cure : dès le début de nos recherches nous avons appelé l'attention sur trois incidents qui marquent le début de la cure et qui, méconnus, pourraient entraîner certaines erreurs regrettables.

Le *coryza initial* est un léger rhume de cerveau qui fréquemment s'installe dès que le sujet substitue le mode nasal physiologique au mode buccal anormal de respiration. La muqueuse pituitaire, non habituée au contact des poussières qui passaient par la bouche, sécrète abondamment ; c'est le plus souvent un catarrhe aseptique. Il n'est pas tenace et disparaît soit spontanément soit à l'aide de l'usage de pommades antiseptiques (menthol à 1/3 p. 100, résorcine à 1 p. 100, etc.).

L'*étourdissement d'amélioration*, marque le début des séances utiles au malade. Aux premières leçons aucune réaction de ce genre ne se produit ; mais bientôt, pendant une séance le malade accuse un peu de gêne cérébrale, qui, si elle s'augmentait, deviendrait un malaise ou même un vertige. C'est l'indice que les conditions de circulation et de respiration se modifient. Il y a appel au cœur du sang de l'encéphale, et griserie d'oxygène. Deux minutes de repos atténuent cette sensation. Ce phénomène s'atténue bientôt par adaptation : il nécessite simplement, à son apparition, la diminution d'amplitude des mouvements passifs faits en décubitus dorsal de préférence, et l'augmentation du temps de repos marqué entre deux exercices. A la fin de la séance, garder le sujet étendu cinq minutes, montre en main, sur le divan : il protestera contre cet excès de précaution.

Bien plus important est le signe de la *diminution initiale du périmètre*, vérifié depuis ma description par tous les auteurs. Le premier effet de l'exercice physiologique est de parfaire l'expiration. Devenue plus complète, elle s'accompagne d'un abaissement plus marqué des côtes autour de leur charnière sterno-vertébrale. Cet abaissement, fait favorable, donne une diminution du périmètre mesurée à l'état de repos de la poitrine. Il faut en être averti ; souvent il sera utile de prévenir de cette diminution le malade. Intéressé par le traitement, hélas ! encore souvent nouveau pour lui, le malade veut se rendre compte du bénéfice rapidement acquis. Il doit savoir que ce bénéfice physiologique se marque normalement par *une diminution initiale du périmètre*.

β) Au point de vue de la *durée du traitement*, notre maître Lermoyez, en présentant à la Société médicale des hôpitaux de Paris (1er juillet 1904) des malades traités et guéris par nous en quelques séances, faisait remarquer la rapidité des résultats obtenus. Notre élève Jacob, dans sa thèse sur le traitement post-opératoire des rhino-adénoïdiens, est parti de cette phrase de Lermoyez écrite en faveur de notre technique

pour nous reprocher de demander des traitements trop longs !
C'est que Jacob n'est pas entré dans le détail des cas. Nous
avons précisé notre pensée dans notre communication à la
Société de Médecine de Paris (25 octobre 1907), sur la *durée
du traitement par l'exercice physiologique de respiration*.
Nous l'avons déjà dit à plusieurs reprises. S'il s'agit d'une
correction physiologique pure, si le rhino-adénoïdien en respirant par la bouche n'a pas encore atrophié son thorax,
quelques séances (3 ou 4) suffiront. Quelquefois, une simple
explication amènera la guérison ! Mais en cas de poitrine
rentrée, d'atrophie du thorax fût-elle au début, ou même
relative aux dimensions du bassin, l'exercice de respiration
n'aura terminé son rôle que lorsque le thorax sera redevenu
normal. Ce but est long et difficile à obtenir. Si aucun traitement en dehors du traitement kinésithérapique ne peut prétendre à l'atteindre, ce n'est pas une raison pour promettre
un résultat rapide, surenchère thérapeutique dont meurent
les traitements lancés à grand fracas. Les méthodes simplifiées
moins encore que notre technique rigoureuse, ne sauraient
honnêtement y prétendre. Après la cure demandée de trois à
quatre mois les résultats sont imparfaits ; la nature n'a pas, en
quelques semaines de croissance, la possibilité de remanier un
thorax. Nous recommandons momentanément de ne pas insister, de laisser se produire l'effet du traitement. Pendant le repos
de deux à quatre mois, des examens et des mensurations déci-
deront quand il y aura lieu de refaire une nouvelle cure. L'arrêt
du développement et la diminution de l'ampliation thoracique conduisent à une nouvelle intervention. Cette nouvelle
cure sera faite en usant de séances hebdomadaires qui
seront alors suffisantes et pourront rapidement recourir aux
manœuvres intensives de grande amplitude passive. Une
même idée directrice imposera au besoin des cures successives.

Dans tous les cas même de résultat impressionnant, nous redemandons de soumettre le jeune sujet à la *Surveillance Respiratoire*, que nous avons réclamée dès 1903 ; elle évitera toute rechute. Un examen trimestriel, puis semestriel suffit à remplir cette tâche. Nous repoussons donc comme dangereuse toute technique simplifiée séduisante par sa rapidité extrême ; elle sera imprudente, imprévoyante et par sa tendance démagogique nuira à l'essor de la kinésithérapie médicale et scientifique[1].

Au cours de l'examen trimestriel d'abord, puis semestriel, le médecin fixera principalement son attention sur l'ampliation du thorax mensuré au centimètre symétrique et sur le jeu du diaphragme. Il est indispensable que la respiration soit restée nasale. Le jeu thoracique peut avoir subi une régression. Elle ne doit pas dépasser le tiers de l'incursion obtenue, c'est-à-dire qu'un adolescent de quinze ans ayant une ampliation symétrique de 4 centimètres et demi en fin de cure doit être réentraîné par quelques séances rapides si le jeu respiratoire tombe au-dessous de 3 ; la même conclusion s'impose si le jeu est devenu asymétrique.

Dans la surveillance respiratoire, la *croissance rapide* de l'enfant et de l'adolescent mérite une attention toute particulière. Il est fréquent de voir des garçons de quatorze ans ayant une taille de $1^m,72$, un poids de 48 kilogrammes et une poitrine étroite et immobile. La croissance trop rapide n'a pas permis le développement en largeur ; la fatigue due à cette croissance a immobilisé la poitrine. Il faudra alors à la fois tonifier le système nerveux, rééduquer la respiration et instituer un régime d'existence à dépenses physiques restreintes. La guérison ne sera obtenue que lorsque le poids

[1] Mosny. Académie de Médecine. *Rapport sur notre travail. Méthodes simplifiées et leurs dangers.* Juin 1912.

sera en rapport approximatif avec la taille. C'est donc par années que se comptera la surveillance respiratoire. Souvent il faudra une ou deux cures annuelles. Mais le résultat récompensera l'effort loyal et logique.

Les résultats en pareil cas s'achètent par une longue patience ; la surenchère ne sert qu'à provoquer des catastrophes.

γ) *Les résultats physiologiques et anatomiques*, que l'on est en droit d'espérer et que l'on obtient, sont contrôlés et affirmés par l'aspect du malade, l'examen de l'état général, l'étude de l'auscultation, les variations progressives des mensurations physiologiques et anatomiques. En voici la loi :

Les modifications obtenues par l'exercice physiologique de respiration débutent par des variations physiologiques avec retour au jeu physiologique des organes. Ce retour est précoce, rapide, aussi complet que le permet l'état anatomique du sujet. Elles aboutissent à des modifications anatomiques secondaires de la cage thoracique.

Des modifications parenchymateuses, le plus souvent incomplètes et tardivement obtenues en cas de lésions des poumons et de la plèvre en sont la conséquence.

Les résultats s'obtiennent avec un traitement d'autant plus court qu'il s'agit simplement de corrections physiologiques, d'autant plus long que des modifications anatomiques se sont produites ; ils devront toujours être maintenus par la surveillance respiratoire.

Laissons en ce moment de côté la question de l'atténuation des lésions pleuro-pulmonaires, puisque nous reportons à l'étude de la tuberculose pulmonaire l'étude des rhino-adénoïdiens à parenchyme pulmonaire lésé.

Dans le retour au jeu physiologique, le premier résultat

visible à l'aspect du jeune sujet est-l'occlusion permanente
de la bouche qui remplace son ouverture franche ou dissi-
mulée. Avec cette fermeture, disparaît ou s'atténue la tendance
aux angines (Ruault) et la carie dentaire si fréquente chez
les sujets respirant par la bouche. Cette occlusion de la
bouche s'obtient dans les cas simples en quelques séances,
comme nous le disions précédemment.

Est-il utile, pour l'obtenir, d'utiliser certains appareils ?
Nous ne le pensons pas en général. Toutefois, certains auteurs
ont eu recours à la prothèse d'appareils soit destinés à maintenir les narines ouvertes, soit destinés à maintenir la bouche
fermée. Nous avons déjà dit que les appareils dont le but est
de maintenir ouvertes les narines ne sont pas éducateurs ;
ils nous paraissent en général inutiles, sauf le cas de paralysie des muscles élévateurs de la narine (paralysie faciale
bilatérale). Dilatateurs narinaires à point d'appui sur la
cloison ou sur la face interne des ailes du nez ne vont donc
pas retenir notre attention. Quant aux appareils multiples
de fermeture de la bouche, ils sont inutiles si la bouche n'est
plus la voie respiratoire, dangereux si la voie nasale n'a pas
encore acquis le fonctionnement automatique désirable. Cau-
chemars, cyanoses, menace d'asphyxie, incontinence d'urine,
ébranlement nerveux à symptomatologie variée peuvent en
résulter.

Leurs partisans même recommandent de ne pas abandonner
au sommeil, avec une mentonnière, des enfants non rééduqués. Il faut savoir que l'occlusion de la bouche est difficile
à obtenir la nuit dans les cas de turgescence de la muqueuse
pituitaire ; des soins locaux peuvent être utiles ; la douche
d'air chaud en particulier donnera de bons résultats. L'atténuation de la circulation collalérale antérieure thoracique
se fait rapidement remarquer ; surtout le jeu thoracique

arrive rapidement à un chiffre rapproché de la normale. J'ai montré à ce sujet à la Société de Kinésithérapie[1] des graphiques obtenus en inscrivant séparément l'ampliation de l'un et l'autre côtés avant et après la première leçon de gymnastique respiratoire médicale. Le tracé obtenu après la première leçon est quelquefois semblable au graphique de fin de cure — il est vrai que la méthode graphique n'est pas susceptible de mensuration. Les jeux thoraciques de 3 à 5 centimètres à six ans, de 4 à 7 à huit ans, de 6 à 10 à quinze ans, de 8 à 12 à vingt ans, jeux symétriques, constituent à mon avis la règle. En même temps que les côtes retrouvent leur mobilité souvent entièrement annulée auparavant[2], le diaphragme reprend rapidement son jeu de pompe aspirante et foulante. Dans son admirable livre de l'Hypohématose (Doin, 90), admirable par les documents précurseurs et par l'étude physiologique, le professeur Maurel (de Toulouse) notait déjà la tendance rapide du diaphragme à accaparer la totalité du jeu respiratoire ; le fait est exact : il faut y veiller et ne pas insister sur les exercices diaphragmatiques d'exclusion qui rapidement ne seront plus utilisés qu'au début des séances. L'examen aux rayons X reste le moyen le plus sûr et le moins discuté de contrôle de l'éducation du diaphragme.

Avec le retour au jeu physiologique du thorax, on constate l'amélioration de l'état général, souvent le retour de l'appétit, très souvent une augmentation notable en poids. Les chiffres de 2 à 5 kilogrammes sont fréquemment notés, soit que la reprise en poids se prononce immédiatement et s'arrête, soit que son début ne se déclare qu'au cours de la cure,

1. Juin 1912.
2. Cette annulation initiale fréquente diminue de beaucoup l'intérêt de la détermination exacte de l'ampliation physiologique des enfants,

ou même en fin de cure. Il est évident que la reprise en poids sera d'autant plus marquée, en l'absence de tare organique, que l'amaigrissement préalable a été plus intense.

Quelquefois la reprise en poids est masquée par l'existence de troubles digestifs. A cause des promesses empiriques et injustifiées, il est important de noter que les dyspeptiques à mauvaise nutrition ne verront pas leur poids se relever quand ils seront devenus *eupnéiques*. Est-ce à dire que dans les cachexies d'origine gastro-intestinale, l'exercice physiologique de respiration soit inutile ? Bien au contraire, des cachectiques par ulcus gastrique, par entérite grave ont dû à la kinésie d'avoir évité l'infection tuberculeuse du poumon. Que cesse l'état gastro-intestinal, ils obtiendront rapidement une guérison complète.

L'action sur le sang, considéré en tant qu'organe, me paraît plus difficile à préciser. Notre éminent maître le professeur Maurel, dont la haute autorité scientifique est unanimement acceptée, a affirmé en 1890 dans son *Traité de l'hypohématose* une action directe sur les globules rouges. Cette action lui parut même essentielle dans la pratique de l'exercice respiratoire. Je n'ai pas été aussi heureux que lui, à ce point de vue. Les enfants anémiques et rhino-adénoïdiens traités chirurgicalement et kinésiquement sont devenus d'abord des enfants robustes et anémiques ; il m'a semblé que l'action sur l'anémie était indirecte et provenait de l'amélioration de l'état général. La question n'est donc pas tranchée et nous renvoyons le lecteur aux beaux travaux du maître de Toulouse[1].

Nous parlerons du développement anatomique de la cage thoracique chez les porteurs de sommet suspect, ce qui nous permet d'être bref au sujet des rhino-adénoïdiens sains ; il

---

1. Voir les travaux du professeur Sabrazès sur le sang des adénoïdiens.

faut attendre quelques semaines pour voir se dessiner l'augmentation anatomique du thorax. Mais très rapidement le thorax évolue vers un développement normal, et nous pourrons dire, comme pour le poids, que le développement obtenu sera d'autant plus apparent que l'enfant avait un thorax plus étroit auparavant. Des chiffres de 4 à 8 centimètres d'augmentation sont souvent notés en six mois pour un adolescent de quatorze ans. Il est d'ailleurs plus important d'avoir une action continue qu'une action rapide.

Augmentation en poids et développement du thorax sont donc les deux caractéristiques essentielles dans l'amélioration du rhino-adénoïdien éduqué. Il est bien certain que les lésions anatomiques du thorax depuis l'ankylose vertébrale du mal de Pott jusqu'au simple sternum enfoncé en entonnoir sont un obstacle à la cure. Les déformations rachitiques ne sont pas modifiées, mais comme elles ne s'accroissent pas et que le thorax se développe, elles deviennent de moins en moins apparentes.

Il est un fait capital sur lequel nous avons déjà insisté et sur lequel nous reviendrons, c'est la nécessité de la *surveillance respiratoire* (voir durée du traitement). Comme nous n'introduisons aucun vaccin dans l'organisme, comme nous avons comme but de maintenir le jeu physiologique, le rhino-adénoïdien doit être surveillé attentivement. Le résultat obtenu par l'exercice physiologique sera donc méthodique, continu et complet. Il nous reste à mettre en garde contre les procédés simplifiés sur lesquels nous revenons. Ces procédés n'envisagent qu'une partie du problème. Dirigés soit contre l'insuffisance nasale, soit contre l'insuffisance diaphragmatique, ils appliquent une même formule partielle à tous les cas cliniques. Une méthode partielle ne peut avoir que des résultats incomplets ; une méthode homogène ne peut se plier aux mille exigences de la clinique. Quelques résultats faciles dans des cas spéciaux n'autorisent pas la généralisation d'un procédé incomplet.

Dans les travaux de nos collègues citons Philippe Tissié (de Pau), l'apôtre de la propagation de la gymnastique suédoise en France, qui a publié dans le *Journal des Praticiens* (29 août 1908) une observation des plus remarquables de cure d'un jeune adénoïdien qui fit 55 séances de respiration.

En 55 séances s'étendant sur soixante-quatre jours, la taille a augmenté (il s'agit d'un adénoïdien de treize ans) de $0^m,025$, le poids a augmenté de $3^{kg},900$, le périmètre thoracique a augmenté en inspiration de $0^m,045$ et de $0^m,075$ en expiration. La capacité respiratoire a augmenté de $0^l,200$. La tension sanguine est passée de 120 à 140 millimètres, gain de 20 millimètres avant tout exercice de gymnastique respiratoire, puis à 170 par un gain de 30 millimètres dû à l'exercice.

La force musculaire a augmenté à la main droite de 7 kilogrammes, à la main gauche de 1 kilogramme et au massif dorso-lombaire de 15 kilogrammes. L'hémoglobine dans le sang a passé de 77 à 83 p. 100. La formule sanguine améliorée reste anormale à cause de la présence d'helminthes.

C'est évidemment un fort joli résultat.

δ) *Après la cure :* Lorsque le rhino-adénoïdien à parenchyme sain opéré et guéri anatomiquement, puis rééduqué et guéri physiologiquement, est redevenu un adolescent normal, il doit, comme tout adolescent, se soumettre à un entraînement physique, qui fera de lui définitivement un être robuste et fort. Nous renvoyons pour le détail de cet entraînement aux manuels spéciaux et en particulier aux traités de gymnastique suédoise. Dans l'entraînement individuel, on peut utiliser *Mon système* de Müller. Il nous semble utile de ne pas commencer d'emblée par la séance totale de cet auteur, mais de graduer l'entraînement. Voici la séance type de Müller.

« 1. Circumduction du tronc dans la position debout (10 fois).

Pause respiratoire avec soulèvement des talons, élévation des bras et flexion profonde des genoux.

2. Étant debout, projection des jambes en avant et en arrière (2×16 fois).

Même exercice respiratoire.

3. Étant couché sur le dos, redressement du tronc (12 fois). Même exercice de respiration.

4. Étant debout, rotation complète et flexion latérale du tronc (10 fois). Même exercice de respiration.

5. Circumduction latérale dans la position de fente (2×16 fois). Exercice respiratoire.

6. Étant couché sur le dos, circumduction des jambes (2×8 fois).

Pause respiratoire avec soulèvement des talons, élévation des bras et flexion profonde des genoux.

7. Étant debout, flexion du tronc en avant, sur les côtés avec rotation complète du tronc (10 fois).

Pause respiratoire avec flexion profonde des genoux et soulèvement des talons.

8. Flexion et extension des bras, le corps reposant sur les mains et les doigts de pied (12 fois).

Triple pause pour respirer, avancer le tub et se déshabiller. Bain et séchage.

9. Friction des pieds, de la nuque et du cou (2×25 fois).

10. Friction des bras, des épaules et de la région des aisselles avec flexion profonde des genoux sans soulever les talons (10 fois).

Courte pause respiratoire avec élévation des bras et soulèvement des talons.

11. Flexion complète du dos avec mouvements du ventre et frictions en avant et en arrière le long du corps (16 fois).

Pause respiratoire avec élévation des bras, soulèvement des talons et flexion profonde des genoux.

12. Flexion latérale du tronc avec flexion des genoux, friction latérale du corps et friction transversale de la région du ventre et du diaphragme (20 fois).

Même exercice respiratoire.

13. Pression verticale de la main avec demi-rotation du tronc, friction transversale de la partie inférieure du dos (16 fois).

Courte pause respiratoire avec élévation des bras et soulèvement des talons.

14. Pression latérale de la main avec friction le long des côtés du corps (16 fois).

Même exercice respiratoire (16 fois).

15. Élévation du genou avec friction sur les côtés de la jambe et le long des surfaces antérieure et postérieure du corps (20 fois).

Pause respiratoire avec élévation des bras, soulèvement des talons et flexion profonde des genoux.

16. Flexion latérale rapide du torse et friction des côtés du corps (20 fois).

Même exercice de respiration.

17. Rotation rapide du torse et friction transversale de la poitrine (20 fois).

Même exercice de respiration.

18. Flexion rapide du torse en avant et en arrière et friction le long des surfaces postérieure et antérieure du corps (20 fois).

Le bain se prend dans un tub avec de l'eau froide gardée dans la chambre depuis la veille au soir ; une pomme d'arrosoir sert à répandre l'eau sur le corps ; puis on s'allonge dans le tub et on s'asperge le corps de l'eau prise dans le creux de la main.

Le séchage doit se faire méthodiquement et région par région.

Le cou mérite quelques exercices spéciaux qui ne rentrent pas dans *Mon Système,* mais qui peuvent le compléter. Ce sont :

La flexion de la tête en arrière et en avant, la flexion latérale de la tête et la rotation de la tête sur les côtés[1]. »

La séance suivante nous paraît devoir être au début fréquemment employée.

Debout, mouvements à 4 temps des bras avec haltères de 1 à 6 livres (20 fois).

Flexion des mains sur les avant-bras, bras fléchis (20 fois).

Rotation des poignets (20 fois).

Flexion du corps en avant et en arrière (20 fois).

Inclinaison du corps de chaque côté (20 fois).

Élévation alternative de chacun des genoux, jambe fléchie (mouvement de piaffage) (20 fois).

Rotation du tronc sur lui-même, bras en croix (mouvement de fauchage) (20 fois).

Couché sur le dos, élévation à angle droit de chaque jambe tendue (5 fois).

Rotation demi-circulaire alternative ou simultanée des jambes tendues (10 fois).

Couché sur le ventre. Élévation du corps rigide sur la paume des mains (3 à 15 fois).

Cette séance rapide et facile sera exécutée avec la toilette du matin.

---

1. Voir *Société de l'Internat,* 1907, notre communication dont Müller a fait la préface de l'édition française.

Pour l'entraînement collectif, on se reportera aux mémoires parus à ce sujet. Le travail de Dufestel (*Clinique infantile*, 1er septembre 1906) est un modèle de ce genre. L'auteur étudie les résultats obtenus dans les Écoles de la Ville de Paris aux points de vue les plus variés. En neuf mois, les enfants ont gagné comme amplitude respiratoire à l'aisselle $0^c,59$, au mamelon $0^c,03$, à l'appendice xyphoïde $0^c,46$.

Mais nous protestons avec Bocquillon contre l'abandon de la gymnastique française d'agrès et des sports. Après la gymnastique respiratoire, méthode médicale et physiologique, vient la gymnastique suédoise, méthode d'entraînement musculaire des plus remarquables. Après la gymnastique suédoise doit venir pour l'élite capable de la supporter, et cette élite est nombreuse, la gymnastique d'agrès, gymnastique de décision, de sang-froid, d'adresse et de souplesse que compléteront les sports depuis la danse et la gymnastique rythmique jusqu'à l'escrime et la natation (*Sanitary Record*, X, p. 289. Duviard, th. Paris, 97).

Ainsi nous éviterons l'erreur de jadis qui imposait aux faibles la gymnastique des forts ; mais nous éviterons l'erreur moderne qui veut imposer aux robustes et aux hardis la gymnastique des timides et des faibles. Le sport est le dernier chapitre du livre de l'éducation physique ; tous ne sont pas capables de le lire. La préface indispensable à tous est l'exercice physiologique de respiration.

C) *L'aboulique de respiration* (LERMOYEZ).

En dehors du rhino-adénoïdien vrai et du faux rhino-adénoïdien, c'est-à-dire du sujet qui n'ayant pas d'obstacle anatomique à la respiration a perdu l'usage respiratoire du nez, il faut placer un type clinique assez rare décrit par Lermoyez.

Certains sujets ont perdu l'habitude de se servir de la voie nasale dans la respiration ; de plus, ils ont acquis mentalement la conviction que la respiration nasale est chez eux entièrement impossible. L'occlusion de la bouche les mènerait selon eux, à l'asphyxie immédiate ; la voix buccale est dorénavant pour eux la voie unique indipensable du courant d'air respiratoire. Ces cas ont été signalés à l'étranger : Lermoyez en a donné une description très exacte et a publié la première observation de guérison obtenue par nous-même avec la plus extrême facilité. En rapprochant notre observation terminée par une guérison *durable* d'une observation personnelle étudiée avec sa propre technique et terminée par une guérison *incomplète*, Robert Foy a déclaré notre traitement insuffisant.

Malgré cette erreur de point de départ, il nous plaît de reconnaître que Robert Foy a rapporté dans l'examen de ces cas limités des notions et des faits qui en ont complété l'étude. Nous repoussons néanmoins sa dénomination d'impotence nasale fonctionnelle pour maintenir la dénomination antérieure d'*aboulie respiratoire* proposée par Lermoyez et acceptée à la suite des recherches indiquées précédemment.

a) *L'aboulique de respiration* n'a pas, au moment où il est soumis à l'observation médicale, d'obstacle anatomique à la respiration : il n'est pas rhino-adénoïdien, mais il l'a été le plus souvent dans une période antérieure. Il a eu une rhinite à bascule, des queues de cornet, parfois même une rhinite atrophique, ou tout autre altération nasopharyngienne rendant pénible, désagréable, difficultueux, irrégulier le mode nasal de respiration. En face de ces difficultés nasales incessantes, le mode buccal jamais obstrué toujours prêt à remplir son office de voie vicariante est apparu comme la vraie voie aérienne. L'idée de l'utilité, puis de la nécessité de la voie buccale a fait des progrès de plus en plus importants pendant que la voie nasale incertaine et trop souvent déficiente semblait de plus en plus inutile. Bientôt elle a même semblé dangereuse ; le malade a lié dans son esprit d'une façon irréductible les idées de respiration nasale et d'asphyxie d'une part, de respiration buccale et de bien-être respiratoire de l'autre. Car l'aboulique de respiration est avant tout un mental, non que tous malades relèvent de la grande névrose, de l'hystérie aujourd'hui à juste titre démembrée (Bernheim, Babinski) ; mais leur trouble est avant tout psychique. Cette origine psychopathique explique la rapide guérison obtenue par nous avec notre technique ; elle explique l'action surtout psychique des manœuvres compliquées et souvent super-flues proposées par R. Foy.

En dehors des troubles psychiques du malade et de la con-comitance irrégulière des phénomènes d'hystérie, R. Foy incrimine dans la genèse de l'aboulie respiratoire « la perte de la sensibilité profonde de la muqueuse nasopharyngée au frottement mécanique produit par le passage de l'air », sen-sibilité inconsciente chez l'individu normal. L'aboulique qui ne la perçoit plus, perçoit par contre dans la bouche, à la base de la langue, sur la face inférieure du voile du palais, cette sensation de fraîcheur trompeuse qui est certes une des causes de persistance du mode buccal chez la majeure partie des malades. « Cette perte des sensations, dit R. Foy, me semble surtout accentuée à la partie tout antérieure, vers cette région de la muqueuse qui tapisse l'orifice narinaire, région si riche en vaisseaux et en nerfs, si sensible que le moindre frôlement, la moindre irritation y provoque des réflexes, tels que l'éternuement, le larmoiement... »

Cette diminution de sensibilité est peut-être plus théorique que réelle ; en tout cas, comme le syndrome peut disparaître pour ainsi dire instantanément, elle ne saurait correspondre à une altération ni anatomique, ni même physiologique bien profonde.

R. Foy se laisse entraîner par l'étude de son sujet, lorsqu'il rapproche l'aboulique qui asphyxie la bouche fermée de l'ataxique qui s'écroule les yeux bandés. « Les centres bulbaires respiratoires, dit-il, étant faussement contrôlés par les centres psychiques supérieurs, ne recevant plus de la périphérie, c'est-à-dire de la muqueuse nasale les excitations physiologiques et normales, vont se trouver désorientés et donneront naissance à des mouvements réflexes respiratoires incoordonnés : l'ampliation thoracique, l'abduction des cordes vocales, l'abaissement du voile du palais, la dilatation des ailes du nez ne seront plus des mouvements synchroniques. Ces malades sont devenus de vrais ataxiques du nez... L'impotent nasal ne peut plus coordonner les mouvements nécessaires à une bonne respiration nasale, ayant perdu cette sensibilité profonde de la muqueuse aérienne qui le renseigne sur l'air qu'il respire et lui fait pour ainsi dire sentir l'existence de son propre nez. Aussi l'impotent asphyxie-t-il la bouche fermée, comme le tabétique tombe les yeux fermés... » Nous n'avons pas chez notre malade observé de telles perturbations du côté des narines ou du voile. L'élément bulbaire, s'il existait, serait sans doute autrement rebelle à la cure. L'aboulique est dans sa maladie, depuis l'apparition jusqu'à la guérison, un mental ; il n'a que des troubles fonctionnels légers ; il n'a heureusement rien des lésions ou des troubles graves de l'ataxique.

Cliniquement, la maladie atteint surtout de jeunes femmes : l'aboulique de respiration est en général une adolescente sans atrophie thoracique ayant perdu l'habitude de respirer par le nez, gardant la bouche ouverte en permanence.

Elle est tellement convaincue que la respiration buccale lui est indispensable qu'*elle tombe en syncope instantanément à la fermeture de la bouche, avant que des troubles d'apnée aient pu se produire*. Tout individu peut aisément rester quelques secondes sans respiration ; l'aboulique ne le peut pas.

La comparaison des deux observations de Lermoyez, le premier cas rebelle à tout traitement, le deuxième cas *guéri par nous en quelques séances* montre que l'exercice physiologique de respiration aidée de quelques conseils de rééducation de la volonté forme le traitement spécifique, rapide, efficace et suffisant de ce trouble. Elle frappe d'une contradiction absolue l'affirmation erronée de R. Foy invoquant « l'insuffisance actuelle de l'arsenal thérapeutique ».

Voici les documents : le 20 janvier 1899, à la Société médicale des Hôpitaux, *Marcel Lermoyez* publie l'observation d'une petite blanchisseuse de quinze ans atteinte d'insuffisance nasale. La rhinoscopie fait constater un éperon moyen de la partie droite de la cloison et une hypertrophie considérable des deux cornets inférieurs, dont la tête vient de chaque côté s'écraser contre la cloison. Après une turbinotomie antérieure, les voies d'accès de l'air sont entièrement libres, néanmoins le résultat fonctionnel est mauvais ; la petite malade continue à se trouver dans l'impossibilité de respirer par le nez. Il lui est également impossible de souffler, de renifler, de se moucher. *Quand on maintient de force la bouche fermée, la face se cyanose*, les yeux s'injectent, les ailes du nez se dilatent ; au bout de une à deux minutes la malade se débat, asphyxie ; puis dès qu'on cesse l'occlusion nasale, on la voit faire par la bouche une série de grandes respirations pour calmer la soif d'air. La malade a quelques stigmates d'hystérie latente. Même avec le releveur du voile du palais en place, qui exclut toute idée de spasme, l'occlusion de la bouche est intolérable. La malade a été considérée comme incurable.

Les deux observations de Hemington-Pegler (*The Journal of laryngology,* juillet 1902) sont analogues à l'observation initiale de Lermoyez.

En septembre 1904, Lermoyez publie dans les *Annales des Maladies de l'oreille,* la deuxième observation où la guérison fut obtenue par notre technique.

Il s'agit d'une jeune fille de vingt et un ans, qui vient consulter le 28 novembre 1903 parce qu'il lui est impossible de respirer par le nez. Elle parle en rhinolalie close, ne peut se moucher, a la gorge sèche et les dents cariées des vieilles respirations buccales. La nuit elle ronfle et bave, mais ne respire pas par le nez. Elle a pris l'habitude de la respiration buccale à l'âge de quatorze ans après un simple coryza. Dès qu'on lui ferme la bouche, le thorax se met en immobilité et la cyanose de la face apparaît. Cependant les fosses nasales sont absolument libres, plus larges même qu'à l'état normal, car les cornets sont un peu atrophiés. Il n'y a pas de stigmates vrais d'hystérie.

« Restait le traitement. Je confiai cette malade au Dʳ G. Rosenthal, chef de clinique de la Faculté, qui voulut bien la traiter exclusivement par la gymnastique respiratoire. *En quatre séances l'insuffisance nasale, vieille d'au moins sept ans, avait disparu.* Et deux mois après, en janvier 1904, la guérison se maintenait complète ; la malade ferme sa bouche, respire par le nez sans effort et ne ronfle plus la nuit ; sa voix est redevenue normale. »

Or à cette observation de guérison parfaite constatée par M. Lermoyez, contrôlée après deux mois, R. Foy oppose pour déclarer notre technique insuffisante une observation personnelle dont voici le dernier paragraphe :

« Elle respire toute la journée, la bouche fermée. *La nuit,
la respiration est encore buccale.* Quant à son ulcération
linguale, à la suite du biiodure et d'un limage des dents, elle
semble s'améliorer. »

La question est donc jugée. L'exercice physiologique de
respiration, aidée comme nous l'avons fait de rééducation
psychique, est le traitement spécifique et suffisant de l'aboulie
de respiration. Il sera aidé, à titre supplémentaire et accessoire, par les manœuvres dites de rééducation nasale. Bien
entendu, il est précédé de la libération chirurgicale du rhinopharynx, s'il y a lieu.

b) *Voici la technique précise :*

*Dans une première phase, il faut expliquer à la malade
la genèse de son affection* (a) ; *il faut, par des respirations à
type bucco-nasal, lui rapprendre la possibilité du passage de
l'air par le nez* (b). *Il ne restera plus qu'à diminuer jusqu'à
disparition l'élément buccal de la respiration bucco-nasale
pour obtenir la guérison.*

a') Vous expliquez à la malade qu'elle n'a pas d'obstruction
nasale. Vous le lui démontrez en la faisant souffler par le nez ;
vous lui faites comprendre que le passage à l'aller doit être
libre puisque le passage au retour se fait sans difficulté. Vous
pouvez, à l'exemple de Lermoyez, poser un releveur du voile
du palais de Mahu et rendre impossible le spasme, ou bien,
à l'exemple de Hemington-Pegler, passer un long ruban le
long d'une des fosses nasales et l'attirer dans la bouche
derrière le voile. Les deux extrémités sont ensuite attachées
l'une à l'autre au niveau de la lèvre supérieure. Cette
manœuvre réussit à l'auteur anglais une fois sur deux.

b') Vous demandez alors à la malade de respirer selon le
mode bucco-nasal, c'est-à-dire en gardant la bouche ouverte
(*manœuvre de sécurité antiphobique*), de diriger une partie

du courant d'air vers les narines en reniflant. La malade vous affirme qu'elle ne peut le faire. Vous effectuez devant elle des respirations bucco-nasales, et elle les répète devant vous. La première étape est franchie, le charme est rompu. Renvoyez la malade sous cette impression.

La deuxième séance et au besoin la troisième seront employées à diminuer la voie buccale et à augmenter la voie nasale. Dès ce moment, la malade convaincue, guérie de sa phobie devient votre précieuse auxiliaire. Pendant qu'elle exécute à votre commandement des respirations bucco nasales, demandez-lui de fermer la bouche. Mais évitez la faute commise jusqu'alors de la fermer vous-même. Vous lui direz qu'à la moindre gêne ressentie, elle-même rouvrira la bouche; que d'ailleurs vous lui demandez de fermer la bouche pendant le temps de deux respirations, temps insuffisant pour amener un accident quelconque. Encouragez-la par de bonnes paroles. Après deux respirations, marquez un temps de repos, puis demandez-en cinq, dix, vingt. Tout se passe admirablement, la malade est guérie.

A la quatrième séance, elle fera d'emblée bouche fermée par elle sans coercition, sous le contrôle de sa conscience et de sa volonté, des respirations nasales ; elle restera dès lors guérie et sa cure sera solide, car elle repose sur une perception consciente de la possibilité retrouvée de la respiration nasale.

On se demande comment M. Foy peut préférer à cette guérison consciente une guérison inconsciente qui ne saurait mettre en garde contre les rechutes.

c) Cet auteur, comme nous le disions, déclare la gymnastique *thoracique* insuffisante. Or, nous avons toujours posé en principe l'urgence d'une thérapeutique nasale, et il ne semble pas avoir pris une connaissance exacte de nos recherches.

Pour développer la fonction nasale, R. Foy imagine un traitement qui nous paraît plus compliqué que nécessaire, plus difficultueux qu'efficace. Résumons néanmoins sa technique. Voici quelle est l'instrumentation nécessaire.

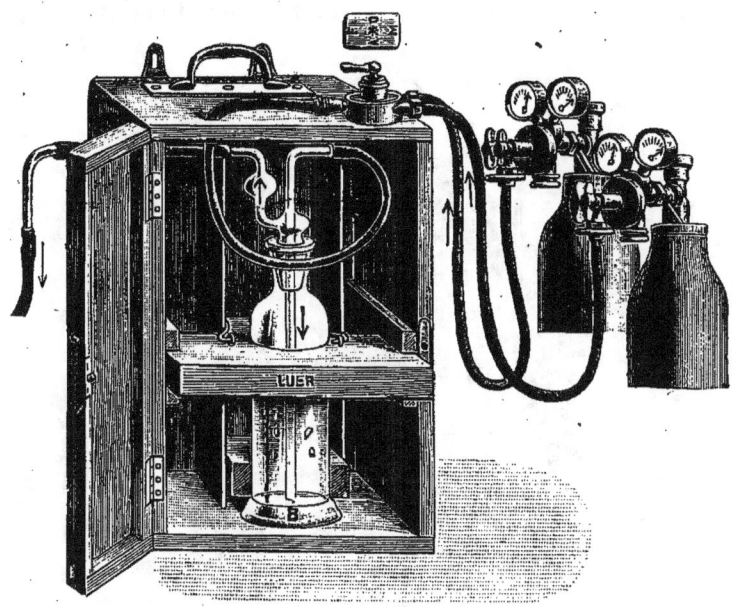

Fig. 47. — Source d'air comprimé de Robert Foy.

a) Une source d'air comprimé ;

b) Un barboteur ;

c) Des olives nasales spécialement établies ;

d) Un appareil de suspension et de maintien pour ces olives.

La source d'air comprimé peut être de deux natures diffé-rentes, air comprimé en bouteilles ou air comprimé par canalisation urbaine. Le barbotage retient les poussières et impuretés, humidifie l'air envoyé, constitue une sécurité, puisque toute fausse manœuvre fait sauter le bouchon du barboteur. Grâce au barboteur, il est facile d'ailleurs d'ajouter à l'air respiré une certaine quantité d'oxygène, ou même des substances médicamenteuses : benjoin, laurier-cerise, menthol, gaïacol, etc.

L'air du barboteur sort par un tube en U auquel s'adap-

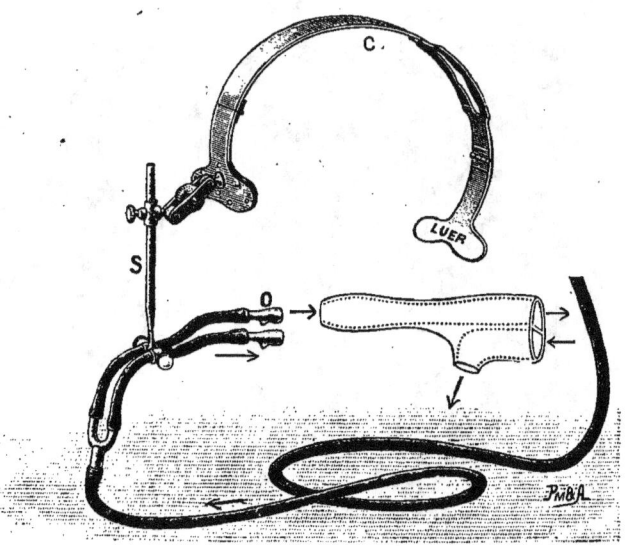

Fig. 48. — Les olives nasales de Robert Foy.

tent deux tubes de caoutchouc, court, de petit diamètre, sur lequel se montrent finalement deux olives nasales spécialement établies, faites en métal nickelé et contenant deux conduits parallèles superposés, le supérieur qui mène dans les fosses nasales l'air du barboteur, l'inférieur qui en permanence assure la communication des fosses nasales avec l'air extérieur.

Les deux olives nasales sont maintenues en place par un casque de suspension analogue à celui qui supporte nos miroirs frontaux.

Le maniement de l'appareil est assez simple (?.) En rythmant la respiration à la main, la bouche du sujet étant bien close, on lui envoie dans les fosses nasales l'air des bouteilles à une pression de 100 à 200 grammes, réglée par un manomètre. Les exercices de rythme seront continués dix à quinze minutes à chaque séance. L'air sera envoyé dans les fosses nasales à la même pression au moment de l'inspiration et de l'expiration pour stimuler au maximum la sensibilité des ailes du nez et de la muqueuse nasale (?).

La guérison serait annoncée par les sensations subjectives accusées par le sujet, « sensation exquise de fraîcheur et de bien-être non seulement dans le cavum, mais dans la trachée, parfois au niveau même du thorax, comme si les alvéoles les plus reculées se déplissaient à l'extrême ».

Cette technique déjà un peu compliquée doit se doubler d'exercices de gymnastique respiratoire, de faradisation et de massage vibratoire des ailes du nez et du voile du palais, etc., sans compter la respiration de parfums et l'emploi pendant les exercices d'un petit dilatateur des ailes du nez à ressort (*Soc. parisienne de Laryngologie,* 8 janvier 1909), qui prend pour point d'appui à la face interne des ailes du nez, sans toucher à la cloison, etc...

Nous protestons à nouveau contre l'idée de considérer comme un avantage la réduction au minimum du rôle de la volonté et de l'attention, et cela au moment où les neurologues substituent la rééducation de la volonté à la suggestion et la cure libre à la cure d'isolement et de surveillance.

Nous concluons que l'exercice physiologique de respiration, manœuvre physiologique donc nasothoracique, ainsi que nous l'avons toujours soutenu dès 1903, et non thoracique comme l'affirme à tort R. Foy, sera la base du traitement de l'aboulie respiratoire. Elle pourra s'aider à titre supplémentaire des manœuvres accessoires décrites par cet auteur.

* *
*

Siems (de Menton) a décrit sous le nom d'*apnée nasale par défaut d'adaptation* (*Bulletin de Laryngologie* de Castex, 1910) un syndrome caractérisé par l'impossibilité pour les enfants opérés de végétations de retrouver la respiration nasale. Dès que la bouche est fermée, la région diaphragmatique s'agite convulsivement, les muscles inspirateurs auxiliaires se contractent en désordre, tandis que le reste du thorax est immobilisé ; dans son ensemble, la respiration est saccadée et violente.

Ce désordre respiratoire reconnaît une double cause. La première est la difficulté de synergie entre le jeu nasal et la contraction des muscles inspirateurs ; il n'y a pas synchronisme entre les ampliations nasale et thoracique. La deuxième cause est la malformation de la région buccale, conséquence de la longue habitude vicieuse de respiration par voie buccale. Il en est résulté un allongement et un affaiblissement des muscles élévateurs de la mâchoire, un raccourcissement et une hypertrophie des muscles abaisseurs de la mâchoire.

Siems considère comme nécessaire d'adjoindre à la gymnastique rhino-thoracique le port d'une *mentonnière eupnéique* dont voici la description : « C'est un sac en caoutchouc élastique dont une paroi plus longue passe sous le plancher buccal et vient embrasser l'angle de la mâchoire, l'autre passe au-devant de la bouche et recouvre la lèvre supérieure. Trois chefs, l'un médian et deux latéraux partant de ses bords, viennent se joindre au sommet de la tête et fixer solidement la mentonnière dans sa situation. A la partie médiane se trouvent deux branches en métal sur lesquelles se fixent deux ailerons en ébonite, servant d'écarteurs narinaires et destinés à maintenir les narines béantes. » L'auteur a soin de recommander de ne l'appliquer au début de la nuit que sous surveillance et en la retirant à la moindre alerte.

Nous recommandons la prudence.

D) *La raideur juvénile*.

On doit à Mme Nageotte Wilbouchevitch d'avoir attiré l'attention sur un syndrome bien curieux, celui de la raideur juvénile des adolescents. Voyons en quoi il consiste et comment l'exercice physiologique de respiration aura à intervenir dans sa cure kinésithérapique. Nous empruntons les éléments de cette description au mémoire de Mme Nageotte paru dans la *Revue de Médecine* (mai 1905) et à son article « Kinésithérapie vertébrale » du volume *Kinésithérapie* (collection Gilbert-Carnot).

Cet état de raideur juvénile serait fréquent dans la classe aisée de la société, surtout dans les familles qui depuis plusieurs générations ont perdu le goût de l'exercice physique. Mais cette limitation générale des mouvements est importante à connaître; car les incursions costales sont parmi celles qui se restreignent le plus aisément. Ainsi le développement thoracique est entravé, la cyphose se provoque, s'aggrave et nécessite un traitement pénible à résultat problématique.

Dans une série de figures, Mme Nageotte précise l'étendue des mouvements chez les sujets raides par rapport à celle des mouvements de sujets normaux. « A l'état normal, les bras s'élèvent dans le plan du corps jusqu'au contact de la tête, c'est-à-dire jusqu'à la verticale et même un peu au delà; de même le bras verticalement élevé peut dépasser le plan du corps en arrière. Quand au contraire, un sujet raide essaie d'exécuter le même mouvement, il lève les bras tendus jusqu'à l'horizontale et de là, il leur fait suivre une direction oblique en haut et en avant, pendant que la tête s'incline pour amener les oreilles au-devant des bras, qui, sans cela, ne sauraient les atteindre…; l'angle formé par les bras et le tronc, au lieu d'être de 180°, atteint à grand'peine 120° à 135°; le fait devient plus frappant lorsqu'on immobilise l'enfant contre un poteau à l'aide d'une ceinture de façon à mettre hors de jeu la mobilité de la colonne vertébrale. » Dans le décubitus dorsal, l'enfant qui veut faire avec bras tendus un mouvement d'abduction est obligé de les détacher du sol à la hauteur des épaules; de même il lui est impossible d'élever la jambe tendue à angle droit avec le sol, sauf s'il fléchit la jambe sur la cuisse (ce qui élimine une origine articulaire à cette limitation des mouvements). De même impossibilité pour le sujet en décubitus dorsal de s'asseoir les jambes étendues; il est obligé de les mettre dans la position des tailleurs. Couché à plat ventre, il ne peut que difficilement réunir dans son dos ses bras étendus à cause de la cyphose dorsale.

Cet état, d'après l'auteur, serait dû à l'inégalité de développement des muscles et des os et à ce titre on pourrait le rapprocher du syndrome de la dissociation thoraco-corporelle.

Les muscles resteraient trop courts par rapport aux leviers osseux et l'accroissement des os se fait trop rapidement pour que les muscles puissent les suivre.

A notre point de vue spécial, il est important de savoir que chez ces enfants la cage thoracique perd sa souplesse ordinaire et donne une sensation de rigidité ligneuse aux mains qui la compriment : l'amplitude de l'incursion respiratoire peut tomber à son minimum[1]. Aussi s'établit-il un cercle vicieux entre l'insuffisance respiratoire qui entrave le développement physique de ces enfants lents, faibles physiquement, mal doués cérébralement et l'insuffisance thoracique qui aggrave de plus en plus l'immobilité pulmonaire. Voici, au point de vue thérapeutique, la conclusion de Mme Nageotte :

« Cet état est accessible au traitement mécanique, aux exercices actifs et passifs, au massage ; mais l'amélioration est toujours lente et demande une grande persévérance ; la raideur diminue aussi spontanément lorsque la croissance se ralentit et s'arrête ; il semble que, une fois les leviers osseux arrêtés dans leur allongement, les muscles continuent à se développer, si bien que les différents organes de l'appareil locomoteur finissent par s'harmoniser à nouveau. C'est l'amplitude respiratoire qui est le plus difficile à développer chez les sujets atteints de raideur juvénile et il est dangereux de rester dans l'expectative jusqu'à ce que la croissance soit terminée, car les poumons ne regagneraient pas le temps perdu. »

a) *Précisons les indications thérapeutiques* à déduire de cette étude. Il s'agit de sujets sains ; donc sauf complications ou cas complexes, nous pourrons, dans la mise en pratique de l'exercice de respiration, utiliser les mouvements passifs ou actifs de grande amplitude, pour développer au maximum l'élasticité musculaire déficiente. Comme il s'agit d'un état lié à des erreurs de croissance, le traitement sera prolongé, par cures successives avec repos intercalaires ; les séances seront espacées. D'ailleurs, l'exercice de respiration ne sera qu'une partie du traitement ; il devra s'associer à un traitement kiné-

1. « La respiration costale habituelle spontanée est imperceptible, la respiration diaphragmatique domine sans être suffisante. En faisant le plus grand effort inspiratoire possible, l'enfant arrive à une ampliation de 1 centimètre et demi à 2 centimètres (au lieu de 5 à 6 centimètres) » *Revue de Médecine*, 1905, p. 337.

sithérapique musculaire, développant l'élasticité du tissu strié, utilisant les exercices de plancher, la barre de Lorenz, les échelles inclinées avec ou sans traverse dorsale et même sous surveillance les appareils à traction du genre Whitely, Sandow, etc...

Il faudra insister sur l'éducation du diaphragme, dont le jeu puissant pourra temporairement suppléer l'insuffisance costale.

Dans la nécessité d'obtenir des mouvements de grande amplitude et de faire des séances assez longues, la machine Zander ou Hertz se trouve indiquée, ainsi que nous l'avons dit d'une façon générale :

Voici, par exemple, un type d'ordonnance pour un enfant atteint de raideur juvénile.

1° Matin et soir faire 20 respirations nasales avec chacun des exercices suivants :

Exercice de natation, actif debout ;

Exercice de circumduction des bras actifs debout ;

Station verticale, mains à la nuque.

2° Continuez les exercices de gymnastique suédoise (dix à quinze minutes, trois fois par semaine). -

3° Faire une fois par semaine sous la direction du médecin une séance d'exercices de respiration sous le type suivant :

Décubitus dorsal, respiration diaphragmatique d'exclusion et de compensation ;

Décubitus dorsal avec traction postérieure des bras, passive ;

— avec circumduction active des bras ;

— avec écartement actif des bras tendus en avant.

Station debout, piaffage ;

— fauchage ; } actif

— circumduction des bras ;

Station debout, mouvement en U des bras ; ⎫
—   mouvement de natation. ⎬ passif
Station assise, circumduction des bras, actif ;
—   —   passif (à la machine
Zander et sans respiration rythmée).

4° Evitez tout exercice de force. Observez au point de vue
de la marche un repos relatif. Séjour au lit suffisant. Coupez
l'après-midi par une demi-heure à une heure de chaise
longue, par exemple à l'heure du goûter.

E) *Exercices de respiration et déviations du squelette, scoliose en particulier.*

Les questions en physiothérapie sont complexes parce que
la physiothérapie ne répond qu'à une partie du problème.
L'étude du syndrome de la *raideur juvénile* vient de nous
montrer comment un phénomène musculaire pur pourrait
avoir un retentissement pulmonaire et nécessiter un traitement
mixte. Pour les déviations du squelette [1], si l'on médite quelle
peut être la part de l'insuffisance respiratoire, on aboutira
facilement aux principes suivants :

L'insuffisance respiratoire étant une cause de dénutrition
organique, il y aura lieu au cours du traitement de toutes
les déviations de la colonne vertébrale de se préoccuper de
développer et de maintenir le jeu normal de la respiration :
c'est l'indication générale.

La tension du poumon étant certainement un des éléments
qui maintiennent dans leur état naturel les courbures normales de la colonne vertébrale ; l'égalité de tension intra-pul-
monaire étant un des éléments qui mettent obstacle aux

1. Voir Mme Nageotte. Traitement précoce du thorax difforme (*Archives de Médecine des Enfants*, 1908).

déviations latérales de la colonne vertébrale ; il y a lieu, dans les xyphoses et les lordoses, de rétablir ou de développer le jeu pulmonaire, dans la scoliose d'amplifier le jeu respiratoire du côté faible, pour rétablir ou augmenter le rôle d'étai, de chambre à air tendu, d'appui que joue le poumon vis-à-vis de la colonne vertébrale ; *c'est l'indication locale.*

L'exercice de respiration ne sera jamais qu'une partie du traitement des déviations vertébrales. D'une importance considérable dans les cas spéciaux de mauvaise attitude sans lésion des os, l'insuffisance respiratoire reste souvent incapable d'expliquer les altérations primitives du squelette observées dans la majeure partie des scolioses ; bien que Ziem de Munich ait pu provoquer des scolioses expérimentales chez l'animal en obturant l'une ou l'autre ou les deux narines. *C'est la restriction anatomique.*

Nous sommes donc ici, comme dans toutes nos recherches de thérapeutique, préoccupés de la limitation exacte du domaine de la méthode étudiée. Il nous semble capital de rappeler que l'exercice respiratoire, médication physiologique ne peut guérir un trouble de nutrition osseuse, s'il est primitif. Il ne peut avoir raison d'une déformation anatomique osseuse même secondaire à une déformation physiologique qui eût été facilement curable par l'exercice de respiration [1].

Sous ces réserves, quelle sera la conduite à tenir vis-à-vis d'un xyphotique ou d'un scoliotique ?

a) Chez tout enfant ou adolescent, l'exercice de respiration fait partie de la prophylaxie des déviations vertébrales. Il est précédé de la libération du rhinopharynx.

b) Le xyphotique a souvent été un rhino-adénoïdien ; il doit être traité comme un rhino-adénoïdien et soumis à une cure

[1] Action de la Kinésithérapie sur les lésions anatomiques (Société de Kinésithérapie, 1912).

intensive de quatre mois dont le résultat sera maintenu par des séances espacées.

c) Pour la scoliose, la conduite est plus difficile à schématiser, car il faut, après un début de cure ressemblant à la cure simple des rhino-adénoïdiens, utiliser les exercices unilatéraux.

Le traitement physiothérapique respiratoire sera curatif en l'absence de lésion osseuse (c^1). Il n'est plus que palliatif si les faces des vertèbres ne sont plus parallèles les unes aux autres (c^2).

c^1) Soit une scoliose droite ordinaire. Elle a été bien examinée ; la déviation vertébrale est de 3 centimètres, il y a flexion et torsion de la colonne vertébrale, mais le sujet mis debout, se penchant en avant (épreuve de Gourdon de Bordeaux) corrige entièrement sa difformité ; les sommets sont sains. Nous conseillons :

Pendant une première période (deux à quatre semaines sauf indication spéciale), entraînement respiratoire à trois séances par semaine de 10 exercices répétés 20 fois, ces exercices étant faits dans des attitudes ordinaires ou avec des mouvements passifs simples, selon le type de cure du rhino-adénoïdien.

Dans une deuxième phase, qui durera ce que va durer le traitement orthopédique de la scoliose, faire deux fois par semaine une séance de 10 exercices répétés 20 fois, en utilisant par moitié les mouvements ordinaires, par moitié des mouvements unilatéraux passifs et actifs et nos mouvements à oscillations inégales. L'entraînement portera de plus en plus sur le côté effondré. Peu à peu les mouvements bilatéraux se remplacent par des mouvements à oscillations inégales ; il ne faut jamais cesser d'exercer le côté convexe de la colonne vertébrale. Les respirations à trois temps par inspiration répétée serviront à la dilatation du côté faible.

Quand la scoliose sera guérie, le malade gardera l'habitude de faire matin et soir 20 respirations nasales profondes. Il devra se faire examiner deux fois par an pour éviter toute rechute.

Voici deux types de séance de la deuxième phase. Respirations :

Ier type :

a) En décubitus latéral, côté sain.

b) Décubitus latéral, côté sain, coussin refoulant le côté sain.

c) Décubitus dorsal, respiration à trois temps par inspiration répétée.

d) Décubitus latéral, côté sain, coussin refoulant le côté, avec main de l'autre côté à la nuque, respiration à trois temps.

e) (id.) Avec mouvement passif progressif d'abduction du bras du côté scoliotique.

f) Décubitus dorsal avec traction en arrière progressive du bras du côté scoliotique.

g) (id.) Avec traction totale.

h) (id.) Avec traction inégale des deux bras, complète du bras scoliotique, faible de l'autre.

i) (id.) Avec traction totale des deux bras en arrière.

j) Station assise, avec traction en haut du bras du côté scoliotique, pendant une inspiration complémentaire.

IIe type :

a) Station assise, main du côté scoliotique à la nuque, inspiration en deux temps.

b) (id.) Avec mouvement passif de natation très inégal.

c) (id.) Avec mouvement passif de traction en haut très inégal.

d) Comme (*b*), mais unilatéral côté scoliotique au moment d'une inspiration complémentaire.

e) Comme (*c*), mais unilatéral côté scoliotique..

f) Mouvement en U à oscillations inégales.

g) Mouvement en U à oscillations *régressives* (totales côté scoliotique, régressive côté sain).

h) Debout, traction du bras scoliotique en haut, le thorax étant incliné du côté convexe de la colonne.

i) Debout, traction du bras scoliotique de côté.

j) Debout, traction bilatérale en haut, régressive du côté sain, totale du côté scoliotique.

A la guérison, les séances seront celles du rhino-adénoïdien guéri.

Si le scoliotique a un sommet suspect, la conduite s'inspire de la conduite à tenir en cas de tuberculose. Si le scoliotique est un ancien pleurétique, la conduite s'inspire de celle à suivre en cas de pleurésie; nous reviendrons avec grand détail sur ces deux cas.

En cas d'indiscipline, de difficulté technique, la mécanothérapie nous donne la chaise respiratoire d'Amédée Bonnet et l'appareil de Zander qui (de Munter) est un des meilleurs types d'appareil rééducateur de la respiration chez les scoliotiques.

c²) Au fur et à mesure que la lésion osseuse s'annonce, apparaît et progresse, l'exercice de respiration voit son domaine reculer tandis que les médications générales, la kinésithérapie pure, le massage avec son pouvoir trophique, la gymnastique orthopédique et même les appareils acquièrent de plus en plus d'importance. Le traitement sera conduit comme celui d'un rhino-adénoïdien opéré; mais ne savons-nous pas qu'à ce stade de déformation acquise le médecin doit s'armer de patience ? Il faut signaler les très intéressants travaux de

Mencière, de Reims, faits au moyen de son appareil « Automodeleur à pression pneumatique pour les exercices de gymnastique respiratoire dans les difformités du thorax [1] ». La méthode très curieuse déjà préconisée par Bilhaut et Perdu consiste à faire respirer le jeune sujet mis dans un corset orthopédique faisant pression par des coussins pneumatiques, par des chambres à air sur les régions du thorax en saillie anormale, présentant un vide au niveau des régions du thorax en retrait anormal. Il y a là évidemment une combinaison fort remarquable de la respiration et de l'orthopédie [2].

F) *Exercices de respiration et bronchite à rechutes de l'enfance.*

Notre attention s'est portée spécialement sur la *bronchite à rechutes de l'enfance*. Nous en avons présenté plusieurs cas à la Société de l'Internat (1905, p. 186), et ce sont ces observations qui vont nous servir à schématiser la conduite à tenir en pareille occurrence.

La bronchite chronique est rare dans l'enfance ; mais elle est une affection tenace et rebelle. Observée à cause de sa longue durée et de son évolution bénigne, plus fréquemment en clientèle qu'à l'hôpital, elle s'installe sous la forme de bronchite simple à rechutes, avant de devenir définitivement chronique. Elle évolue en plusieurs années pour aboutir fréquemment à la guérison, mais parfois aussi à l'emphysème. Pendant son évolution, elle crée un point d'appel pour les maladies aiguës de l'appareil respiratoire et pour la tuberculose pulmonaire. Résumons rapidement les observations étudiées de façon à préciser la conduite à tenir.

1. Congrès international de Physiothérapie. Comptes rendus, p. 114.
2. Voir le fascicule de Mesnard.

a) La première de nos deux observations se rapporte à un petit malade dont l'histoire pulmonaire est complexe. Hérédosyphilitique, amené en bas âge aux Enfants-Malades, dans un état presque désespéré, il guérit par le traitement spécifique, mais devient tousseur et adénoïdien. Guéri de ses végétations adénoïdes, et de ses amygdales hypertrophiées par l'intervention chirurgicale, il serait resté de longues années tousseur ; son hérédité spécifique aurait fait craindre une mauvaise évolution vers la dilatation des bronches, sans l'intervation de l'éducation physiologique de la respiration.

La méthode kinésithérapique fut utilisée chez cet enfant en octobre 1903, après une période de dix mois marquée par cinq bronchites aiguës ayant nécessité un séjour au lit de plus d'une semaine.

L'effet fut immédiat ; bien que l'enfant fût *trop faible pour être opéré* préalablement de son obstruction rhinopharyngienne qui ne fut levée qu'en novembre 1904, les poussées aiguës ne se renouvellent plus, le bruit de tempête de la poitrine s'atténue, l'appétit se relève. Après la libération du rhinopharynx, l'amélioration s'accentue et en juillet 1905 l'état est presque satisfaisant. En 1905, nous notons les poids suivants : janvier 16^{kg},500, février 17 kilogrammes, avril 17^{kg},500, juin 17^{kg},800. Le jeu thoracique symétrique dépasse 4 centimètres en juillet 1905 chez cet enfant de six ans.

Notre deuxième observation se rapporte à un jeune homme né en décembre 1892, qui eut de l'âge de deux ans à l'âge de huit ans chaque hiver une à deux bronchites fébriles, dyspnéisantes, menaçant chaque fois d'envahir les alvéoles et de donner des foyers de broncho-pneumonie. Malgré l'opération des végétations adénoïdes, faite à sept ans et demi, malgré une cure à la Bourboule, on ne note qu'une amélioration passagère ; à partir de neuf ans, les accès deviennent subintrants et les médecins annoncent que l'adolescent est atteint de bronchite chronique.

Voici les mensurations qui donnent le résultat d'une cure (de trois mois) menée comme une cure de rhino-adénoïdien.

28 avril 1904 (avant la cure) :

Poids 32^{kg},500. — Taille 1^m,44.
Périmètre subomosusmammaire.   32,31 — 34,33 soit + 4
— xyphoïdien . . . . .   29,30 — 30,31 soit + 2

En octobre 1904 :

Poids 34^{kg},500. — Taille 1^m,465.
Périmètre subomosusmammaire.   31,31 — 36,36 soit + 10
(enfant de 12 ans).
— xyphoïdien . . . . .   29,29 — 33,33 soit + 8

Nous reviendrons sur ce cas, à propos des résultats éloignés.

b) Quelle est donc *la conduite à tenir* dans ces cas de bronchites récidivantes, souvent subintrantes de l'enfance, qui conduisent à la bronchite chronique d'une façon presque fatale ? La conduite peut se schématiser ainsi :

a) Faire un examen soigneux et attentif du rhinopharynx et, s'il est possible, faire procéder à l'ablation de tout obstacle mécanique à la respiration, si bénin qu'il puisse paraître.

a') Si l'état de l'enfant ne permet pas cette ablation, faire à titre provisoire un traitement palliatif kinésithérapique.

b) Après ablation des obstacles, faire la cure habituelle et maintenir le résultat par des séances espacées, puis par des examens bi-annuels de garantie.

Le premier de ces points se passe de tout commentaire.

Quant au traitement palliatif kinésithérapique, nous avons dû le pratiquer avant l'intervention chez notre premier malade. Nous lui avons fait deux fois par semaine dans notre cabinet une séance de 5 exercices répétés 20 fois dans la station debout ou assise. Nous avons utilisé d'emblée les mouvements bilatéraux, mais en graduant l'excursion, c'est-à-dire en nous servant des mouvements passifs à oscillations progressives. Le résultat a été très bon et après l'ablation des végétations et des amygdales, nous avons pu nous contenter d'une séance par semaine faite de 10 exercices répétés 20 fois.

A vrai dire dans ce cas nous avons été servi par les événements ; car en général, avant la libération du cavum et du rhinopharynx, l'exercice physiologique de respiration donne un résultat faible et le plus souvent non durable.

Chez notre deuxième malade, dont le rhinopharynx avait été libéré et qui n'avait aucun obstacle anatomique à la respiration, notre conduite a été celle que nous recommandons en pareil cas. Le traitement a duré trois mois, à trois, deux, puis une séance par semaine. Nous avons employé les mouvements bilatéraux à grande incursion et avons insisté sur les respirations diaphragmatiques.

c) Pour fixer les idées, voici une séance de début de cure d'une bronchite à rechute d'adolescents.

Respirations dans les attitudes ou avec les mouvements suivants :

Décubitus dorsal, mains à la nuque, respiration spontanée.

Décubitus dorsal, mains à la nuque, respiration diaphragmatique d'exclusion.

Décubitus dorsal, bras allongés, respirations diaphragmatiques avec soulèvement passif de l'une ou l'autre jambe tendue.

Décubitus dorsal, avec traction en arrière des deux bras.

En pleine cure, vous pouvez exécuter l'ordonnance suivante :

Respirations, dans les attitudes ou avec les mouvements suivants :

Debout, bras au corps, respiration spontanée.

Debout, bras au corps, respiration diaphragmatique d'exclusion.

Debout, bras au corps, abduction latérale des bras.

Debout, traction en dehors des poignets mis au niveau des épaules.

Debout, mouvement actif de natation.

Assis, mouvement passif de natation, à oscillations progressives.

Assis, le même à grandes oscillations.

Assis, mouvement en U à oscillations progressives, puis à grandes oscillations.

Couché, traction des bras en arrière.

d) Quant au résultat, nous l'avons indiqué en schématisant l'observation de nos deux malades. C'est l'arrêt des sécrétions bronchiques, la reprise du poids et le développement normal de la cage thoracique.

Il reste bien entendu que le traitement kinésithérapique, malgré sa puissance, n'élimine aucune autre médication. En particulier, nous appelons encore toute l'attention sur le fait qu'une infection adénoïdienne postérieure pourrait entretenir la bronchite chronique, par aspiration de mucosités purulentes, comme elle entretient souvent une dyspepsie par déglutition des mêmes produits. La désinfection du rhinopharynx et l'ablation des végétations adénoïdes restent la préface du traitement kinésithérapique. L'injection intratrachéale vraie sera la base du traitement complémentaire, pourvu que, selon le principe posé par de la Jarige, père de la méthode, elle soit faite au miroir, pourvu qu'elle ait les trois qualités indispensables (de la Jarige et G. Rosenthal), c'est-à-dire qu'elle soit intra-trachéale vraie, massive[1] et répétée.

G) *Exercices de respiration et convalescences.*

La systématisation de l'emploi des exercices de respiration dans le traitement des convalescences a ouvert à la kinési-thérapie respiratoire un champ d'expérience aussi étendu que fructueux.

Nous avons systématisé la conduite à tenir, laissée jus-qu'alors dans une imprécision absolue, dans une série de communications : nos mémoires vont nous aider à présenter cette étude. Voici les conclusions de notre travail présenté le 27 janvier 1905 à la Société médicale des Hôpitaux.

a) 1° A la fin des maladies aiguës, l'insuffisance respiratoire s'ajoute aux autres causes de débilitation de l'organisme. Elle est aisée à reconnaître, car le malade présente : a) de l'insuffisance nasale (incapacité de respirer 20 fois par les deux narines et par l'une et l'autre narine) ; b) de l'insuffi-sance thoracique (jeu nul ou insuffisant indiqué par notre *centimètre synétrique*) ; c) de l'insuffisance diaphragmatique (immobilité inspiratoire ou retrait de l'abdomen[2], syndrome pseudopleurétique des bases).

2° La rééducation respiratoire conduite médicalement est le traitement spécifique de l'insuffisance respiratoire. Appli-quée aux convalescents, elle provoque constamment et pro-gressivement son triple effet : élargissement du thorax, diu-rèse, augmentation en poids) ; la santé générale s'améliore

---

1. *Archives des Maladies des voies respiratoires*, 1912.
L'injection intratrachéale transglottique.
Instrumentation de la haute dose des injections intratrachéales, etc..
2. Sans exagération de l'incursion costale.

rapidement. Elle augmente donc considérablement la reprise de la vie, qui succède aux maladies aiguës.

3° La rééducation respiratoire n'a pas d'action anti-infectieuse. Elle doit être, comme toujours, employée avec les autres médications dont elle est l'auxiliaire.

4° Malgré la grande puissance, la rééducation respiratoire n'exige ni local, ni appareil particulier. Elle est applicable partout, à l'hôpital, au logis le plus pauvre. Elle exige seulement, chez le malade, l'absence de tout obstacle mécanique à la pénétration rhino-pharyngienne de l'air, chez le médecin, de la bonne volonté et la connaissance indispensable, mais vraiment trop négligée des lois fondamentales de la physiologie humaine.

Le commentaire de ces propositions permet de diriger le traitement kinésithérapique des convalescences.

Nous sommes d'avis, comme nous l'avons dit précédemment, de commencer le traitement dès la phase aiguë ; nous y reviendrons à nouveau à propos des pleurésies. En tout cas, le jour même de l'apyrexie, il n'y a plus aucune excuse ni aucun prétexte plausible pour reculer le traitement kinésithérapique. L'insuffisance nasale, thoracique et diaphragmatique seront reconnues par les procédés indiqués à l'étiologie. La plus facile à contrôler, l'insuffisance thoracique est souvent considérable et même absolue. Chez des sujets auparavant normaux, il n'est pas exceptionnel de voir des incursions de 2 centimètres ou même de un demi-centimètre. Souvent nous avons noté l'immobilité thoracique absolue, sans qu'il y ait à ce moment soupçon de tuberculisation, sans qu'il y ait dyspnée ou anhélation notable.

Dans la direction de traitement il faudra obéir à certaines *idées directrices*.

L'entraînement devra être intensif pour être efficace,

progressif pour éviter au malade toute fatigue, espacé dans ses séances pour laisser l'organisme retrouver l'énergie nécessaire à la respiration, prolongé pour éviter les rechutes, prudent et médical pour ne provoquer aucun accident.

Voici un typhique le jour de sa convalescence. L'exercice de respiration aurait provoqué pendant la maladie une céphalée exacerbée ; ne demandez au début qu'un effort respiratoire minime.

Voici une accouchée fébricitante. Elle n'a aucun symptôme de *phlegmatia alba dolens* ; mais vous savez combien la phlegmatia est fréquente dans les infections puerpérales atténuées ; donc au cours d'exercices très doux ne mobilisez point les membres inférieurs. Une embolie provoquée prouverait la maladresse de l'opérateur et non l'imprudence de la méthode.

Voici un opéré de gastro-entérostomie. Evitez l'exercice diaphragmatique au début, il sera toujours temps de l'utiliser deux à quatre semaines après l'intervention.

Un grippé a eu son système nerveux anéanti. Séances très courtes et répétées. Au besoin, matin et soir 10 à 20 respirations nasales et c'est tout. Diminuez s'il y a fatigue. Tonifiez énergiquement votre malade (opothérapie nerveuse, eau de mer, cacodylate de strychnine, etc.).

Les réserves que nous venons de faire indiquent assez ce qu'il y aura de schématique dans le tableau général de progression kinésithérapique que nous allons dresser maintenant. L'examen clinique reste notre guide tout-puissant ; jamais le médecin ne regrettera sa prudence.

Le traitement pourra être d'autant plus actif qu'il aura été commencé à la phase aiguë et que l'accoutumance et l'adaptation organique seront obtenues avant l'apyrexie.

Quelques exemples vont préciser le problème : Prenons un cas de traitement commencé en période fébrile :

Dans notre mémoire du 27 janvier 1905, notre premier malade est atteint de pneumonie grippale à pneumocoque et entérocoque associés sans coccobacille de Pfeiffer. Nous commençons sa rééducation le 28 octobre 1904, malgré une température de 39°7 et 39°5.

Le 28 octobre, sa dyspnée est formidable ; l'inspiration et l'expiration s'entrecoupent sans rythme et sans ordre ; nous étions aux portes de l'anarchie respiratoire. Il est impossible, tant la respiration est entrecoupée, de changer le malade de chemise. Ce jour-là nous montrons prudemment au malade en quoi consistent la respiration nasale et l'exercice de respiration. Il respire par le nez quelques fois, puis nous lui faisons exécuter :

20 respirations nasales en décubitus dorsal immobile.

Le 30 octobre, en pleine fièvre, la séance comprend :

20 respirations en décubitus dorsal ;

20 respirations avec flexion de la jambe droite ;

20 respirations avec flexion de la jambe gauche.

Déjà le désordre respiratoire a regressé, mais la respiration reste courte.

Le 1er novembre, la défervescence commence. La séance comprend :

Les trois exercices précédents ;

20 respirations diaphragmatiques en décubitus dorsal.

Du 6 au 26 novembre, c'est-à-dire dans les trois premières semaines de la convalescence, la séance comprend :

En décubitus dorsal : 20 respirations ;

20 respirations avec flexion de la jambe droite ;

20 respirations avec flexion de la jambe gauche ;

20 respirations diaphragmatiques ;

20 respirations avec mains à la nuque.

C'est là *la séance typique* des quatre premières semaines d'une convalescence.

Il est bien entendu que nous ne pouvons donner que des idées générales. Voici dans le même mémoire un cas de fièvre typhoïde arrivé à la défervescence. Nous exécutons le premier jour de la défervescence la séance suivante, qui est également une *séance-type* :

20 respirations en décubitus dorsal ;

20 respirations en décubitus dorsal avec écartement passif des bras tendus en avant ;

20 respirations avec flexion de la jambe droite ;

20 respirations avec flexion de la jambe gauche.

Mais nous ajoutons que selon la tolérance du malade, on peut ne faire que les premier, troisième et quatrième exercices, ou même le premier seulement.

Dans une troisième observation du même mémoire, nous présentons une observation de convalescence de dothiénentérie avec traitement kinésithérapique commencé le jour de la défervescence seulement, à cause de l'intolérance du typhique à la phase aiguë contre l'exercice de respiration. Le premier jour la séance comprend :

20 respirations en décubitus dorsal ;

20 respirations avec écartement passif des bras ;

20 respirations avec flexion de la jambe droite ;

20 respirations avec flexion de la jambe gauche.

Cette séance uniforme répétée chaque jour amène un très beau résultat. Nous recommandons cependant d'attendre quelques jours pour ajouter le deuxième exercice aux premier, troisième et quatrième qui sont le fond de la séance du premier jour de convalescence. N'insistons pas sur la respiration diaphragmatique, puisqu'il faut ménager l'intestin du typhique.

De ces exemples, des conseils que nous venons de donner après l'exposé de la conduite à tenir en cas de broncho-pneumonie, nous pouvons conclure que la *séance typique* est, le jour de la convalescence, la suivante :

En décubitus dorsal, 20 respirations simples ;

20 respirations avec flexion de la jambe droite ;

20 respirations avec flexion de la jambe gauche.

On y ajoutera, après une semaine :

20 respirations diaphragmatiques d'exclusion ;

20 respirations, mains à la nuque.

Après la deuxième semaine, utilisez les mouvements passifs unilatéraux opposés (foyer pulmonaire), ou bilatéraux sans dépasser cinq exercices répétés vingt fois ou un total de 100 respirations, par exemple :

Décubitus dorsal, 20 respirations simples ;

10 respirations diaphragmatiques d'exclusion ;

10 avec flexion de la jambe droite ;

10 avec flexion de la jambe gauche ;

20 respirations avec traction progressive des bras en arrière ;

20 respirations, mains à la nuque ;

20 respirations avec écartement des bras tendus en avant.

La mobilisation du bras du côté d'un foyer en cas de localisation inflammatoire peut se faire avec les précautions nécessaires de la troisième à la quatrième semaine. Voici les recommandations spéciales en pareil cas :

Dans les deux premières semaines, le bras du côté du foyer est resté en sautoir devant le thorax pendant la séance. Ce temps de deux semaines est évidemment variable ; il correspond à un cas de gravité assez marquée, foyer de broncho-pneumonie d'une durée de quinze jours par exemple. Une pneumonie d'adulte sain permettra la mobilisation après cinq à sept jours, par exemple ; une congestion pulmonaire dès le troisième jour ; la clinique reste maîtresse ; la régression rapide des signes d'auscultation hâte la marche du traitement.

Dans la troisième semaine, utilisez les mouvements asymétriques à excursion progressive et inégale.

Dans la quatrième semaine, les mouvements peuvent être bilatéraux et d'égale amplitude.

Après la quatrième semaine, tous les convalescents se retrouvent dans une situation analogue.

Il est utile de parfaire leur guérison avec quelques séances faites selon le type des séances du rhino-adénoïdien opéré. A ce moment, la séance quotidienne est loin d'être indispensable. D'ailleurs, elle a cessé de l'être après la troisième semaine environ ; on se contentera de trois séances hebdomadaires pour arriver à deux, puis ensuite à une séance hebdomadaire.

Nous conseillons de pratiquer une séance mensuelle pendant six mois environ et d'engager le convalescent à garder l'habitude pendant ce laps de temps de faire le matin et soir quelques exercices simples (10 à 40 respirations selon indications).

Pendant le début de la convalescence, les exercices se font au lit en décubitus dorsal ; mais ce décubitus n'est pas indispensable. Dès que l'état du sujet le permet, ils seront faits selon la volonté du médecin, en position assise ou même debout s'il y a lieu.

Si la kinésithérapie a été utilisée dès la phase aiguë, le progrès sera plus rapide. Le jour même de la convalescence, la tolérance sera acquise et quelques jours seront gagnés qui contribueront à supprimer le point mort de la convalescence. Non seulement il y aura là un avantage quantitatif dû à la dose d'exercices plus grande, mais surtout l'accoutumance étant meilleure, les respirations seront d'emblée plus efficaces, plus profondes, mieux rythmées, et la marche de la guérison en sera rendue plus rapide par l'intensité de la cure, plus sûre par l'effet immédiat local de la kinésithérapie.

Nous avons à cœur de répéter que la kinésithérapie ne dispense ni du régime hygiéno-diététique, ni de l'étude clinique du malade. Mobilisez une jambe où se développe une phlébite est faire acte de médecin maladroit et non de kinésithérapeute. Cela revient à dire une fois de plus que l'exercice de respiration doit être médical et purement médical.

b) *Conditions de succès*. — Pour que le convalescent puisse bénéficier de la cure physiologique de respiration, il faut que son état général lui permette le petit effort de l'exercice. Son système nerveux doit pouvoir donner à des muscles suffisants un influx capable de reproduire la manœuvre indiquée. Il faut surtout que les premières voies aériennes soient libres. Dès notre premier article du *Journal de Physiothérapie* (juillet 1903), nous avons posé en principe que le jeu *physiologique* de la respiration ne pouvait s'obtenir et se maintenir qu'en l'absence de tout obstacle *anatomique* à la pénétration de l'air, quelque bénin en apparence que semblât cet obstacle. Cette proposition est actuellement universellement adoptée ; *a priori* il suffisait de l'avoir énoncée pour en faire éclater l'évidence. Elle est la clef de voûte de nos recherches ; car cette division capitale que nous avons posée en cure anatomique d'abord, physiologique ensuite, explique les échecs antérieurs de l'empirisme, et les retards de l'extension de la physiothérapie pulmonaire.

Chez le convalescent de la fièvre typhoïde, comme chez le pleurétique, la rééducation respiratoire ne saurait être mise

en œuvre avec efficacité, s'il n'y a pas possibilité anatomique
de l'utiliser. On voit donc quelle est l'importance locale et
générale de se préoccuper à l'état de santé de l'intégrité du
rhinopharynx.

Qu'un convalescent ait les voies aériennes obstruées, la
kinésithérapie perd la majeure partie de son action. Dans ce
cas, on devra tenter l'éducation illogique de la respiration ;
mais ce sera pour attendre avec plus de patience le moment
de faire pratiquer l'intervention indispensable.

c) Au contraire, lorsque les narines sont perméables, l'exercice de respiration obtient non pas un résultat de hasard,
variant d'un cas à l'autre, mais un résultat constant, homogène, identique à lui-même et sûr : pas d'action anti-infectieuse, pas ou peu d'action antitoxique spécifique ; mais :

La diurèse se trouve accrue ;

Le développement physiologique précède le développement
anatomique de la poitrine.

Nous renvoyons au chapitre de la pleurésie la description
de la *diurèse dite au commandement*. De même, en parlant
du traitement de l'emphysème (p. 196) et de l'asthme, nous
aurons à discuter la conduite à tenir en cas d'ankylose osseuse
des côtes. Dans ce cas l'exercice respiratoire réduit à n'être
que diaphragmatique peut exiger au préalable la libération
anatomique, c'est-à-dire certaines interventions proposées
par les chirurgiens dans des travaux récents.

*L'accroissement de poids est immédiat, progressif, con-
sidérable, indépendant du régime*. — Il est *immédiat*, ce
qui veut dire que le convalescent traité par nos procédés
ne connaît pas *l'amaigrissement de convalescence*. Il est
classique, et récemment Garnier et Sabareanu y insistaient
à nouveau, que le convalescent maigrisse au moment de la
défervescence. C'est le moment de la crise de polyurie, de

l'élimination des déchets (Laubry, thèse Paris, 1903) qui précèdent les nouvelles synthèses organiques. C'est aussi le moment de faiblesse où peuvent se produire les infections secondaires et les défaillances organiques.

Or cet amaigrissement, ce *point mort* est supprimé par l'exercice physiologique de respiration. Dès que la méthode est instituée, on observe une modification de la courbe du poids :

Si l'amaigrissement du sujet se faisait avec une intensité médiocre, il y a reprise du poids; la courbe est à angle aigu.

Si l'amaigrissement du sujet était intense, il y a arrêt progressif de la vitesse de dénutrition et réascension après stade de poids stationnaire : la courbe est en trapèze renversé.

Cet accroissement en poids est considérable. Voici quelques chiffres obtenus dans nos observations.

Dans notre mémoire de la *Société médicale des Hôpitaux* (27 janvier 1905), notre premier malade (pneumonie grippale) gagne 7 kilogrammes du 3 novembre, lendemain de sa défervescence, au 24 novembre. Il dépasse à ce moment son poids antérieur maximum. Notre deuxième malade (fièvre typhoïde) gagne 12 kilogrammes du 27 septembre au 25 octobre, malgré la survenue d'une infection à staphylocoques qui nécessite des soins chirurgicaux et suspend le traitement du 29 septembre au 7 octobre. C'est en somme un accroissement en poids de 24 livres en vingt-huit jours, soit près de 500 grammes de synthèse par jour.

Notre troisième malade (fièvre typhoïde) reprend 19 kilogrammes, bien que la convalescence soit traversée par une rechute.

La reprise du poids *est indépendante du régime*, c'est-à-dire qu'elle ne nécessite aucun gavage, aucune suralimentation (Marcel Labbé). Nous y reviendrons au chapitre des pleurésies. Notre mémoire indique pour notre troisième observation (fièvre typhoïde) les poids et les régimes suivants :

3 novembre 1904, poids : 48 kilogrammes, régime : lait 2 litres, 1 potage au lait, 1 litre de tisane ;

10 novembre 1904, 52 kilogrammes, addition d'œufs ;

14 novembre 1904, 57 kilogrammes, régime des convalescents ;

26 novembre 1904, 63 kilogrammes (poids antérieur maxima), régime des convalescents.

L'étude du poids chez les convalescents ne peut se suivre que par le rapport du poids obtenu avec le *poids antérieur maximum.*

Le *poids antérieur maximum* est, comme cette expression l'indique, le poids le plus élevé qu'ait pesé le sujet avant sa maladie ; malheureusement, un grand nombre de sujets ne peuvent vous fournir ce renseignement. Son utilité vient du principe suivant que nous avons proposé après l'étude de nombre de courbes de poids :

Au cours de la convalescence normale, la reprise en poids doit tendre à atteindre le poids le plus élevé que le sujet ait pesé auparavant.

Aussi un gain de 6 kilogrammes qui fait dépasser le poids antérieur maximum sera supérieur et préférable à un gain de 20 kilogrammes qui laisserait le malade au-dessous de ce poids. De même que dans les analyses d'urine, rien ne sert de faire le bilan des excreta si le bilan des ingesta n'est pas rigoureusement établi, de même dans l'étude des convalescences il faut être un esprit superficiel pour ne pas saisir l'importance primordiale que possèdent les notions de l'amaigrissement prémorbide et morbide et celle du poids antérieur maximum.

Le développement physiologique d'abord, anatomique ensuite, du thorax est le troisième bienfait de l'exercice de respiration au cours des convalescences. — Cette proposition signifie que d'abord le jeu du thorax s'accentue ; rapidement il atteint les chiffres normaux, c'est-à-dire ceux que donnent les sujets exercés (8 à 10 centimètres par exemple à quatorze ans, 10 à 14 chez l'adulte de trente ans). Secondairement, le thorax prend un développement supérieur à la fois en largeur et surtout dans le sens antéro-postérieur, de façon que s'accroisse l'index de Fourmentin. Mais cet accroissement anatomique du thorax demande plusieurs semaines pour se manifester ; il est donc assez rarement constaté chez les malades hospitalisés dans nos grands services parisiens.

Voici quelques exemples tirés de notre mémoire à la Société médicale.

Notre premier malade (pneumonie grippale à pneumocoque et entérocoque associés) avait le jour de sa défervescence un jeu thoracique de 1 centimètre et vingt-cinq jours après un jeu de 8 centimètres. Notre premier typhique passe de 1 centimètre et demi à 6 centimètres, chiffre atteint également par notre deuxième typhique. Par contre, le typhique dont nous avons présenté l'observation à la Société médicale du IXe arrondissement (mars 1905) et qui du 21 décembre 1904 au 20 janvier 1905 augmenta en poids de 9 kilogrammes (58 kilogrammes à 67 kilogrammes) vit son jeu respiratoire passer de 2 centimètres jour de la défervescence, à 10 centimètres pour le diamètre supérieur et 6 pour le diamètre xyphoïdien.

Voici en effet les mensurations :

Périmètre subomosusmammaire : (17 décembre) 43,43 — 44,44,
soit + 2 cm.
(20 janvier) 43,43 — 48,48, soit + 10 cm.
Périmètre xyphoïdien : (17 décembre) 42,42 — 43,43, soit + 2 cm.
(20 janvier) 42,41 — 45,44, soit + 5 cm.

De ces faits, nous tirerons l'enseignement suivant :

Une maladie n'est vraiment terminée que lorsque ses conséquences morbides en sont abolies dans la mesure où cette
disparition est possible. Il sera donc indiqué de poursuivre
l'éducation respiratoire tant que le jeu thoracique n'aura pas
retrouvé sa course normale d'entraînement.

De même le résultat obtenu devra être maintenu par la
surveillance respiratoire, établi et continué selon les données
mentionnées précédemment.

d) Si au cours de la phase aiguë, nous trouvons dangereux
de ne pas se préoccuper du fonctionnement de la musculature
de nos malades, le danger de l'inertie musculaire est encore
bien plus grand à la phase de la convalescence. A ce moment,
on devra matin et soir mobiliser bras et jambes dans des
séances de cinq à dix minutes ; l'extension, la flexion, l'abduction et l'adduction seront provoquées en mouvements passifs,
puis exigés en mouvements actifs, enfin selon l'habitude suédoise, on pratiquera les mouvements dits avec résistance,
c'est-à-dire des mouvements actifs du malade qui lutte contre
une résistance du médecin qui donne le mouvement.

A l'étranger, notre collègue d'Ajutolo de Naples a présenté
le 28 mai 1899 à l'Académie royale de Bologne un dispositif
ingénieux pour permettre aux convalescents d'exercer au lit
même les muscles des différents segments du corps humain.
C'est une sorte de trapèze dont la barre transversale est
remplacée par une planche ou mieux par deux étriers sur
lesquels s'appuient les pieds. Les cordes du trapèze faites en

tissu élastique longent le corps pour se fixer au dos du lit ou pour se réunir à la nuque ; elles sont trop courtes pour que le sujet ait les jambes étendues. On conçoit quelle variété infinie de mouvements permet ce dispositif. Tout mouvement actif est suivi d'un mouvement de retour passif dû à l'élasticité des cordes [1].

L'appareil de d'Ajutolo est fort ingénieux, mais il nécessite une gymnastique avec efforts, analogue à l'ancienne gymnastique française ; il ne sera donc appliqué qu'assez tard dans la convalescence.

H et I) *Exercices de respiration dans les maladies chroniques des voies respiratoires des adultes (asthme, bronchite chronique, emphysème, etc.) et dans l'obésité.*

Le syndrome clinique qui évolue de la crise d'asthme typique au syndrome de la bronchite chronique avec emphysème est certainement un de ceux dont la place nosologique est la plus controversée. Dans cette étude, nous ne voulons pas entrer dans des considérations générales, nous voulons simplement établir pourquoi, comment et dans quelles limites l'exercice de respiration sera utile à l'asthmatique et à l'emphysémateux, et quels seront les rapports de cet exercice avec les méthodes physiothérapiques proposées comme l'aérothérapie par l'air comprimé, ou avec les méthodes opothérapiques et même chirurgicales récentes. Cette mise au point nous paraît utile devant la divergence des directions et le désaccord des auteurs. Étudions d'abord l'asthme [2].

1. Voir les travaux de Bergonié sur la gymnastique électrique provoquée.

2. Notre éminent ami Reymond de Genève a publié dès 1896 dans la *Revue médicale de la Suisse Romande* de beaux résultats kinésiques en cas d'asthme. Voir aussi les travaux de Sänger de Marbourg, de Hugues de Wiesbaden avec toute la bibliographie allemande.

a) Nous réunirons l'asthme infantile et l'asthme de l'adulte. De même nous ne ferons pas de subdivision dans le groupe des asthmes-névroses, parce que nous considérons l'exercice de respiration comme une méthode palliative des plus utiles certes, mais laissant le champ libre à l'installation ou à la recherche des médications spécifiques.

Pourquoi l'exercice de respiration est-il utile aux asthmatiques ? Parce que l'asthmatique est le plus souvent atteint d'insuffisance respiratoire du type ordinaire, sous ces trois modes : nasale, thoracique, diaphragmatique. De plus, il est atteint d'insuffisance respiratoire *par incapacité expiratoire;* il est en effet classique que le thorax des asthmatiques à côtes horizontales, à sternum projeté en avant, se tétanise en inspiration par une crampe, un spasme des muscles inspirateurs contre lequel les muscles expirateurs se trouvent dans l'incapacité d'agir.

Aussi le rôle de la kinésithérapie est tout tracé : la méthode clinique que nous suivons va nous indiquer le rôle et la limite de l'action de la physiothérapie, dont l'asthme est un des plus anciens domaines. Ce rôle sera défini ainsi :

1° *La lésion fondamentale* (?) *quelle qu'elle soit*[1], *c'est-à-dire le processus qui rappelle et provoque le retour des crises échappe à la physiothérapie.* C'est dire une fois de plus qu'il n'y a pas un traitement physiothérapique à opposer aux autres traitements ; il y a une arme à joindre aux autres et c'est tout. Il est regrettable que nombre de physiothérapeutes ne veulent pas se convaincre de ce point. Néanmoins,

1. Voir Bonnier, *Archives des maladies des voies respiratoires,* mars 1912.

le jeu physiologique de l'appareil respiratoire paraît *à la longue* avoir une action *atténuante* sur le processus même de l'asthme.

2° L'insuffisance respiratoire des asthmatiques sera combattue énergiquement par la méthode préconisée depuis longtemps par les auteurs suédois en rapportant une progression sagement médicale. Sur ce sujet je voudrais donner les précisions suivantes :

Le traitement ordinaire par l'exercice physiologique de respiration tel que je l'ai formulé à propos des rhino-adénoïdiens m'a semblé insuffisant contre l'asthme. Mais d'autre part, l'emploi d'emblée d'exercices de respiration avec mouvements actifs, l'usage immédiat du bain d'air comprimé, de la machine Zander, de la sangle d'Hofbauer, m'ont paru produire chez les malades une certaine fatigue qui paralysait le résultat. J'en ai conclu qu'il fallait d'abord faire une cure d'accoutumance (deux séances par semaine pendant un mois) de respirations d'attitudes et de respirations avec mouvements passifs. On passera ensuite aux mouvements actifs en utilisant principalement les mouvements à grande amplitude (mouvements de circumduction des bras dans la position debout, assis, couché). Les respirations en décubitus ventral, tête relevée, seront recommandées. Nous avons décrit à la technique le procédé des trois tabourets, qui remplace l'emploi des tables modèle Gagey.

Enfin, à partir du troisième mois, on utilisera la machine Zander ou Hertz en provoquant des mouvements de grande amplitude dans des séances courtes (deux à cinq minutes). A ce moment le bain d'air comprimé en chambre pneumatique (Jaboslaw) donnera au malade un grand soulagement, surtout s'il est associé à la pratique de l'exercice de respiration avec inspiration de l'air comprimé et expiration dans l'air atmosphérique. Le bénéfice tiré de l'appareil de Dupont sera singulièrement accru si le malade apprend médicalement à y bien rythmer sa cadence respiratoire.

3° La tendance au spasme inspiratoire bénéficiera de toutes les médications antispasmodiques, qui pourront être associées à l'exercice de respiration ; massage léger, traitement électrique, etc.

4° Enfin le traitement serait incomplet s'il ne tenait pas compte de la nécessité de fortifier les muscles expirateurs ordinaires et accessoires. Voici à ce sujet quelques exercices spéciaux qu'il faudra employer.

I) Le sujet fera 20 respirations nasales simples, mais à l'expiration il obturera une narine avec l'index du même côté, tandis que l'inspiration sera faite avec les deux narines ouvertes.

II) Le sujet fera l'inspiration à narines ouvertes, l'expiration avec une narine fermée à la main et l'autre demi-fermée par la main du médecin qui sera juge de graduer le barrage expiratoire.

III) Le sujet, cinq à dix fois de suite, mensurera sa puissance expiratoire en soufflant dans un spiromètre. Nous utilisons le modèle Verdin.

IV) Le sujet assis à l'extrémité d'une table, le menton appuyé sur les deux mains, s'entraînera cinq à dix fois à éteindre une bougie placée de plus en plus loin.

V) Les exercices à trois temps avec expiration complémentaire [1] (Knopf) seront amplement utilisés.

1. OErtel (Massage du cœur) dès 1889 a utilisé la respiration saccadée récemment étudiée par Hugues. Les respirations saccadées de Hugues sont des respirations faites d'une inspiration ou d'une expiration double. L'inspiration ou l'expiration sont donc répétées soit dans l'attitude initiale, soit au cours d'un mouvement passif ou actif qui facilite le renouvellement sans arrêt du temps de la respiration. Par exemple : inspi-

VI) Les respirations faites d'une inspiration courte, suivie d'une expiration longue en comptant de 1 à 6 (Sänger, de Marbourg) sont très recommandées.

VII) Au moment de l'expiration, le médecin comprime d'avant en arrière ou de droite à gauche le thorax [1].

b) *Mais à quel moment devra intervenir la Kinésithérapie?* Notre pratique a établi l'idée directrice suivante : *Le traitement physiothérapique de l'asthme est d'autant plus utile qu'il est institué dans une période d'acalmie de la maladie, d'autant moins actif qu'il est entrecoupé de crises aiguës. En état de mal asthmatique, le traitement garde une action trophique qui peut écarter un danger immédiat de cachexie mortelle.*

Voici le commentaire de cette proposition :

Nous avons soigné un malheureux enfant qui était en plein état de mal asthmatique depuis plusieurs semaines. Une véritable cachexie respiratoire s'était installée, l'enfant perdait du poids de jour en jour. L'adjonction de l'exercice de respiration simple au traitement mis en œuvre a amené un arrêt de l'amaigrissement avec relèvement ultérieur du poids, sans paraître au début produire autre chose qu'une atténuation relative. Néanmoins, la crise s'arrêta, l'enfant partit à la campagne. Nous l'avons revu plusieurs années après, il avait gardé de bonnes habitudes respiratoires ; son asthme avait considérablement rétrocédé. Il a depuis absolument guéri.

Il est facile de comprendre la véracité de la première

---

ration, sujet debout immobile, inspiration forcée avec élévation des bras, expiration, etc...

1. Hugues décrit avec beaucoup de soin les manœuvres de compression du thorax ou de l'abdomen qui peuvent servir à l'expiration. Il décrit sous le nom de compression totale du thorax et de l'abdomen un mouvement tournant exécuté par les mains qui enserrent les parties latérales du thorax ou de l'abdomen au début de l'expiration pour comprimer la région antérieure à la fin.

partie de l'idée directrice. Un entraînement respiratoire sérieux sans arrêt donnera plus de garantie, plus de sécurité qu'un entraînement interrompu à chaque moment.

Les crises font perdre le bénéfice acquis et font rétrograder le jeu fonctionnel de la cage thoracique. Malheureusement le médecin ne choisit pas toujours le moment de son intervention ; il n'est pas libre de l'écartement des crises. Le moment de choix pour le kinésithérapeute nous semble être celui du retour des stations comme le Mont-Dore, qui sont si favorables à l'asthmatique. Nous ne croyons pas favorable de réunir la cure d'eau et la cure physiothérapique, il faut se défier des efforts trop grands demandés aux organismes malades.

c) Les considérations physiothérapiques sont presque identiques chez l'asthmatique et l'emphysémateux. Malgré sa cage thoracique globuleuse et arrondie, l'emphysémateux est atteint d'insuffisance thoracique presque totale, surtout expiratoire[2], d'insuffisance diaphragmatique et de troubles du rythme. La kinésithérapie doit donc se proposer un triple but : elle doit discipliner et rythmer la respiration, en faire l'éducation rapide ; supprimer l'insuffisance diaphragmatique ; combattre la raideur thoracique dont les conséquences seront en partie annihilées par le jeu compensateur du diaphragme ; éduquer spécialement l'expiration. Les côtes de l'emphysémateux sont relevées et horizontales comme à la fin d'une inspiration, il faut qu'elles apprennent à s'abaisser.

1. *Archives des voies respiratoires*, avril 1912.

2. La capacité vitale est diminuée de 20 à 60 p. 100. Souvent le chiffre d'ampliation est de 2, 1 et même 0. Hirtz refuse dans les assurances sur la vie tout emphysémateux à jeu thoracique inférieur à 3. (Leblanc, thèse 1910-1911, vol. 28) (Hirtz, Congrès des médecins d'assurance). Letulle et Pompilian, par la méthode graphique préconisée par Hirtz, insistent sur la longueur de l'expiration.

Lorsque la kinésithérapie aura réalisé ce programme sa tâche sera terminée.

Pour réaliser ces indications, la kinésie a besoin :

a) De l'exercice simple de respiration, manœuvre fondamentale de douceur qui va discipliner la respiration, la rythmer, supprimer les fautes physiologiques accidentelles et l'insuffisance diaphragmatique. On peut y adjoindre certaines manipulations de la gymnastique suédoise qui ont une action sur l'expectoration et luttent contre la bronchite chronique.

b) De manœuvres spéciales destinées à assouplir la cage thoracique, à redonner aux côtes la mobilité perdue : au cours de ces manœuvres, la kinésithérapie restera manuelle ou s'aidera de l'instrumentation de la mécanothérapie.

c) D'exercices spéciaux de respiration, ayant pour but de développer la force et l'éducation expiratoires. Au cours de ces manœuvres, la kinésithérapie restera manuelle ou aura recours à certains appareils spéciaux ; elle utilisera aussi les modifications de la pression atmosphérique (aérothérapie).

d) D'intervention chirurgicale sur la cage thoracique dont nous aurons à discuter l'indication et l'opportunité encore exceptionnelles.

Exercices de respiration, manœuvres d'assouplissement de la cage thoracique avec ou sans mécanothérapie, exercices spéciaux d'expiration avec ou sans aérothérapie, intervention chirurgicale sur les os du thorax, voilà les quatre étapes du traitement physiothérapique de l'emphysème ; les trois premières nécessaires, la dernière rarement indiquée jusqu'à présent.

a') Comme chez l'emphysémateux le parenchyme pulmonaire n'est pas phlogosé, la première phase sera menée très activement ; elle utilisera surtout l'exercice de respiration diaphragmatique d'exclusion, les exercices actifs (mouvement de natation, de circumduction des bras particulièrement en décubitus dorsal par le procédé des trois tabourets) et les exercices de rythme déjà très utiles aux asthmatiques. Les exercices de rythme qui se font avec les différents mouvements passifs simples sont simplement des exercices au cours desquels le médecin variera la vitesse d'exécution, en leur apprenant à accélérer ou à ralentir à volonté le rythme.

A ces exercices de respiration, il faut joindre certaines manipulations suédoises comme le hachement du dos, le tapotement du thorax, la trépidation et la vibration du thorax.

b') Parmi les manœuvres spéciales destinées à redonner au thorax sa mobilité perdue, il faut signaler le mouvement actif de circumduction du tronc, les mouvements de flexion latérale, le mouvement de torsion du tronc fait debout ou à genoux, la rotation du tronc combinée au relèvement dans la position assise à cheval. Au cours de ces exercices, il sera souvent indiqué de recourir à la mécanothérapie, qui seule permet de répéter une manœuvre indéfiniment sans qu'elle subisse de modification même d'une séance à l'autre, sans que le poids du sujet traité ait la moindre importance. On aura recours aux machines du type Zander primitif ou des types modifiés par Hertz, Krukenberg et Vermulen. Les appareils à utiliser sont les suivants :

C^3 pour la flexion et extension du dos ;

E^6 pour la dilatation passive de la poitrine (altération du rythme) ;

E^7 pour la torsion du tronc (ce dernier spécialement recommandé pour la simplicité de sa manœuvre et son efficacité). Le sujet est assis, le bassin maintenu immobile. Le mouvement est donné par les bras et le dos qui sont maintenus dans une prise sérieuse et qui tournent de droite à gauche ou réciproquement de gauche à droite.

c') Dans l'éducation de l'expiration, aux exercices signalés au traitement de l'asthme, exercices à trois temps de Knopf, exercices de spirométrie, soufflage d'une bougie, respirations en station couchée faciale avancée des Suédois, nous ajoutons nos exercices contradictoires, c'est-à-dire les exercices accompagnés de mouvements passifs ou actifs qui contrarieront l'expiration. Par exemple, dans le mouvement d'écartement des bras tendus en avant, l'inspiration doit évidemment se faire pendant l'écartement des bras, l'expiration pendant le retour à la position du départ. Si l'expiration se fait pendant l'écartement des bras, cette expiration sera contrariée par ce mouvement ; elle exigera un effort bien plus grand des muscles expirateurs. Le même *exercice contradictoire* peut se faire avec l'abduction des bras, notre mouvement en U et toutes les manœuvres passives ou actives que nous utilisons.

Au moment de l'expiration, une pression des deux mains sur le thorax peut provoquer l'expression passive. Cette manœuvre, recommandée par les Suédois, par Gérhardt, etc., sera faite surtout dans le décubitus dorsal, le sujet étant couché, bras écartés du corps ou mains à la nuque ; elle sera pratiquée par le médecin lui-même et non par une infirmière ainsi que le montrent les figures de certains articles même modernes de gymnastique suédoise. Elle aidera le rythme à trois temps recommandé en Amérique par Knopf.

Plusieurs auteurs allemands ont eu recours à des ceintures soit élastiques, soit garnies de poche à air qui, par un dispositif ingénieux, laissent l'inspiration s'effectuer sans gêne et aident l'expiration à être le plus complet possible. Il faut citer, en particulier, les recherches de Hofbauer. Hanke a utilisé une ceinture pneumatique, Geyer un gilet élastique, Féris est l'auteur d'un respirateur élastique, sorte de bandage herniaire dont les pelotes viennent comprimer à l'expiration les régions sous-claviculaires, etc...

Le développement des muscles de la sangle abdominale, réclamé par Glénard depuis plus de vingt ans, est également favorable à la gymnastique de l'expiration. Il s'obtient par certains exercices spéciaux : flexion du tronc, flexion des genoux, élévation des genoux, en station debout; circumduction des jambes en décubitus dorsal, etc...

Nous considérons, pour notre part, l'aérothérapie comme une dépendance de l'exercice de respiration. Nous ne comprenons pas la technique qui consiste à enfermer le malade sous la cloche à air comprimé en le laissant lire, écrire ou même dormir (?!) sans lui faire rythmer sa respiration, sans corriger les fautes de physiologie respiratoire. Quoi qu'il en soit, l'aérothérapie emploie deux dispositifs qui seront à employer d'une façon différente dans le traitement de l'emphysème.

La cloche à air comprimé fut introduite dans la thérapeutique par Junod (de Paris), Pravaz (de Lyon) et Tabarié (de Montpellier). Le patient est introduit dans une chambre de tôle, de forme cylindrique, ayant 6 à 7 mètres cubes. Grâce à un système très précis de refoulement et d'évacuation de l'air, la pression atmosphérique est élevée de 30 centimètres en moyenne, d'une façon lente et progressive. Après une heure de séjour environ la décompression est pratiquée avec la même minutie, la même lenteur que la compression et aucun trouble ne vient compenser l'effet bienfaisant obtenu. D'après les travaux de contrôle, et en particulier d'après Biermer, le bon effet dans l'emphysème est dû à la pression exercée par l'air comprimé sur le thorax au moment de l'expiration qui est facilitée de ce chef ; l'inspiration ne serait pas modifiée étant donnée l'intégrité de la puissance des muscles inspirateurs. Quoi qu'il en soit, il faut tenir compte des objections faites à ce procédé, surtout de la distension regrettable des alvéoles à l'inspiration par l'air comprimé et de l'obstacle ainsi apporté à l'expiration. Nous recommandons de n'utiliser l'air comprimé qu'au début de l'emphysème, et non pas chez les grands emphysémateux. En tout cas, la séance d'air comprimé comprendra chaque quart d'heure 10 à 20 respirations nasales rythmiques faites au commandement de façon à discipliner la respiration.

Pour avoir une action élective sur l'expiration, Hanke imagina, en 1870, la pneumothérapie qui fut introduite en France, en 1884, par Labadie-Lagrave. Nous ne voulons pas décrire tous les appareils ingénieux qui permettent, comme Hanke le désira, de respirer dans l'air comprimé et d'expirer dans l'air raréfié. L'appareil de Waldenburg, de Berlin, se compose de deux cylindres en tôle de 1 mètre de long s'emboîtant naturellement ; l'appareil de Maurice Dupont obtient par la pression de l'eau, à volonté de l'air comprimé et de l'air raréfié. Le patient, grâce à des manettes qu'il règle lui-même, inspire l'air comprimé, expire dans l'air raréfié. Il ne faut pas, à notre avis, que le sujet soit livré à lui-même. Il importe au plus haut degré que la séance de pneumothérapie, d'une durée de dix minutes, commence par 20 respirations nasales rythmées par le médecin. Ces respirations seront répétées en cas d'indication.

d) Reste la question nouvelle et passionnante de l'intervention chirurgicale chez les emphysémateux.

A côté de l'emphysème, trouble sans doute trophique de la fibre élastique de l'alvéole pulmonaire, Freund a soutenu en 1858 qu'il existait un emphysème dû à une altération des cartilages costaux qui perdent leur élasticité. Cette perte d'élasticité fixe les côtes en inspiration forcée. Au moment de l'inspiration le thorax est soulevé, le sternum subit une ascension *sans projection en avant,* sans mouvement de rotation des côtes,·donc sans ampliation de la cage thoracique. Le ruban métrique donne alors entre l'inspiration et l'expiration une différence qui ne dépasse pas quelques millimètres, et qui souvent est nulle. Mais immédiatement nous rappelons que nombre de malades ont un arrêt de l'incursion thoracique, arrêt complet, mais admirablement compensé par le jeu du diaphragme : ils n'ont aucun trouble important et ne consultent même pas.

De plus (Delbet) le diaphragme a un jeu très atténué, puisque son incursion ne dépasse pas un centimètre en hauteur. (C'est sur ce fait que portera notre argumentation au sujet des indications opératoires.) Freund n'avait pas la possibilité d'utiliser les rayons X pour vérifier ce point capital [1].

L'emphysème serait donc due dans certains cas à une immobilité du thorax incurable par les procédés médicaux. Freund proposa en 1858 la résection des cartilages costaux. En 1906, Hildebrand réalisait l'opération de Freund. En France, Lenormant (*Journal de chirurgie,* septembre 1908, *Société médicale des hôpitaux,* 1911), Tuffier et J. Martin (*Traitement chirurgical de la tuberculose pulmonaire,* Paris, 18 mars 1910), Roux-Berger, le professeur Delbet (*Bulletin médical,* 14 juin 1911), faisaient connaître l'opération de Freund. Le professeur Delbet obtenait une incursion thoracique de 2 centimètres, sur le thorax préalablement soudé d'une malade de Hirtz atteinte gravement d'emphysème pulmonaire.

1. Voir Caussade et Leven. Soc. de thérapeutique, avril 1912.

Il a pu montrer après l'opération, « avec toutes les apparences de la santé, le teint frais, la respiration libre », une malade qui précédemment « était en état de cyanose permanente, les lèvres violacées, la face livide », qui ne pouvait rester sur le dos sans étouffer, qui, outre sa dyspnée permanente, présentait des crises d'asphyxie tellement violentes que trois fois elle eut une syncope et sembla morte à son entourage.

e) Telles sont les armes dont dispose le kinésithérapeute et qu'il utilisera selon les indications. Nous ne pouvons entrer dans la complexité des cas cliniques. Néanmoins, nous allons donner un schéma de progression du traitement médical.

Soit un emphysémateux de quarante ans à myocarde sain, sans bronchite chronique. Nous conduirons le traitement physiothérapique de la manière suivante :

Première semaine. — Quatre séances de dix exercices répétés vingt fois, soit environ deux cents respirations physiologiques. Mélanger les exercices passifs de grande amplitude et actifs d'amplitude progressive. Y joindre quelques exercices rythmiques.

Voici un type de séance de fin de la semaine si l'entraînement a été rapide :

Décubitus dorsal. Respiration diaphragmatique d'exclusion.

Respiration spontanée avec traction en arrière des bras.

Écartement passif des bras tendus en avant.

Respiration à cadence variée (accélération-ralentissement).

Station assise. — Respiration diaphragmatique d'exclusion.

Respiration avec mouvement actif de natation.

Respiration avec circumduction passive des bras.

Respiration avec circumduction active des bras.

Station debout. — Respiration avec abduction passive des bras.

Hachement, massage vibratoire et tapotement du thorax.

Il faut toujours terminer par un mouvement passif de faible amplitude qui donne le repos.

Quelquefois cet entraînement exigera plus d'une semaine. En général, dès la deuxième ou la troisième semaine, vous pouvez prescrire les exercices spéciaux d'expiration, et employer chez les malades volumineux la machine Zander. Voici un type de séance de fin de la troisième semaine. Chaque exercice, sauf indication spéciale, est répété vingt fois :

Respiration diaphragmatique d'exclusion, décubitus dorsal.

Respiration diaphragmatique d'exclusion avec expiration en deux temps, décubitus dorsal.

Respiration avec circumduction passive des bras, décubitus dorsal.

Respiration avec circumduction active des bras, décubitus dorsal.

Station assise, respiration avec occlusion de l'une ou l'autre narine à l'expiration.

Station assise, cinq à vingt exercices de spiromètre.

Station assise, mouvement de vis, à la machine Zander (sans rythmer la respiration).

Station assise, respiration avec écartement passif des bras.

Station assise ; respiration avec circumduction passive des bras (machine Zander).

Station debout, mains aux hanches, respiration avec une expiration en deux temps.

Lorsque cette deuxième phase est achevée, le malade discipliné peut subir le traitement complet. Voici alors un type d'ordonnance.

1° Lundi, mercredi, vendredi, faire sous la direction du médecin une séance de respiration de dix exercices répétés vingt fois ;

2° Mardi, jeudi, samedi, faire une séance d'air comprimé. Rester en tout une heure sous la cloche, avec une augmentation de pression de 10 centimètres.

A la fin de la séance respirer cinq minutes avec l'appareil de M. Dupont ;

3° Continuer le massage, les prescriptions hygiéno-diététiques ;

4° Reprendre dans quinze jours la cure iodurée ou thyroïdienne prescrite.

Reste la question de l'intervention chirurgicale dans l'emphysème. Nous pensons quant à nous qu'il faut réserver son jugement sur de pareilles tentatives, car nombre de gens ayant un thorax immobile gardent une bonne santé apparente pourvu que le jeu du diaphragme reste suffisant ou compensateur. Nous concluons donc (*Société de médecine de Paris*, octobre 1911 et juin 1912) ; *Une opération de Freund ne saurait être indiquée qu'après l'échec de l'exercice de respiration ayant cherché à établir une suppléance diaphragmatique*. Nous ajoutons : Une opération de Freund ne saurait donner un résultat complet que si elle est suivie d'une cure d'exercices de respiration : les jeux respiratoires de deux centimètres obtenus par les auteurs sont insuffisants [1].

Faute de cas cliniques soumis à notre observation, nous ne pouvons malheureusement pas donner à ce sujet une progression vérifiée. Les mouvements passifs progressifs des

___

[1] Anselme Schwartz vient dans la « Chirurgie du Thorax » d'accepter cette opinion.

bras nous paraissent devoir être l'objet des préoccupations kinésiques en pareil cas.

* *

f) La conception que nous soutenons de l'exercice de respiration, traitement spécifique des troubles du mécanisme respiratoire, et non pas traitement tonique à tout faire, a le précieux avantage non seulement de poser les indications et de diriger la marche du traitement, mais de préciser le résultat que le médecin est en droit d'en attendre. Ce résultat se limite à l'arrêt des troubles du mécanisme respiratoire, et à la meilleure utilisation du parenchyme pulmonaire.

L'exercice de respiration n'a pas d'action directe sur la fibre élastique de l'alvéole pulmonaire; il la protège par un fonctionnement normal de l'organe, il ne saurait en arrêter la rupture par trouble trophique. Aussi doit-il être combiné aux cures médicamenteuses, hygiéno-diététique qui peuvent modifier la nutrition de la paroi alvéolaire, mais qui sont absolument incapables d'améliorer le fonctionnement de la cage thoracique.

L'exercice de respiration, médication fonctionnelle, aidée de l'aérothérapie et de la mécanothérapie est donc le complément logique, indiscutable, indispensable de la médication hygiéno-diététique et médicamenteuse. Il est aussi puéril de se passer de la kinésithérapie que de vouloir rejeter en son nom tout traitement non kinésique.

Les résultats obtenus confirment cette conception logique. On doit à la kinésithérapie de voir les thorax *soudés en apparence* se mobiliser. Aux incursions notées avec notre *centimètre symétrique* de un demi à un centimètre, se substituent rapidement des courses respiratoires de 3, 4 et même

6 centimètres ; il est plus rare de voir atteindre les chiffres normaux de l'adulte de 10 à 12 centimètres. Aux rayons X, la course du diaphragme devient rapidement sensible, et atteint la hauteur de deux espaces intercostaux.

La dyspnée et l'anhélation s'atténuent. Le catarrhe chronique des bronches est modifié, mais sur ce point, l'injection intra-trachéale faite selon la technique de la Jarrige garde son action prépondérante. Enfin la meilleure aspiration thoracique diminue le travail du cœur, soulage ce viscère et recule l'asystolie pulmonaire qui menace tout emphysémateux [1].

*
* *

Nous avons eu l'occasion au chapitre de l'étiologie, d'appeler l'attention sur les rapports de l'obésité et de l'insuffisance respiratoire. Ces rapports viennent d'être précisés dans le très remarquable ouvrage de notre ami Heckel sur les grandes et petites obésités.

Heckel a insisté sur le rôle de la surcharge graisseuse du thorax et de l'abdomen, sur l'infiltration graisseuse des muscles respirateurs, sur l'ankylose costale et l'insuffisance musculaire diaphragmatique. Il reconnaît avec nous la nécessité de l'ouverture de la voie respiratoire nasale. Puis il recommande de ne pas se laisser tenter par la multiplicité des mouvements respiratoires créés par les Suédois, mais d'utiliser les quatre exercices suivants :

1° Inspiration avec rotation des épaules suivie d'une expiration avec flexion du tronc ;

1. La littérature étrangère de la kinésithérapie de l'emphysème est des plus riches. Nous l'étudierons dans un travail spécial. Nous signalons les appareils comme celui de Willcok, sorte de camisole à sangles munies d'anneaux ; le malade, à l'expiration, se comprime lui-même le thorax.

2° Inspiration avec élévation verticale des bras suivie d'expiration avec abaissement des bras et flexion du tronc jusqu'à l'horizontale.

3° Inspiration en partant de la position de flexion du tronc, les mains touchant le sol avec relèvement jusqu'à la position des bras en croix. L'expiration se fait dans le sens inverse.

4° L'inspiration combinée à la rotation du tronc sur les hanches immobiles et l'expiration pendant le mouvement inverse pour revenir à la position de départ.

« Ces quatre mouvements, quotidiennement répétés en séries, suffisent très largement à faire passer en trois mois la capacité spirométrique d'un enfant obèse de sept ans de 1 litre 15 par exemple à 1 litre 75. S'ils sont continués tous les jours pendant quelques années, le thorax acquiert un développement surprenant et la capacité thoracique dépasse de beaucoup la moyenne, en même temps que l'on voit apparaître les bienfaits d'une bonne ventilation pulmonaire. »

Chez les débutants, Heckel recommande de ne pas répéter chaque exercice plus de six fois de suite. Les exercices respiratoires sont toujours mélangés à des mouvements des membres et des muscles abdominaux, mais dans la séance de vingt minutes, la moitié de la durée doit être affectée aux exercices respiratoires.

Comme nous, Heckel a observé la griserie d'oxygène qu'il attribue à une suroxygénation bulbaire et qui en tout cas ne persiste jamais plus d'une semaine.

Après la phase d'exercices respiratoires qui forme le point de départ de sa cure, Heckel recommande les exercices respiratoires de vitesse, en particulier le saut à la corde. « Une minute de saut suivie d'une minute de mouvements respiratoires et ainsi de suite, en augmentant chaque jour la progression, mais sans jamais dépasser quatre ou cinq minutes au total, » puis il passe aux exercices pour le développement des muscles expiratoires accessoires et des muscles de la ceinture abdominale. Nous avons décrit ces manœuvres à la technique.

Nous acceptons ces données d'Heckel à la condition que l'obèse examiné ait été reconnu rigoureusement sain du côté du parenchyme pulmonaire. Il faut rester dans les données de la systématisation médicale.

J) *Exercices de respiration et pleurésies sérofibrineuses à bacilles de Koch ou pleuro-tuberculoses primitives et secondaires.*

Ce chapitre est le plus probant sinon le plus intéressant de l'exposé de la méthode de l'exercice respiratoire. Ses indications, son action, sa puissance vont se manifester au cours de l'évolution qui conduit l'individu sain à la pleuro-tuberculose, qui mène ensuite le pleurétique à la tuberculose pulmonaire et à la phtisie. Notons les différentes étapes de cette déchéance organique ; demandons-nous pourquoi, comment, avec quel résultat l'exercice de respiration devra intervenir.

Les étapes peuvent se graduer ainsi dans un aperçu schématique :

Dénutrition prétuberculeuse et adénopathie trachéo-bronchique ;

Pleurésie sérofibrineuse dite primitive ou pleuro-tuberculose primitive ;

Convalescence des pleurésies ;

Germination bacillaire des sommets et sclérose des sommets ;

Induration tuberculeuse confirmée ;

Tuberculose ulcéreuse chronique, avec ses incidents ordinaires : hémoptysies, pleuro-tuberculose secondaire ;

Phtisie.

a) Nous n'acceptons que sous réserve la notion, aujourd'hui classique mais à notre avis inexacte, de la pleurésie considérée comme première manifestation bacillaire.

Cette notion présente la vérité clinique au premier abord, car le pleurétique avant sa pleurésie ne se plaignait de rien, ne souffrait de rien, ne faisait en rien appel à son médecin. Pour ceux qui comme nous ont réclamé depuis 1903 la *surveillance respiratoire* des adolescents et des enfants, qui ont toujours insisté, comme tous les élèves de notre maître Grancher, sur la nécessité de l'examen systématique et sur la traîtrise de l'invasion bacillaire, qui ont examiné avec soin des adolescents avant la venue de pleurésies dites à tort primitives, il faut admettre avant l'épanchement une période prémonitoire. Ce sera la *prétuberculose*, si on veut garder une expression imprécise, ce sera la *dénutrition prétuberculeuse*, si on veut exprimer avec les auteurs compétents que l'invasion bacillaire n'est pas fonction de la rencontre hasardeuse, fréquente, souvent heureusement indifférente du sujet et du bacille, mais qu'elle dépend de modifications trophiques et chimiques de l'organisme, préparé, par la baisse de sa vitalité, à laisser parasiter le microbe pathogène.

D'ailleurs, antérieurement à la pleurésie sérofibrineuse accompagnée du schéma 2 d'auscultation de Grancher trop souvent oublié, l'examen aux rayons X, l'auscultation au niveau du hile de la voix chuchotée prenant un timbre œgophonique (Despine), la percussion attentive, l'auscultation présternale et latérosternale du sujet tendant le cou (signe de Smith), montrent dans ces cas la fréquence d'une adénopathie trachéobronchique ; la mensuration symétrique dénote l'immobilité uni ou bilatérale du thorax et l'*intradermo-réaction* de Mantoux en révèle trop souvent la nature tuberculeuse. Ces signes physiques s'unissent à une baisse progressive du poids avec ou sans rémission. Cette baisse de poids est facile à noter par comparaison du poids actuel avec le poids antérieur maximum; elle atteint fréquemment 3 à 6 kilogrammes et nous avons noté avant tout symptôme subjectif des diminutions de 10 kilogrammes. Sous les clavicules, on trouve seulement un murmure vésiculaire, diminué ou altéré légèrement.

b) Dans ces cas de dénutrition tuberculeuse avec ou sans adénopathie trachéo-bronchique, mais avec intégrité, au moins relative, du parenchyme pulmonaire, l'exercice de respiration [1] forme une partie importante de la cure. Il s'alliera au repos physique, à la cure d'air, aux préparations minéralisatrices, aux injections de cacodylate de soude, de fer, de gaïacol véhiculé dans l'eau de mer, etc., il ne doit jamais constituer une thérapeutique physiothérapique opposée aux autres médications. Mais il est indispensable, car seul il peut remédier à l'inertie respiratoire qui s'est installée dès le début du syndrome.

Comment sera-t-il mis en œuvre?

Tout dépendra de l'état général du jeune sujet. Si l'état général est bon, s'il n'y a pas de fièvre mais seulement un arrêt du poids avec léger développement de la circulation sous-cutanée thoracique, le jeune sujet sera traité comme le rhino-adénoïdien opéré, c'est-à-dire qu'il fera une cure de trois mois à séances espacées (trois par semaine le premier mois, etc.). Toutefois, la progression sera lente, l'amplitude des mouvements longtemps faible; toujours un jeu progressif précédera le mouvement complet.

1. Pour la mensuration du thorax pleurétique, voir les travaux de Woillez et la thèse ancienne de Moine, 1870.

Si l'état général était mauvais, il faudrait user d'une grande prudence. Deux à trois exercices répétés cinq à dix fois : Voilà la dose de tâtonnement. Des séances très courtes, faites d'exercices en attitudes ou avec des mouvements passifs de faible amplitude, en commençant au besoin par des exercices des membres inférieurs, chercheront la tolérance du jeune sujet. S'il y a réaction, intolérance ou doute, suspendez. S'il y a deux suspensions, renoncez à la méthode.

Le plus souvent, le résultat est bon, la tolérance s'obtient, les chiffres de fonctionnement tendent à devenir normaux ; le développement anatomique sera amorcé. La cure sera suspendue après trois mois ; mais il sera bon et utile souvent de refaire une nouvelle cure ou plusieurs nouvelles cures de six en six mois, ou d'année en année, ces nouvelles cures étant indiquées par l'arrêt du développement de la poitrine, étant limitées par la remise en marche de l'élargissement anatomique du thorax.

c) Vienne *une pleurésie sérofibrineuse aiguë*, accident fréquent au cours de la dénutrition par germination tuberculeuse, souvent négligée ou passée inaperçue ; le malade devient un fébrile aigu, il a une lésion bénigne mais tuberculeuse sans aucun doute ; quelle sera la conduite du physiothérapeute ?

Nous avons déjà eu l'occasion, au sujet des pneumonies et des broncho-pneumonies, de dire que nous étions partisan de l'intervention kinésithérapique pendant la phase aiguë. Cette intervention doit être double ; elle doit avoir pour objet la mobilisation simple des bras et des jambes pour éviter l'atrophie inévitable du repos total ; elle doit également avoir pour objet la correction des fautes physiologiques de respiration préjudiciables au malade sans fièvre, bien plus graves pour le malade fébrile. Cette substitution de la notion de correction du mode respiratoire à la notion antérieure à nos recherches de quantité d'air respiré, jette, nous l'avons déjà dit, sur le problème du traitement kinésique des pyrexies une singulière lumière. Nous ne demandons pas au pleurétique anhélant de respirer beaucoup ; nous lui demandons de ne pas faire les fautes de physiologie (respirations saccadées, heurtées, buccales) qui traumatisent un poumon déjà malade.

Pour un organe dont l'immobilisation est impossible, puisqu'il faut respirer, le minimum de fatigue sera certes dans un fonctionnement modéré conforme aux lois de la nature. Il nous arrivera de restreindre par nos exercices le jeu exagéré du poumon pleurétique ; ainsi l'exercice de respiration, fait paradoxal au premier abord, absurde avec les conceptions des officiers suédois, peut être modérateur et diminuer la quantité d'air respiré. Il n'est en quoi que ce soit opposé aux théories du professeur Robin, sur l'usure du poumon au cours de la bacillose par une exagération respiratoire.

Peu à peu, dans une deuxième phase faite de prudence clinique et de sagesse médicale, l'exercice de respiration passera au développement quantitatif du jeu respiratoire. Ce point de vue nouveau et cette conception auront raison, j'espère, des appréhensions médicales ; toutefois, la mise en pratique du traitement kinésithérapique dès la phase aiguë des pleurésies, malgré son apparente simplicité, exige que le médecin soit rompu à la méthode, ce ne sont pas là des cas d'étude. Le médecin qui n'a pas l'habitude de ces pratiques devra s'adresser au spécialiste, ou attendre, pour intervenir, la phase de la convalescence.

Si les médecins non physiothérapeutes invoquent la prudence pour justifier leur abstention, le kinésithérapeute peut incriminer leur imprudence, alors que par leur abstention, ils laissent s'amorcer des lésions corticales du poumon, s'organiser des adhérences, se préparer des scléroses ou des congestions chroniques. Quelquefois l'immobilité respiratoire est par elle-même la condition essentielle de la gravité de certaines pleurésies ; et en cas de danger de mort, on nous concédera que l'intervention kinésique réglementée par nos procédés doit l'emporter sur l'abstention, cause de catastrophes prochaines.

Nous allons donc envisager en détail, au cours de la phase aiguë des pleurésies : α) les raisons d'intervenir, β) la technique précise, γ) et les idées directrices de la kinésie, δ) les résultats obtenus sous les trois chefs constants (diurèse avec déchloruration, reprise en poids, action locale).

α) L'intervention du traitement respiratoire s'impose dès que l'appréhension de la kinésithérapie est levée. Le pleurétique est atteint d'insuffisance respiratoire sous ces 4 modes ; son rythme irrégulier heurté fatigue le parenchyme pulmonaire[1], son incursion thoracique est faible ou nulle, souvent asymétrique par conservation relative de l'ampliation du côté sain ; son diaphragme est paresseux, souvent complètement inerte du côté de l'épanchement ; et la respiration buccale a bien des fois remplacé le type nasal seul physiologique. Nous avons admis que l'insuffisance respiratoire est un trouble fonctionnel dangereux, curable par l'exercice de respiration ; la conclusion s'impose. Mais ici, comme chez le rhino-adénoïdien, il est à désirer que la voie aérienne supérieure soit libérée, car certes, ce n'est pas au moment d'une pleurésie aiguë que nous pourrons enlever les amygdales hypertrophiées ou les végétations adénoïdes. Si la voie supérieure est obstruée, nous serons dans la nécessité de faire un traitement palliatif jusqu'au jour où le malade sera suffisamment rétabli pour subir l'intervention indispensable.

---

1. Simonin a noté des pauses entre les divers temps de la respiration.

Rarement l'indication d'intervenir viendra de la crainte d'un danger immédiat de mort. Néanmoins, dans notre mémoire des *Archives générales de médecine* (janvier 1909), les deux premières de nos observations ont trait à deux cas de pleurotuberculose primitive où le traitement fut commencé en pleine phase dangereuse. Notre premier malade Jean D. (Obs. I), avec une taille de 1^m,75, pesait à son entrée dans la salle, 65 kilogrammes au lieu de 70 kilogrammes, poids antérieur maximum constaté un an auparavant. Or, il entre le 28 novembre 1904 et, le 12 décembre, il pèse 58^{kg},500, soit une perte de 13 livres en quatorze jours, avec une *vitesse d'amaigrissement* de près de 500 grammes par jour. On crut alors à une généralisation tuberculeuse, diagnostic que vint réfuter la victoire de notre méthode.

Notre deuxième malade était dans un état encore bien plus précaire. Il s'agit d'un serrurier âgé de vingt-cinq ans, entré le 31 octobre 1904 salle Béhier n° 21 ; il a une taille de 1^m,68, mais, alors qu'il pesait 62 kilogrammes un an avant son entrée, il ne pèse plus que 54 kilogrammes à son arrivée dans la salle. Dès l'entrée, on note quelques symptômes graves, mine fébrile, aspect épuisé, dyspnée considérable, respirations : 30 par minute, sueurs nocturnes abondantes. Du 7 au 9 novembre, l'état s'aggrave considérablement, perte de 1 kilogramme en quarante-huit heures, avec une vitesse d'amaigrissement de — 500 grammes par jour [du 31 octobre au 7 novembre, le malade avait perdu 1 kilogramme seulement avec une vitesse de — 150 grammes environ par jour], apparition d'un syndrome méningé avec raideur de la nuque, hyperesthésie cutanée, exagération des réflexes, céphalée intense, absence de signe de Kernig. Ici encore, le diagnostic posé par nos élèves de la salle fut celui de généralisation tuberculeuse ; et pourtant la kinésithérapie, en redonnant un nouvel élan à l'état général est venue à bout de ce syndrome impressionnant.

Qu'il s'agisse donc de danger immédiat par amaigrissement rapide, par syndrome pseudo-méningé ou par méningisme, l'exercice de respiration doit être mis en œuvre sans retard. Dans les cas ordinaires, il y aura avantage à y recourir rapidement, ce ne sera plus une nécessité.

β) Voici la technique que nous recommandons à la phase aiguë : elle s'appuie sur les principes de prudence et d'obéissance aux lois physiologiques, principes qui dirigent toutes nos recherches de thérapeutique.

Au début, la séance minima sera une séance de 5 à 10 respirations nasales, le malade étant immobile, soit dans le décubitus dorsal, soit dans le décubitus latéral qui lui paraîtra le plus agréable, bras du côté malade en sautoir ; c'est la *séance d'essai*. Demandez des respirations nasales, surveillez attentivement le rythme, n'exigez pas des respirations profondes, au besoin, ne faites pas de séance régulière ; faites au malade d'abord une simple démonstration sur vous-même et ne le faites respirer que le lendemain.

Après quelques jours la séance plus importante comprendra 3 à 5 exercices répétés 10 à 20 fois ; soit un total de 30 à 100 respirations.

Voici deux types de séance à employer selon la tolérance du malade à la phase aiguë. Le bras du côté malade est en sautoir.

Type I (séance maxima de début) :

20 respirations nasales simples ;

20 respirations diaphragmatiques d'exclusion ;

10 à 20 respirations avec flexion de l'un et de l'autre membre inférieur.

Type II (séance de cure à la phase fébrile) :

10 à 20 respirations nasales simples ;

10 respirations avec flexion de l'un et l'autre membre inférieur ;

10 respirations diaphragmatiques d'exclusion ;

10 respirations avec mains du côté sain derrière la nuque ;

10 respirations avec écartement passif faible du bras du côté sain.

Toutes les variétés peuvent se faire entre les deux types de séance. Selon l'impression clinique, répétez tel exercice, supprimez-en un autre. La fatigue ou la tolérance du malade vous guideront.

Pour montrer qu'il s'agit ici de schématisation de la pratique et non d'une règle étroite et absolue, nous allons indiquer la technique que nous avons suivie dans quelques-unes des observations publiées. Tout d'abord nous croyons recommandable de mettre le bras du côté malade en sautoir devant la poitrine — encore que cette attitude ne soit pas indispensable. On peut également incliner la tête et le thorax du côté malade de façon à limiter l'incursion thoracique de ce côté.

Dans notre première observation où le danger venait d'un amaigrissement excessif, donnant l'impression clinique d'une généralisation bacillaire, nous avons procédé ainsi :

Le 12 décembre 1904, nous sommes en pleine phase aiguë, nous débutons par une séance qui nous convainc de la tolérance complète du malade. Elle consiste en :

20 respirations nasales ;

20 respirations nasales avec bras droit (côté sain) derrière la tête.

20 respirations nasales avec flexion de l'une et l'autre jambe.

Cette dose est suffisante ; elle est répétée quotidiennement et amène un excellent résultat.

Chez notre deuxième malade, chez qui un amaigrissement à marche rapide s'associait à un syndrome pseudo-méningé, la technique fut suivie selon la progression énoncée ci-dessous.

Le premier jour en pleine fièvre (38°7 et 39°4), en plein syndrome méningé la séance comprend :

20 respirations nasales spontanées ;

20 respirations avec flexion de l'un et l'autre membre inférieur ; c'est-à-dire une séance maxima de début.

Le 12, encore en pleine période fébrile, nous ajoutons à la séance :

20 respirations avec écartement passif léger du bras gauche (côté sain).

Cette séance de 80 respirations en 4 exercices est répétée quotidiennement et nous verrons plus loin le résultat.

Notre septième observation du mémoire des *Archives générales de Médecine* (janvier 1909) est intitulée :

Obs. VII. — Pleuro-tuberculose primitive droite. Exercices respiratoires commencés à la période fébrile, deux jours après une thoracentèse d'urgence. Diurèse immédiate progressive. Accroissement en poids de $5^{kg},500$.

Les exercices respiratoires furent commencés le 19 octobre 1904 et pendant tout le cours de la maladie la séance comprit les exercices suivants répétés progressivement 5 à 20 fois.

Respirations nasales spontanées ;

Respirations avec flexion de l'une et l'autre jambe ;

Respirations avec écartement passif du bras sain à oscillations faibles et progressives.

La progression que nous donnons aujourd'hui est donc identique à celle recommandée dans notre Mémoire antérieur, où nous écrivions :

« Pendant la phase aiguë, selon l'état, la tolérance et les indications, on peut aller de 10 respirations nasales en décubitus dorsal, bras au corps, à une petite séance comprenant :

20 respirations nasales en décubitus dorsal, bras au corps;

20 respirations diaphragmatiques ;

20 respirations avec mise derrière la tête du bras du côté sain.

On peut aussi utiliser la séance suivante :

20 respirations nasales, 20 respirations diaphragmatiques, 10 respirations avec flexion de la jambe droite, 10 avec flexion de la jambe gauche.

Le bras du côté malade est mis d'abord en sautoir au-devant du thorax, puis laissé le long du corps. »

Donnons encore comme type de prudence active la progression suivie pendant la phase aiguë chez le malade présenté le 18 novembre 1904 à la Société médicale des Hôpitaux de Paris.

Le 27 avril B... est en pleine période d'épanchement, bien que sa température soit peu élevée, ce jour-là la séance comprend :

Explications sur la respiration nasale. Installation douce de la respiration nasale ; soit, en plusieurs fois, un total approximatif de 20 respirations nasales.

Du 28 avril au 2 mai, 20 respirations nasales ;

Du 3 au 5 mai, 20 respirations nasales ;

20 respirations diaphragmatiques.

Le 5 mai (thoracentèse après ablation d'un litre de liquide), la séance comprend :

20 respirations nasales ;

20 respirations diaphragmatiques ;

20 respirations en décubitus dorsal avec position élevée du bras du côté sain (qui saisit la barre du lit).

Du 7 au 12 mai, jour où le malade subira une nouvelle thoracentèse avec retrait de 800 centimètres cubes, la séance comprend :

20 respirations nasales ;

20 respirations diaphragmatiques d'exclusion ;

20 respirations avec élévation du bras, côté sain.

20 respirations avec abduction en croix passive du bras droit (côté sain).

Du 13 mai au départ du malade, on ajoute à la séance précédente :

20 respirations avec position élevée des deux bras.

Ces séances sont admirablement supportées malgré l'hyperthermie qui atteint fréquemment 38°3.

Une séance variant du type *séance d'essai* soit 5 à 10 respirations en décubitus dorsal au type de séance de cure à la phase fébrile soit 5 exercices répétés 10 à 20 fois, forme donc le traitement kinésithérapique de la phase aiguë des pleurésies au point de vue respiratoire. Mais le pleurétique risquerait de voir, dans l'immobilisation, s'atrophier son tissu musculaire. Il ne faut donc pas, à moins d'indication clinique spéciale, le condamner au repos absolu dans son lit. On l'engagera à changer de décubitus, à remuer, à s'asseoir autant que le permettra son état général. De plus, matin et soir, et sans s'occuper de la respiration, on lui fera les exercices *musculaires* suivants :

10 à 20 flexions de l'avant-bras sur chaque bras;

10 à 20 flexions de chaque membre inférieur ;

5 à 20 mouvements de circumduction de l'articulation tibiotarsienne.

Je ne verrai qu'avantage à faire également un léger massage sous forme d'effleurage des membres supérieurs, des muscles de thorax et du membre inférieur. Il n'y a aucune contre-indication à utiliser l'électricité sous forme de courant continu qui peuvent redonner une vigueur nouvelle au tissu strié et contribuer à la *myothérapie*. L'air chaud en douche pourra être utilisé, mais je lui crois plutôt un rôle antidouloureux qu'une action trophique. L'emploi de ces méthodes accessoires sera subordonnée à la nécessité impérieuse de ne pas produire de fatigue, de ne pas surmener le système nerveux du malade.

γ) Tel est le traitement kinésithérapique de la phase aiguë. Il est exceptionnel que le malade ne le tolère pas à la dose initiale. Conduit médicalement, il est admirablement supporté et il nous donne le triple résultat que nous avons déjà vu dans les convalescences et que nous allons retrouver dans le traitement du pleurétique après l'épanchement. Ce sont :

La diurèse avec déchloruration au commandement ;

La reprise du poids ;

Le développement physiologique puis anatomique de la poitrine.

Que veut dire cette expression : *diurèse avec déchloruration au commandement ?* Cela veut dire que le barrage rénal cède dès que la méthode-kinésithérapique est instituée, en pleine phase d'épanchement, en pleine phase fébrile. Pour juger l'importance de cette action, il faut se reporter aux travaux de Nicolas et Courmont qui, dans une communication à la Société médicale des hôpitaux de Lyon (1904), ont divisé l'évolution de la pleurésie en deux périodes.

« Une première période d'augmentation avec fièvre, perte de poids, dysurie, hypochlorurie, augmentation de l'épanchement. Une deuxième période de résorption et de convalescence avec apyrexie, augmentation du poids, polyurie, hyperchlorurie, albuminurie, résorption de l'épanchement. »

Or prenons le cas du malade de notre communication

du 18 novembre 1904 à la Société médicale des hôpitaux de Paris. Du 20 avril au 13 mai 1904, il est dans la première période puisque l'augmentation de l'épanchement nécessite une double thoracentèse les 5 et 12 mai avec évacuation de 1.000 centimètres cubes la première fois, de 800 centimètres cubes la seconde. Pendant ce stade fébrile, la quantité d'urine passe de 1.000 à 1.500 centimètres cubes, atteint 2 litres le 3 mai, reste à deux litres le 5 mai, jour de la première thoracentèse, et le 11 mai, veille de la deuxième thoracentèse, nous enregistrons la quantité colossale de 4 litres.

Dans cette observation il y a simplement déchloruration par augmentation de la quantité d'urine, c'est le premier mécanisme. Nous le retrouvons par exemple dans notre 5e observation du mémoire des *Archives générales* où P... fait une déchloruration au commandement par diurèse sans augmentation du taux des chlorures. Ceux-ci sont et restent à 6 p. 1000 ; mais la quantité des urines passe de 750 grammes avec 4 grammes, à 2 litres et demi avec 15 grammes de chlorures, pendant que la température oscille entre 37 et 38°.

Dans l'observation I de ce mémoire, Jean D... commence sa diurèse avec une température de 37°8 le matin et 38°2 le soir ; dans l'observation II, Ch... la commence avec une température dépassant 39°. Dans l'observation VII la température oscille entre 38 et 38°4 pendant que l'urine monte de 500 grammes à 1 litre.

D'ailleurs si la thoracentèse est suivie le plus souvent de diurèse, souvent cette concordance n'existe pas ; l'élimination urinaire sera déclanchée plus d'une fois par l'exercice de respiration. Ainsi dans l'observation VII la thoracentèse faite le 17 octobre a laissé l'urine à 300 centimètres cubes. Le troisième jour, l'exercice respiratoire est commencé ; et de suite la diurèse se produit malgré la fièvre. Dans l'observation IX, comme dans l'observation VIII, la quantité des urines baissée après la thoracentèse se relève par l'exercice de respiration. Dans l'observation XI la diurèse suit l'exercice, une thoracentèse faite la veille n'avait pas relevé le taux des urines.

Même lorsqu'elle s'installe à la phase aiguë, *cette diurèse n'a jamais fait maigrir nos malades* : il serait curieux de rechercher dans ce cas s'il n'y a pas en même temps une diminution de l'évaporation pulmonaire ou de l'élimination intestinale. La diurèse en tout cas ne saurait être attribuée uniquement à l'augmentation d'ingestion de boissons. Certes au moment où elle s'installe nous engageons fortement nos malades à boire comme nous le faisions auparavant; mais les faits de déchloruration signalés sont un garant de l'existence d'un phénomène physiologique dû probablement ici encore à l'exagération de l'aspiration thoracique invoquée par tous les physiothérapeutes.

A côté des cas où la déchloruration s'effectue au prorata de l'augmentation de la quantité des urines nous avons noté deux séries de variations différentes qui méritent d'être signalées.

Dans la première, la plus favorable, mais la plus rare, il y a à la fois déchloruration par augmentation de la quantité des urines et par concentration du taux des chlorures dans ces urines. Nous en avons un exemple à l'observation III de notre mémoire des *Archives* où nous voyons le taux des chlorures passer de 4 à 6 et 10 p. 1000 pendant que la quantité des urines va de 500 centimètres cubes à 2 litres, pendant que la température reste au-dessus de 37,5.

Dans la seconde, il y a déchloruration par diurèse malgré un abaissement relatif du taux des chlorures dans l'urine.

L'observation XV de notre mémoire des *Archives* pourrait être discutée à ce point de vue. La diurèse se fait au commandement, les chlorures passent de 4ᵍʳ 50 à 15 grammes. Mais avant l'exercice de respiration leur taux était de 9 p. 100 ; avec l'exercice, il est de 7 p. 1000. Faut-il admettre, à cause de ce pourcentage, que la diurèse a été en partie augmentée artificiellement par l'ingestion de liquide ?

Nous croyons plus probable de faire entrer en ligne de compte une modification de régime qui diminuait le sel ingéré.

Nous avons insisté sur ces phénomènes de diurèse avec déchloruration observés à la phase fébrile et malgré la présence d'épanchement [1] parce que ces faits, bien que non retenus dans les travaux sur la déchloruration, sont indéniables. Quant aux phénomènes d'augmentation en poids et de développement du thorax pendant la phase fébrile, ils trouveront leur place à l'étude des convalescences des pleurésies. Ils s'y retrouvent avec une intensité bien plus marquée.

La pleurésie sérofibrineuse ne survient pas toujours comme une manifestation cliniquement initiale de la germination tuberculeuse, souvent elle survient au cours d'une tuberculose pulmonaire ulcéreuse chronique. Elle n'est plus alors la pleurotuberculose primitive, mais la pleurotuberculose secondaire. *Quelle est la conduite à tenir au cours de la phase aiguë de la pleurotuberculose secondaire*, c'est la question que nous allons envisager.

1. L'autosérothérapie de Gilbert a, postérieurement à nos recherches, établi sans contestation possible la réalité de diurèse en pleine phase fébrile.

Vigneron, dans sa thèse, déclare que la diurèse a été payée dans un de nos cas (*Soc. Méd.*, 18 novembre 1904) d'une poussée aiguë de tuberculose pleurale, pure vision de son esprit. Il s'agit d'un des meilleurs résultats qu'on puisse espérer !

La réponse s'en trouve d'ailleurs dans des recherches publiées tant dans notre mémoire de janvier 1909 que dans notre communication du 27 janvier 1905 à la Société médicale des hôpitaux de Paris, intitulée « Pleurésie sérofibrineuse chez un tuberculeux. Traitement par la rééducation et la gymnastique respiratoire. Diurèse au commandement. Augmentation en poids de plus de 7 kilogrammes ».

Sur le désir de nos camarades de l'hôpital Saint-Antoine, nous avons commencé le traitement kinésique le 22 novembre 1904, alors que le malade avait une température oscillant entre 37 et 38°. Il avait maigri de 300 grammes en trois jours avec une vitesse d'amaigrissement de — 100 grammes par jour. Les urines donnaient pour 750 centimètres cubes environ, 6 grammes de chlorures soit 8 p. 1000. Ajoutons qu'il portait au sommet gauche les signes d'une infiltration tuberculeuse déjà en voie de liquéfaction (craquements, bacilles dans les crachats) et à la base gauche des reliquats de son épanchement (matité, obscurité, frottements).

La phase aiguë de la maladie ne se termine que le 1er décembre, où la température se mit à osciller entre 36°8 et 37°2.

Or du 23 novembre au 1er décembre, nous avons utilisé la kinésithérapie. Voici la technique suivie et le résultat obtenu :

Le 23 novembre, nous faisons au malade une séance initiale très prudente qui comprend :

20 respirations en décubitus dorsal ;

20 respirations avec flexion de la jambe droite ; .

20 respirations avec flexion de la jambe gauche.

Cette séance constitue la séance maxima que l'on puisse faire en pareil cas. Nous conseillerons, à cause de la lésion pulmonaire, de tâter d'abord la susceptibilité du malade par une ou plusieurs séances de 5 à 10 respirations (voir plus loin la description de l'*épreuve d'essai* chez les tuberculeux).

La dose d'exercices respiratoires n'a pas été augmentée. Nous nous sommes abstenus de tout mouvement passif, même du bras côté sain. La tolérance a été absolue de même que dans l'obs. XI (*Arch. générales*, janvier 1909), *Pleurésie droite chez un infirmier atteint d'induration du sommet. Tolérance absolue des exercices. Augmentation en poids de 3*kg*,500*).

En résumé, en présence d'une pleuro-tuberculose secondaire, nous schématisons la conduite à tenir de la façon suivante pendant la phase aiguë.

Pendant trois jours, faire exécuter au malade, bras du côté malade en sautoir devant la poitrine, 5 à 20 respirations nasales peu profondes.

Les jours suivants, arriver en tâtant la tolérance, à une séance comprenant :

20 respirations en décubitus dorsal, bras en sautoir.

5 à 20 respirations diaphragmatiques d'exclusion ;

5 à 10 respirations avec flexion de l'un et l'autre membre inférieur.

Ces doses sont suffisantes pendant la phase aiguë. Elles sont moindres que celles de la pleurotuberculose primitive. Les exercices seront suspendus à toute manifestation d'intolérance (toux, réaction fébrile, modifications locales, etc.), sur lesquelles nous reviendrons en étudiant les rapports de la tuberculose confirmée et de l'exercice de respiration.

ε) En cas de pleuro-tuberculose secondaire à la phase aiguë, le résultat obtenu peut se formuler ainsi :

Diurèse avec déchloruration au commandement ;

Augmentation en poids.

Développement physiologique du thorax.

C'est donc notre triple effet de l'exercice de respiration. *Mais le résultat est des plus aléatoires ;* il peut être intense ou nul selon la tolérance du sujet ; il peut être stable ou passager.

Dans notre observation de la *Société Médicale*, l'amélioration se produisit au commandement :

En pleine période fébrile, la diurèse s'établit, malgré une température irrégulière oscillant entre 37° et 38°, elle dépasse immédiatement 2 litres, et sauf un jour où une diarrhée accidentelle l'interrompt pendant vingt-quatre heures, elle se maintient entre 2 et 3 litres. Les chlorures varient de 20 à 25 grammes avec du lait et et de la nourriture sans sel et à la reprise de l'alimentation commune, une élimination de plus de 30 grammes par jour indique l'absence de toute rétention.

L'augmentation en poids, le développement du thorax sont souvent dans ces cas très accentués ; nous en reportons l'exposé à l'étude de la conduite à tenir dans les cas de tuberculose pulmonaire confirmée. Nous voyons déjà que l'exercice de respiration sera d'autant moins utilisable que la lésion pulmonaire est plus marquée.

d) Si la méthode kinésithérapique pouvait être discutée à la phase aiguë de la pleuro-tuberculose primitive, elle ne saurait plus l'être après l'évacuation et la résorption de l'épanchement, quel que soit le procédé qui ait amené la disparition de l'exsudat (évolution spontanée, thoracentèse, autosérothérapie à liquide filtré[1], etc.), et la disparition de la fièvre. A ce stade : la gymnastique respiratoire a été

1. *Société Médicale des Praticiens,* 1912.
Archives médico-chirurgicales des Voies respiratoires, février 1912. p. 164.

depuis longtemps employée par de nombreux auteurs ; elle l'a été d'une façon insuffisamment progressive et réglée. Nous comprenons que ces tentatives aient créé contre la kinésithérapie une prévention qui n'était pas injustifiée. Voici par exemple un extrait d'une communication d'Osler (de Baltimore) à la British Medical Association ; on s'étonnera de ne pas y trouver cité le nom de Knopf dont nous avons signalé les beaux travaux. « Dans un cas aigu, dès que la fièvre se déclare, on doit commencer les exercices pulmonaires qui forment toute une méthode. Il est inutile d'attendre la résorption du liquide : l'exercice peut en effet en favoriser la disparition. On peut avoir recours à l'inhalation d'air comprimé en chambre ou de préférence à une méthode plus simple d'exercices inspiratoires. Tandis que le malade est encore au lit, il peut souffler avec force de l'eau d'une bouteille Wolf dans une autre. Pendant plusieurs années nous avons employé cette méthode, particulièrement chez l'enfant, après l'empyème et il est remarquable que l'on peut rapidement et complètement ramener le côté attaqué à sa dimension normale. Lorsque le malade peut se lever, tout exercice inspiratoire est utile, pour peu que l'on persiste.

« La chaise utilisée dans la clinique de Naunyn est particulièrement commode pour les cas de pleurésie tuberculeuse avec fausses membranes épaisses et rétraction du côté. Le malade est assis de côté sur la chaise, comprime fortement le côté sain sur le dossier et fait de grandes inspirations qui dilatent forcément le côté malade.

« On doit tout d'abord se livrer à cet exercice avec précaution, car la tension des adhérences peut être douloureuse, mais, en persistant, on obtient d'excellents résultats.

Plus tard on doit pratiquer matin et soir des exercices respiratoires ordinaires coordonnés ».

On nous accordera sans peine que l'emploi immédiat des manœuvres les plus énergiques de kinésithérapie et l'absence de toute indication de progression ont pu effrayer les médecins à bien juste titre.

C'est ainsi que dans le *Manuel de thérapeutique* de Debove-Achard, il est écrit au *traitement post-pleurétique* (E. Sergent): « L'hygiène locale comprend l'ensemble des moyens propres à éviter ou à combattre la symphyse pleurale et la rétraction thoracique. Ces moyens sont le *massage*, qui a pour but de faire disparaître l'atrophie des muscles de la paroi consécutive aux épanchements de longue durée et la gymnastique respiratoire sous toutes ses formes. Il importe cependant de se souvenir que les mouvements forcés des bras sont préjudiciables aux malades atteints de tuberculose; que Sabourin les leur interdit formellement et que, en pareil cas, l'*immobilisation* du thorax devra être préférée à la *gymnastique respiratoire*. »

Or, l'exercice de respiration ne doit procéder ni par exercices violents, ni par mouvements forcés des bras. Il est depuis nos recherches, un procédé médical, physiologique, de douceur, rigoureusement réglé.

Reprenons donc le pleurétique le jour de la défervescence de sa pleuro-tuberculose primitive et indiquons les étapes du traitement.

α) Même s'il a été traité, mais surtout en l'absence de traitement, le pleurétique à ce moment reste atteint d'insuffisance respiratoire, donc justiciable de la méthode. Son insuffisance respiratoire est marquée par :

L'immobilité absolue ou relative du thorax, immobilité soit bilatérale, symétrique, soit asymétrique, avec prédominance du côté malade.

La limitation de l'incursion du diaphragme, bilatérale

symétrique, ou plus souvent latéralisée du côté malade, facile à vérifier aux rayons X ; les incursions nulles sont fréquentes.

Le mode buccal ou bucco-nasal.

Des erreurs de rythme, soit au point de vue des rapports de durée de l'inspiration et de l'expiration, soit au point de vue de la succession des diverses respirations.

L'insuffisance respiratoire est accompagnée d'une série de signes qui sont le reliquat de l'atteinte pleurale à la base, et la signature de la congestion du sommet en germination discrète tuberculeuse (voir plus loin l'étude du sommet de Grancher). Ce sont :

A la base un territoire plus ou moins étendu de submatité avec variation des vibrations quelquefois de sens différent (congestion du poumon ou épaisses fausses membranes) avec obscurité et pectoriloquie aphone, etc.

Au sommet, des signes délicats de modifications qualitatives du murmure vésiculaire, avec ou sans variation par exagération des vibrations, par diminution du son de percussion, par superficialité éclatante du retentissement de la toux et de la voix.

La constatation de ces phénomènes indique d'une façon absolue la nécessité de l'exercice de respiration, d'autant qu'il est facile de constater la disparition de tous ces signes dans les cas de guérison spontanée complète. Nous aurons à revenir plus loin sur les asymétries thoraciques post-pleurétiques.

β) Voici schématiquement *la technique* recommandée dans les convalescences des pleurésies.

Soit un pleurétique qui n'a jamais eu de traitement kinésithérapique.

Dans la première semaine le traitement comprendra des

séances courtes quotidiennes allant selon la tolérance de la séance minima (épreuve d'accoutumance) à la séance maxima dont voici les formules :

Décubitus dorsal, bras en sautoir.

Epreuve minima (séance d'essai) :

15 à 20 respirations nasales.

Epreuve maxima (séance de cure de convalescence au début) :

20 respirations en décubitus dorsal ;

20 respirations diaphragmatiques d'exclusion ;

10 à 20 respirations avec flexion de l'un et l'autre membre inférieur ;

20 respirations avec bras du côté sain fléchi, main à la nuque.

En somme, à la fin de la première semaine de convalescence, le pleurétique non éduqué à la phase aiguë aura rattrapé comme type de séance l'entraînement du pleurétique traité déjà à la phase fébrile ; celui-ci n'aura, pour arriver à la séance maxima indiquée, qu'à subir le dernier exercice ajouté à sa séance ordinaire ; il gardera l'avantage d'une accoutumance meilleure. A dose égale, l'exercice sera bien plus efficace.

La progression des exercices est, après cette semaine, une question essentiellement de clinique et d'habitude kinésithérapique. Elle dépend aussi de la possibilité où sera le médecin de voir le malade tous les jours ou de ne le voir que une à quatre fois par semaine. Nous préférons des séances courtes quotidiennes pendant la fin du premier mois de convalescence, et des séances bi-hebdomadaires pour la continuation ultérieure du traitement.

Pendant la fin du premier mois les séances introduisent rapidement la mobilisation du bras du côté sain, puis le bras du côté malade quitte la position en sautoir, pour s'allonger le long du corps et se mettre à la nuque vers le quinzième jour. Enfin, à la fin du mois, vous commencez nos mouvements à oscillations inégales en décubitus dorsal. Voici quelques formules :

Séance quotidienne de la deuxième semaine. Décubitus dorsal; bras du côté malade en sautoir.

20 respirations diaphragmatiques d'exclusion ;

20 respirations avec flexion de l'une et l'autre jambe ;

20 respirations avec main côté sain à la nuque ;

20 respirations avec, à volonté, traction antérieure, abduction, traction en arrière du bras sain (mouvement passif, progressif).

Au début de la troisième semaine, même séance, main du côté malade à la nuque.

Voici une séance de la quatrième semaine :

10 respirations diaphragmatiques d'exclusion ;

20 respirations avec flexion de l'une ou l'autre jambe ;

10 respirations avec main du côté malade à la nuque;

20 respirations avec traction postérieure à oscillation progressive du bras sain ;

20 respirations avec écartement inégal des bras tendus en avant.

Pendant le deuxième mois, les séances vous permettent d'augmenter la mobilisation inégale du bras du côté malade. Vous utilisez des séances analogues aux formules suivantes :

Type A. Décubitus dorsal :

20 respirations diaphragmatiques d'exclusion ;

20 respirations spontanées, mains à la nuque ;

20 respirations avec abduction passive inégale des bras allongés le long du corps;

20 respirations avec écartement passif inégal des bras tendus perpendiculairement au lit ;

20 respirations avec traction inégale postérieure des bras (très faible du côté malade).

Type B. Même séance ; les troisième et quatrième exercices se font dans la station assise.

Type C. Décubitus dorsal :

10 respirations diaphragmatiques d'exclusion ;

10 respirations avec flexion de l'une et l'autre jambe ;

20 respirations avec abduction passive inégale des bras tendus le long du corps.

Station assise :

20 respirations spontanées ;

20 respirations, mains à la nuque ;

20 respirations avec écartement inégal passif des bras tendus en avant.

Massage du thorax.

Peu à peu, pendant le troisième mois, dans des séances hebdomadaires de cinq à dix exercices répétés dix à vingt fois, en se conformant aux indications cliniques qui peuvent et doivent modifier la conduite, vous introduisez les oscillations inégales progressives, pour arriver aux mouvements passifs que nous avons ordonnés aux rhino-adénoïdiens. Voici deux types de séance, l'une du début du troisième mois (A), l'autre de fin du troisième mois (B).

Séance A. Respirations en décubitus dorsal :

20 respirations spontanées ;

20 mains à la nuque, jambes pliées ;

20 avec abduction passive, inégale, progressive des bras ;

10 avec flexion de l'une et l'autre jambe ;

20 avec traction postérieure passive des bras.

En station assise :

20 avec traction supérieure inégale progressive des poignets ;

20 avec mains aux hanches ;

20 avec écartement progressif des bras tendus en avant.

En décubitus latéral droit, puis gauche :

20 avec abduction unilatérale du bras, à fond côté sain ;

20 avec abduction unilatérale du bras, progressif, côté malade.

Séance B. Décubitus dorsal :

20 respirations diaphragmatiques d'exclusion ;

20 respirations, mains à la nuque avec flexion du membre inférieur ;

20 avec traction inégale progressive des bras ;

20 avec écartement progressif des bras tendus en avant ;

20 avec abduction bilatérale égale complète des bras.

Station debout :

20 respirations diaphragmatiques d'exclusion ;

20 avec abduction égale des bras ;

20 avec traction supérieure, inégale, progressive des poignets ;

20 avec traction supérieure égale des poignets ;

20 avec mains à la nuque.

Si vous pouvez continuer l'entraînement, utilisez à partir du quatrième mois des séances hebdomadaires puis bimensuelles de 5 à 10 exercices répétés 10 à 20 fois, où vous intercalerez quelques mouvements actifs au milieu des séances (piaffage, fauchage, mouvements actifs des bras et des jambes) en exerçant une surveillance sérieuse et en vous défiant d'exercices comme le mouvement de circumduction active des bras, à propos duquel je fais, dès que le sommet n'est pas parfaitement sain, les plus sérieuses réserves. Le mouvement actif des bras doit toujours être l'exception,

rester de faible amplitude, et être pratiqué avec ménagement.

On peut encore aller plus loin dans le développement du
côté malade, en renversant pour ainsi dire l'exercice unilatéral. Il servait au début, à ménager le côté malade ; il pourra,
en fin de cure et *tardivement,* servir à amplifier le même
côté.

Voici quelques manœuvres : respirations avec mouvements
passifs unilatéraux du bras du côté malade, traction, abduction, etc... Inspirations saccadées se faisant au début dans
une attitude, se continuant dans un deuxième temps (Œrtel
et Hugues), avec un mouvement du tronc tel que redressement en arrière, inclinaison du côté sain ou avec un mouvement passif bilatéral ou même unilatéral du côté malade, abduction du bras, etc.

Nous recommandons la prudence.

Nous n'avons pas craint de multiplier les formules de
séance, de façon à permettre à tout médecin de faire bénéficier tout malade du traitement kinésithérapique. Nous ajoutons comme manœuvre accessoire, le massage des muscles du
thorax (trois à cinq minutes, après chaque séance) en se con-
tentant de manœuvres très douces ; effleurage, pincements,
friction simple, etc.

γ) Quant à la durée du traitement, il nous semble difficile
de l'enfermer dans une affirmation dogmatique. Le traitement ne sera terminé que par' la disparition des signes
d'insuffisance respiratoire, et par l'arrêt de l'amélioration des
signes physiques. Nous y reviendrons au sujet du sommet
suspect.

δ) Dans l'étude du résultat, nous aurons à revenir sur l'effet
obtenu à la phase aiguë.

Quelle que soit la forme d'insuffisance respiratoire envisagée, l'effet est toujours identique et contenu dans les limites suivantes. La méthode produit :

La diurèse avec déchloruration ;

L'augmentation du poids avec retour au poids antérieur maximum ;

Le développement de la cage thoracique avec suppression des asymétries.

Elle n'a aucune action anti-infectieuse.

Nos observations démontrent la véracité de ces propositions.

Nous avons, à propos de l'étude de la phase fébrile, insisté sur la diurèse avec déchloruration obtenue en phase fébrile. Lorsque cette diurèse est en retard sur la défervescence, l'exercice de respiration en amène l'apparition. Cette diurèse s'accompagne de déchloruration soit par augmentation de la quantité des urines avec conservation du taux antérieur des chlorures, soit par augmentation de la quantité des urines et concentration des chlorures (comme dans la période fébrile, Obs. III, *Arch. générales*, janvier 1909). Ainsi dans notre observation V des *Archives*, les chlorures sont au taux de 6 p. 1000, avec une élimination de 3 grammes par jour avant l'exercice, mais avec une élimination de 15 grammes le troisième jour du traitement physique où la diurèse atteint 2 litres et demi. En se reportant aux graphiques de notre mémoire, le lecteur pourra voir que tantôt la diurèse se produit en coup de hache et atteint d'emblée son maximum ; elle passe de 300 grammes à 2 litres et même 3 ; d'autres fois, elle se relève lentement et progressivement en augmentant de 2 à 300 grammes par jour. Enfin, il est évident que si la diurèse critique s'est établie antérieurement, l'exercice de respiration ne fera que la maintenir.

L'augmentation en poids avec retour au poids antérieur

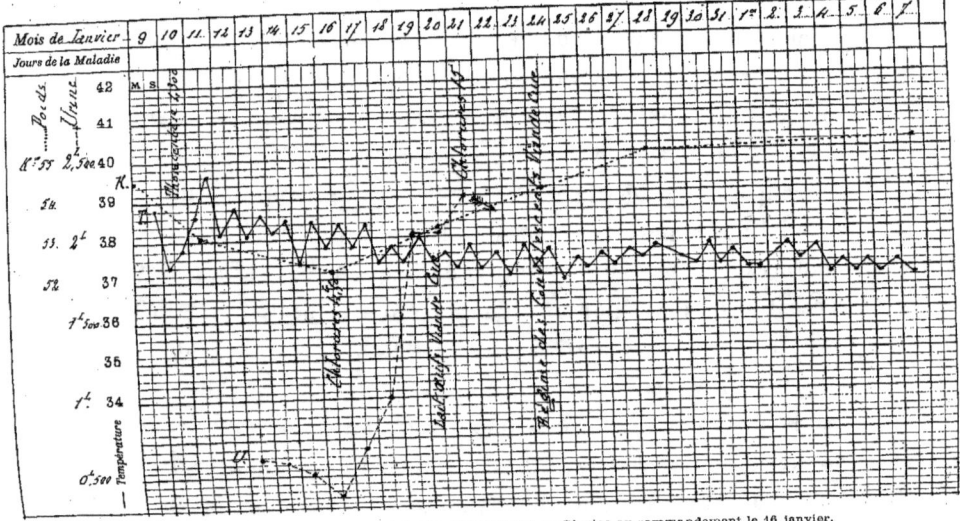

Courbe de l'Obs. XV (*Archives générales*, janvier 1909). — Diurèse au commandement le 16 janvier.

maximum est un des faits les plus importants du traitement kinésithérapique des pleurésies. Elle présente ici, comme dans les convalescences des pyrexies, les caractères suivants : *elle est immédiate, progressive, indépendante de toute suralimentation*. Elle est immédiate, c'est-à-dire que dès le début de son emploi, l'exercice de respiration modifie la courbe du poids. Si le poids était en voie d'accroissement, il y a relèvement de la courbe par augmentation des synthèses organiques ; si le malade était en équilibre de poids, le poids s'exagère ; si le malade était en période de dénutrition, la vitesse d'amaigrissement est ralentie, elle passe bientôt à un stade d'équilibre rapidement suivi par la reprise du poids.

Il est facile de trouver dans nos observations des exemples frappants de cet arrêt immédiat ou progressif de la dénutrition avec reprise du poids relative ou réelle. En pleine période fébrile de pleurésie grave, Jean D. (Obs. I) voit son amaigrissement jugulé. Or, il a maigri de 13 livres en quatorze jours (65 kilos le 29 novembre, 58^{kg},500 le 12 décembre) avec une vitesse de près de — 500 grammes, si on ne tient pas compte des thoracentèses. Avec les thoracentèses qui ont enlevé 1 350 centimètres cubes l'amaigrissement corrigé reste de 10 livres en quatorze jours, soit de — 380 grammes par jour. L'arrêt est immédiat. Pendant cinq jours le poids reste stationnaire, puis il remonte d'abord lentement avec une vitesse faible (+ 100 à + 150 grammes par jour), puis avec une vitesse presque égale à la vitesse de déperdition [59^{kg},300 le 24 décembre, 65 kilogrammes le 15 janvier, soit près de 6 kilogrammes en vingt-deux jours ; vitesse exacte = + 272 grammes par jour]. Ayant atteint son poids antérieur maximum, notre malade continue à augmenter de poids et gagne en trois mois 10 kilogrammes avec une vitesse de + 110 par jour. [Voir la courbe dans notre mémoire.]

L'observation n° 2 nous montre un exemple d'arrêt progressif d'un amaigrissement. Ici on peut vérifier toute l'importance des notions du poids antérieur maximum et de la vitesse de variations du poids. Après le début des exercices de respiration, notre deuxième malade (mémoire des *Archives*) continue à maigrir. Mais, de son entrée à l'hôpital 31 octobre 1904 au 9 novembre, il passe de 54 kilogrammes à 51^{ks},600 avec une vitesse de — 240 grammes par jour. Le 9 sont commencés les exercices respiratoires. L'amaigrissement continue jusqu'au 21 ; il est de 2^{ks},400 en treize jours, avec une vitesse de — 180 *pro die,* modification d'ailleurs bien appréciable sur notre courbe. Il sort le 28 décembre avec un poids de 58 kilogrammes, ayant gagné 9 kilogrammes en trente-sept jours avec une vitesse de + 250 grammes environ *pro die.* Or toute cette évolution du poids s'est faite pendant une période fébrile et malgré un état général grave. La vitesse positive de reprise du poids s'accentue au fur et à mesure que l'on s'écarte de la période de grands accidents présentés par ce malade.

Dans l'observation III, malgré une température oscillant entre 37° et 38°, malgré la diurèse quantitative progressive de 500 centimètres cubes à 2 500 centimètres cubes, malgré la déchloruration par diurèse et par concentration (4 p. 100, 6 p. 100, 10 p. 100) l'exercice de respiration détermine immédiatement une reprise en poids à vitesse croissante de + 100 pendant cinq jours avec un maximum de + 300 pendant les cinq jours suivants et un retour à + 200 pendant les cinq jours d'après.

Ces exemples d'augmentation en poids, d'arrêt de l'amaigrissement à la période fébrile nous permettront de ne pas donner les exemples de reprise en poids obtenus par l'exercice au moment de la convalescence. Toutefois l'observation XIII

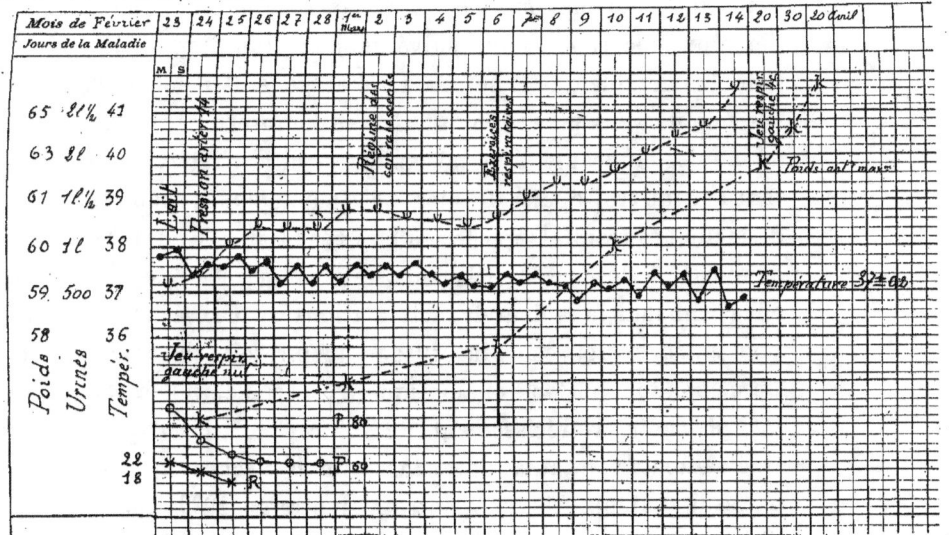

Courbe de l'Obs. XIII du Mémoire des *Archives générales*, janvier 1909. — Noter le relèvement de la courbe par l'exercice.

de notre mémoire des *Archives* est particulièrement intéressante parce qu'elle est un exemple de convalescence accélérée par l'exercice physiologique [Voir courbe p. 245]. Du 23 février au 6 mars, notre malade gagne 2 kilogrammes avec une vitesse de + 200 et la diurèse oscille entre 1 litre et 1 litre et demi. Le 6 mars début des exercices : du 6 au 20 mars, malgré la diurèse qui atteint 3 litres, la vitesse d'accroissement atteint + 350 grammes par jour. Malgré le retour au poids antérieur maximum elle continue avec la même vitesse. Signalons encore les points suivants. L'amélioration est d'autant plus notable que le sujet a un état général meilleur, un système nerveux plus résistant. Cela se comprend car il s'agit de la mise en branle d'un mécanisme qui s'arrêterait chez tout malade trop épuisé. De même, les sujets jeunes donneront de meilleurs résultats que les sujets âgés : après 50 ans la raideur et l'ankylose des cartilages costaux antérieurs s'associent en la primant à la raideur des articulations costaux vertébrales pour entraver la cure de l'insuffisance respiratoire thoracique. De même, tout obstacle anatomique irréparable, gibbosité de mal de Pott, rétrécissement de la trachée, cicatrice de trachéotomie sont autant de causes sinon d'échec au moins de résultat amoindri. Ainsi notre mémoire de 1909 rapporte l'histoire d'une nourrice, ancienne trachéotomisée, qui n'a gagné que 3^{kg},500 pendant sa convalescence d'une pleurésie gauche malgré tous nos efforts. La coïncidence d'une péritonite bacillaire au début pourra dissocier l'effet produit en laissant subsister la diurèse et la déchloruration en arrêtant la reprise en poids (Obs. XVII).

Notons que grâce à la notation du *poids antérieur maximum*, la majeure partie de nos malades nous quittent avec un *surpoids*, c'est-à-dire avec un poids dépassant d'une certaine quantité le poids le plus élevé qu'ils aient atteint antérieurement. Ce surpoids atteint 4 à 10 kilogrammes, il n'est souvent limité que par le départ trop hâtif de l'hôpital.

L'augmentation en poids est tellement certaine, nous dirions volontiers tellement mathématique, que son absence doit révéler au clinicien une complication probable ou une infection latente. Ainsi, dans l'observation III des *Archives*, l'arrêt incompréhensible de l'amélioration était due à une dothiénentérie, qui se révélait quelques jours après.

Quant au troisième caractère de l'augmentation en poids, c'est-à-dire à son indépendance du régime alimentaire, nous avons tenu à l'établir d'une façon irréfutable ; nous y reviendrons au sujet de la pleuro-tuberculose secondaire. Certes, même si l'exercice physiologique n'avait pour but que de permettre l'assimilation de nouveaux aliments, il n'en serait pas moins une manœuvre des plus utiles, car nous avons tous vu des malades continuer à maigrir malgré une alimentation copieuse. Mais, point des plus importants, l'exercice physiologique obtient un résultat avant toute modification de régime. Cette proposition est en somme logique et ne surprendra pas, si l'on veut serrer d'un peu près le problème. Un litre de lait contient 36 grammes d'albumine et correspond à plus de 700 calories. Un pleurétique ou un convalescent de pleurésie absorbe et digère 3 litres de lait : il prend donc plus de 100 grammes d'albumine par jour et 2100 calories en vingt-quatre heures, soit 35 calories par kilogramme pour un malade d'un poids moyen de 60 kilogrammes. Pour les malades plus lourds, il suffit de sucrer le lait ; le litre additionné de 60 grammes de sucre atteint alors 1000 calories, soit 3000 calories (régime surabondant) pour vingt-quatre heures. Le régime lacté *bien digéré* apporte donc un nombre de calories suffisant à l'organisme ; à la reprise de l'alimentation solide, en substituant un peu de légumes ou un peu de viande et de pain à une partie du lait, on abaisse le bilan des calories données par l'alimentation lactée. Aussi plusieurs de nos malades ont augmenté de poids par l'exercice, tout en restant au lait ; d'autres, mis au régime lacto-végétarien, n'ont augmenté que grâce à l'exercice, ou, s'ils augmentaient légèrement, se sont mis à augmenter davantage. Le graphique XIV est particulièrement instructif à cet égard en montrant la brisure produite par l'ascension forte du poids coïncidant avec les manœuvres de kinésie (p. 245).

Le mécanisme de l'augmentation en poids repose donc sur une meilleure utilisation des matériaux alimentaires ; nous chercherons à l'établir plus tard par des analyses de matières fécales.

Nous arrivons maintenant au point le plus marqué du résultat de la cure, c'est-à-dire à l'*action locale*. Si le pleurétique non rééduqué peut faire sa diurèse et reprendre son poids spontanément, ou mieux par une rééducation respiratoire spontanée presque toujours incomplète, il n'en garde pas moins un côté paresseux et inerte, d'une ampliation imparfaite avec tendance à la rétraction. M. le professeur Maurel (de Toulouse) a bien établi le point suivant. Etant donné que l'organisme sain tend à posséder une section thoracique d'une surface de 8 centimètres carrés par kilogramme, étant donné qu'au cours de la pleurésie et de sa convalescence le côté malade s'atrophie, il en résulte que le côté sain subit un développement compensateur et que la section reprend sa valeur d'équilibre. Or aucun mécanisme compensateur n'existe et pour cause chez le pleurétique traité par l'exercice de respiration.

Au cours du traitement dont nous avons successivement donné indication technique et premiers résultats, se produit un développement thoracique qui passe par les phases suivantes :

1° Augmentation physiologique du jeu du thorax avec diminution initiale du périmètre, et disparition des asymétries fonctionnelles. Atténuation des séquelles et reliquats pleuraux (territoires d'obscurité, bronchites localisées, etc...)

2° Augmentation anatomique du thorax redonnant une forme physiologique et des indices normaux. Retour du thorax à la symétrie. Retour à l'état normal de la percussion et de l'auscultation.

Dès l'application de l'exercice physiologique, les respirations deviennent plus calmes, plus amples, plus régulières, leur nombre diminue. Le jeu respiratoire s'accroît progressivement. Au début du traitement, il est presque nul du côté atteint. Cette diminution, qui va jusqu'à l'immobilité complète, n'est pas une réaction de défense, car elle est antérieure à la pleurésie ; non seulement elle existe du côté malade, mais le plus souvent elle est bilatérale ; caractère qui serait vite établi si les auteurs consentaient, comme nous fit l'honneur de le faire notre maître Grancher, à adopter notre *centimètre symétrique*.

Notre mémoire des *Archives* fourmille en reprises rapides du jeu thoracique partant d'un chiffre faible ou presque nul pour arriver rapidement à un jeu normal. Dans l'observation I le jeu thoracique du côté malade, nul le 12 décembre, atteint 3 centimètres et demi le 20 décembre, et 5 centimètres, chiffre plus que normal le 15 janvier ; dans l'observation III, le jeu thoracique droit passe de 1 centimètre et demi à 4 centimètres et demi.

Quelquefois le jeu thoracique diminué symétriquement se développe également symétriquement. Souvent l'amélioration du côté lésé est pendant un certain temps inférieure à l'amélioration obtenue du côté sain ; il serait indispensable de poursuivre le traitement et de le parfaire jusqu'à ce que le côté malade ait, comme le côté-sain, retrouvé son jeu normal, de 3 centimètres et demi au minimum à 5 centimètres chiffre normal et 6 centimètres et demi à 7 chiffre maximum.

Un seul exemple va fixer les idées d'une manière frappante :

Dans l'observation XII, le graphique n° 13 indique la marche de la maladie. Or à l'entrée la mensuration donne :

Périmètre subomo-sus-mammaire.   41.37 — 41,37 1/2
Périmètre xyphoïdien . . . . . .   42.37 — 42,37 1/2

Une telle mensuration, à juste titre, suscitait les remarques suivantes :

a) Sauf le cas peu probable d'une malformation, le côté droit est le siège d'un processus morbide, car il a 4 à 5 centimètres de plus que le côté gauche, au lieu de la moyenne de différence 1 centimètre et demi à 2 centimètres[1].

b) La respiration thoracique a une ampliation nulle du côté malade, comme presque nulle du côté sain dans les régions supérieures ; elle est nulle à la base malade, très faible à la base gauche. Seul le *centimètre symétrique* permet cliniquement de décomposer ainsi l'immobilité du thorax.

Bientôt le jeu thoracique se développe ; et une deuxième mensuration donne :

Périmètre subomo-sus-mammaire.   39.37 — 40,39
Périmètre xyphoïdien. . . . . .   38.37 — 40,38

Dans cette deuxième mensuration, au niveau du périmètre xyphoïdien, le jeu thoracique est deux fois plus ample du côté sain (2 centimètres) que du côté malade (1 centimètre).

---

1. Cette différence exagérée ou inverse nous a à plusieurs reprises permis de dépister des épanchements latents.

Enfin à la guérison, le thorax a un jeu symétrique de 6 centimètres, jeu encore un peu faible; voici la mensuration :

Périmètre subomo-sus-mammaire.   39.39 — 42.42
Périmètre xyphoïdien . . . . . .   38.38 — 41.41

Ces chiffres sont, pour nous, à la limite inférieure des chiffres normaux.

Suppression de l'immobilité thoracique bilatérale et antérieure à la maladie, retour progressif méthodique du jeu respiratoire à un chiffre normal, développement anatomique consécutif du thorax analogue à celui des rhino-adénoïdiens, voilà le domaine de l'exercice de respiration.

Nous ajoutons (*Société de kinésithérapie*, 9 décembre 1910) :

Le pleurétique, traité par l'exercice physiologique de respiration, ne fait pas de déformation thoracique ; il n'y a pas d'élargissement compensateur du côté sain [1] puisqu'il n'y a pas de réduction du côté anciennement malade. Seul l'exercice physiologique, en rétablissant le jeu du diaphragme et en ramenant le fonctionnement normal de la cage thoracique, peut déterminer la guérison complète locale de l'appareil respiratoire.

Pour donner la preuve de ces deux axiomes, il suffit de se reporter aux observations de pleurésie publiées dans notre mémoire sur les « résultats éloignés de l'exercice logique de respiration » (*Bulletin général de Thérapeutique*, 23 mai 1910). Dans l'observation II, nous voyons, à la fin de la cure (8 juillet 1906) d'une prétuberculose primitive gauche, le côté droit avoir un diamètre transverse de 14 centimètres, le côté gauche, de 13 centimètres, et, trois ans après, la différence

1. Adaptation de la section thoracique à la surface cutanée après les pleurésies suivies de rétraction costale (*Soc. de Biologie*, 2 juillet 1904, p. 45), professeur Maurel.

entre les deux côtés (15 centimètres à droite, côté sain, 14 centimètres et demi à gauche, côté malade) est certes plutôt au-dessous de la différence physiologique des deux côtés chez l'individu normal. Il est rare aussi que la supériorité de superficie du côté droit sur le côté gauche atteigne seulement 12 centimètres (253 contre 265).

L'observation IV de ce mémoire rapporte l'étude d'un malade qui fut présenté le 28 novembre 1904 à la *Société médicale des hôpitaux*. Nous avons pris la section thoracique pour la dernière fois le 30 avril 1909. Elle ne montre qu'une légère différence bien physiologique chez un ouvrier entre le côté droit et le côté gauche. Le côté droit a 277 centimètres, le côté gauche 258 centimètres, soit en tout 535 centimètres ou 7 centimètres carrés et demi par kilogramme, ce qui est presque la normale d'après le professeur Maurel.

Prenons encore le cas du malade qui fait l'objet de la deuxième observation de notre mémoire des *Archives générales de médecine* (janvier 1909). Cette observation est intitulée : *Pleurésie droite grave. Phénomènes nerveux simulant la méningite. Arrêt progressif de la dénutrition. Augmentation en poids de 14 kilogrammes provoquée par les exercices physiologiques.*

Après cinq ans, le diamètre transverse du côté droit est égal au diamètre transverse gauche (13 un quart et 13 un quart) et la section à droite est à peine inférieure de quelques centimètres à la section du côté gauche (210 centimètres à droite contre 225 à gauche).

Par l'effet du traitement la *pression artérielle* se relève ; elle était en général en cours de maladie aux environs de 9 à 12 ; elle atteint en fin de cure 16 à 17. De même les signes congestifs du sommet disparaissent ; par contre les signes de lésion cicatricielle persistent. En un mot, le pleurétique à la fin du traitement, même si le traitement a été un séjour d'hôpital, sort de sa maladie dans les meilleures conditions physiologiques de santé générale et locale.

η) Il est néanmoins nécessaire qu'il soit soumis à la *surveillance respiratoire*. La méthode des exercices physiologiques (*Société de Médecine de Paris*, 26 octobre 1907), nous ne cesserons de le répéter, n'introduit pas dans l'organisme un vaccin préservateur ou un sérum curateur; elle ne vaut que par la correction des fautes physiologiques et le développement de la fonction normale; son résultat ne reste acquis que si les fautes qualitatives ou quantitatives de physiologie respiratoire sont écartées. Le retour à la respiration buccale, comme l'arrêt de l'incursion thoracique, feraient renaître les risques de contamination tuberculeuse. Nous ne pouvons nous porter garants de la conservation de la santé des malades soustraits après la guérison de leur pleurésie à tout examen. Seule la surveillance respiratoire donne une garantie remarquable. Il importe que le pleurétique guéri soit pesé, ausculté, mesuré de temps en temps, une fois par mois d'abord, tous les deux mois ensuite. Ce sera la condition d'un résultat durable. Rien ne sert, avec des procédés simplifiés, de faire cette surenchère thérapeutique dont meurent les meilleures méthodes de traitement.

Philippe Tissié (de Pau), a étudié également, avec le style imagé qui lui est propre, l'action sur le thorax de la kinésithérapie respiratoire [1], il a noté la correction des déformations thoraciques post-pleurétiques par l'exercice de respition.

θ) Les considérations développées au sujet de la pleuro-tuberculose primitive s'appliquent aux résultats obtenus dans la

1. Voir *Journal des Praticiens*, 22 août 1908.

pleurotuberculose secondaire [pleurésies sérofibrineuses pendant l'évolution de la tuberculose ulcéreuse chronique]. Nous retrouvons le triple effet : nous obtenons la diurèse et la déchloruration au commandement, l'augmentation en poids, la disparition des signes physiques à la base, souvent même une modification favorable des lésions du sommet ; mais ces résultats sont aléatoires, incertains, et l'on devra, dans leur poursuite, obéir aux règles formelles que nous avons posées dans l'emploi de l'exercice de respiration au cours de la tuberculose confirmée [voir le chapitre suivant].

Dans notre mémoire des *Archives générales*, l'observation XI s'intitule :

Obs. XI. — Pleurésie droite chez un infirmier atteint d'induration du sommet. Tolérance absolue des exercices. Augmentation en poids de 3ᵏᵍ,500.

En se reportant au graphique, on voit que dans une première période fébrile le malade tombe de 58 kilogrammes à 56ᵏᵍ,400 en trois jours, avec une vitesse d'amaigrissement de près d'une livre par jour ; mais cette vitesse n'est qu'apparente : il faut tenir compte d'une thoracentèse de 1.500 centimètres cubes, faite dans ces trois jours, qui ramène à 0 la vitesse d'amaigrissement.

L'exercice respiratoire intervient, il faut vingt-cinq jours pour remonter au poids de 58 kilogrammes avec une vitesse d'accroissement de +64 grammes par jour qui dépasse, il est vrai, + 125 grammes la semaine suivante.

L'observation que nous avons présentée le 27 janvier 1905 à la Société médicale des hôpitaux s'intitule :

Pleurésie sérofibrineuse chez un tuberculeux. Diurèse au commandement. Augmentation en poids de plus de 7 kilogrammes.

Cette augmentation se fit avec une vitesse de + 370 grammes par jour et dépassa le poids antérieur maximum avant le départ au sanatorium d'Angicourt. En même temps le jeu thoracique passait du chiffre 4, absolument insuffisant, aux chiffres 8 et 8 1/2. Les signes physiques sont heureusement modifiés : à la base, le murmure vésiculaire pénètre suffisamment et on constate des deux côtés le signe de *Litten;* les vibrations et la sonorité sont normales. Au sommet tuberculeux les craquements sont restés ; mais un murmure vésiculaire presque normal a remplacé la respiration rude. Les bacilles persistent dans les crachats.

Malgré cette évolution favorable, nous avons arrêté notre traitement kinésithérapique et désiré le départ à Angicourt : il faut se défier des poussées trop rapides de croissance obtenues chez les tuberculeux par une thérapeutique non spécifique ; elles peuvent conduire aux plus cruelles faillites.

*
* *

Nous n'avons pas eu l'occasion d'étudier la pleurésie purulente au point de vue kinésithérapique. Il faudra évidemment apporter la plus extrême prudence à la phase infectieuse de la maladie. A la convalescence, quand l'infection est passée, la conduite pourra être énergique ; elle brûlera les étapes de la pleuro-tuberculose primitive.

Au dernier Congrès de chirurgie (1911), les rapporteurs ont recommandé incidemment la gymnastique respiratoire dans le traitement des fistules pleurales. Certes, l'exercice de respiration, dans tous ces cas où le fonctionnement du poumon est entravé, trouve une indication palliative, mais il n'a à intervenir qu'à titre secondaire. N'allons pas retomber dans les exagérations d'autrefois qui ont tant nui à la kinésithérapie.

K) *Exercice de respiration et tuberculose pulmonaire chronique de la germination (sommet de Grancher) à la phtisie* [1].

Nous allons étudier le mode d'intervention aux différentes périodes de l'évolution de la tuberculose pulmonaire ulcéreuse chronique. D'une façon schématique, on peut se contenter de la division en deux stades. La première est le stade de germination, d'invasion tuberculeuse des ganglions trachéo-bronchiques et des sommets. C'est cette période dont on doit la description à notre éminent maître Grancher qui encouragea toujours nos recherches et voulut bien s'y intéresser. Le deuxième stade comprend les étapes de la tuberculose confirmée depuis l'induration bacillaire encore fermée du tuberculeux jusqu'à la caverne du phtisique ; nous verrons avec quelle prudence croissante doit être manié l'exercice de respiration au fur et à mesure que le tuberculeux descend la pente trop souvent fatale.

a) L'adolescent atteint de germination tuberculeuse des sommets est très souvent un rhino-adénoïdien non opéré ou opéré et non rééduqué. Souvent aussi, il a simplement une respiration buccale sans obstacle anatomique. D'autres fois, une insuffisance respiratoire thoracique de fatigue a précédé l'invasion bacillaire et a passé inaperçue. De toutes façons, il porte au sommet des signes d'auscultation qui sont essentiels et gardent toute leur valeur, même après la description des procédés récents de diagnostic de la tuberculose, et en particulier de l'*intradermo-réaction* de Mantoux. Le thorax aplati avec un indice de Fourmentin faible a une ampliation de 1 à 3 centimètres, souvent nulle même à quatorze ans.

1. Au Congrès de la tuberculose de Naples (1900) Hirtz et Brouardel ont étudié les modifications du rythme respiratoire au début de la tuberculose pulmonaire.

Nous ne voulons pas reprendre la discussion qui eut lieu en 1907 à la Société médicale des Hôpitaux sur la valeur des signes du *sommet de Grancher*. Dans nos recherches antérieures, de l'étude attentive des travaux de notre maître et de ses élèves, de l'évolution de nos malades, du contrôle des rayons X, nous avons pu déduire les affirmations suivantes :

On ne peut nullement de l'immobilité thoracique conclure à une germination bacillaire ; car cette immobilité, comme nous l'a montré l'étude des rhino-adénoïdiens, est souvent complète, totale, malgré un état satisfaisant en apparence de la santé générale ; elle est fréquemment bilatérale bien avant l'invasion unilatérale de la germination bacillaire ; elle n'est pas forcément liée à l'adénopathie trachéo-bronchique. Elle est un signe d'insuffisance respiratoire.

La diminution et la faiblesse *quantitatives* du murmure vésiculaire du sommet n'ont de valeur bacillaire que dans les conditions suivantes : elles doivent être faciles à constater, constantes et ne pas disparaître ou même ne pas subir de modifications rapides ou notables par la cure d'exercices de respiration. Sinon, il s'agit simplement d'insuffisance respiratoire par atélectasie, par paresse ampliatoire ou évacuatrice des sommets, et non pas de tuberculose pulmonaire.

L'altération qualitative du murmure vésiculaire, c'est-à-dire la dureté, la rudesse, le caractère bronchique de ce murmure, ou la diminution constante, rebelle, presque totale du murmure vésiculaire sont des signes de germination tuberculeuse et donnent le plus souvent de l'obscurité du sommet à l'écran radioscopique. Encore faut-il par l'étude de l'état général (courbes du poids, fréquence du pouls, prises de la température toutes les trois heures, persistance des accélérations du pouls ou des élévations thermiques dus à

KINÉSITHÉRAPIE.   III-17 l'exercice, etc...) essayer de savoir s'il s'agit d'une sclérose tuberculeuse du sommet (Bezançon) ou d'une germination en évolution. Ces signes s'atténuent à la longue ; ils disparaissent rarement en totalité.

Il faut attacher une grande importance au retentissement de la toux et de la voix [1].

b) *Quelle technique* allons-nous suivre en présence d'un cas de germination tuberculeuse du sommet [2] ? Deux règles, l'une d'ordre local, l'autre d'ordre général. 1° Il faut comme toujours vérifier d'abord l'état du rhinopharynx et faire pratiquer les libérations indispensables de la voie aérienne. Pour manquer à ce principe, fût-ce temporairement, il faudrait une raison capitale, affaiblissement trop grand, hémophilie, etc.

2° L'exercice de respiration viendra s'ajouter et non se substituer au traitement hygiéno-diététique.

Sur ces deux réserves, le traitement sera mis en œuvre avec une prudence d'autant plus grande que l'état général est moins bon, avec une progression d'autant plus lente que les signes des sommets sont moins douteux, avec une *sagesse d'autant plus accentuée* que les *résultats sont meilleurs.* Voici comment il faut régler la marche générale du traitement; notre pratique a vérifié les conseils suivants que nous donnions en 1904 dans la 2ᵉ édition du *Traité des Maladies de l'enfance* du professeur Grancher. « En cas de sommet de Grancher, tâter la susceptibilité de votre sujet;

1. Hutchinson, créateur de la spirométrie, préconisait le diagnostic précoce de la tuberculose par la spirométrie. Hecht (1855) a accepté et soutenu la même opinion.

2. Dans un but de recherche physiologique, Vigneron a étudié chez les tuberculeux pulmonaires aux 1ᵉʳ, 2ᵉ et 3ᵉ degrés les effets de la constriction de la partie inférieure du thorax. C'est une manœuvre dangereuse qu'il suffit d'opposer à nos progressions méthodiques.

faites les deux premières semaines des séances sans mouvements passifs ou actifs des bras. A la troisième semaine les mouvements passifs seront donnés avec une course faible. Arrêter s'il y a toux ou même s'il y a envie de tousser ; mais avec une sage progression, *le mouvement à oscillations inégales* devient le *mouvement à oscillations progressives;* et dès le deuxième mois, la cure se poursuit comme celle d'un adénoïdien avec des résultats remarquables. »

Dans notre leçon du 13 mars 1907 faite à la Faculté (*Journal de Médecine interne*, 15 mai 1907), nous avons déjà précisé notre technique.

La voici :

Les deux premières semaines comprennent des séances d'accoutumance le plus souvent très facile à obtenir : commencez si possible par une séance quotidienne de 3 exercices de 5 respirations chacun, en mettant en sautoir [1] devant la poitrine le bras du côté malade. Voici la séance.

Attitudes :

Couché en décubitus dorsal ;

Couché en décubitus latéral sur le côté malade ;

Couché en décubitus dorsal, jambes fléchies.

Dès la fin de la première semaine et au cours de la deuxième semaine, variez les attitudes, augmentez le nombre des respirations faites à chaque exercice, habituez le sujet aux mouvements passifs par des mouvements passifs des jambes. Oscillez de 30 à 100 respirations ; faites 3 à 6 séances dans la semaine. En voici quelques modèles.

Mode A :

---

1. Hugues de Wiesbaden a utilisé la compression unilatérale du thorax par la main du médecin dans le but de limiter localement l'incursion respiratoire. Nous ne croyons pas son procédé efficace.

Le même auteur (*Deutsche Mediz. Zeitung*, 1904, n° 63) a noté la disparition, par l'exercice respiratoire, des zones d'obscurité du poumon.

5 à 10 respirations dans les attitudes suivantes; bras en sautoir :

1° Couché en décubitus dorsal ;

2° Couché en décubitus dorsal, jambes fléchies, respiration diaphragmatique d'exclusion ;

3° Couché en décubitus latéral côté malade [à supprimer en cas d'atteinte bilatérale] ;

4° Couché en décubitus latéral, main du côté sain à la nuque ;

5° Couché en décubitus dorsal avec élévation à 45° de la jambe tendue ;

Mode B :

5 à 15 respirations dans les attitudes suivantes, toujours le bras du côté atteint en sautoir :

1° Couché en décubitus dorsal, respiration diaphragmatique d'exclusion ;

2° Couché en décubitus latéral, côté malade ;

3°, 4°, 5° Couché en décubitus dorsal avec élévation à 45° d'une jambe tendue (droite, puis gauche, puis alternativement droite et gauche) ;

6° Couché en décubitus dorsal; respiration diaphragmatique d'exclusion.

Au cours des troisième et quatrième semaines, laissez le bras en sautoir et passez aux mouvements passifs du bras du côté sain dans des séances répétés 3 fois dans la semaine, comprenant 5 à 10 exercices de 5 à 20 respirations.

Voici un type de séance :

1° Debout immobile ;

2° Assis ;

3° Décubitus dorsal, respiration diaphragmatique d'exclusion ;

4° Couché, jambes fléchies ;

5° Debout, avec abduction à 45° au maximum du bras sain ;

6° Assis, avec traction à demi-course en haut du bras sain ;

7° Couché avec écartement par abduction des jambes tendues et soulevées légèrement ;

8° Couché avec abduction du bras sain ;

9° Couché, respiration diaphragmatique d'exclusion ;

10° Assis, avec abduction progressive de 30° à 90° du bras sain ;

Pendant le deuxième et le troisième mois, vous allez prudemment passer du mouvement unilatéral au mouvement bilatéral, après avoir fait quelques séances avec bras pendant le long du corps. Pour atteindre ce but, vous commencez par nos mouvements à oscillations inégales, puis vous utiliserez nos mouvements à oscillations progressives ; souvenez-vous, en cas d'hésitation, que *la vérité est toujours du côté de la prudence*. Voici deux types de séance, début du deuxième mois et fin du troisième mois (2 à 3 séances par semaine de 10 à 20 respirations avec repos de trois à dix minutes au milieu de la séance).

Type A :

1° Couché, respiration diaphragmatique d'exclusion ;

2° Couché avec abduction des jambes tendues surélevées ;

3° Couché avec abduction unilatérale du bras sain ;

4° Couché, avec écartement très inégal des bras tendus perpendiculaires au plan du lit ;

5° Debout, respiration diaphragmatique d'exclusion ;

6° et 7° Debout, écartement unilatéral du bras, puis bilatéral avec oscillations progressives incomplètes des bras ;

8° et 9° Assis, abduction unilatérale, puis bilatérale avec oscillations progressives des bras (faible du côté malade).

10° Assis, abduction symétrique à très faible amplitude.

Type B :

1° Couché, respiration diaphragmatique d'exclusion ;

2° et 3° Couché, avec flexion du membre inférieur droit, puis gauche ;

4° Couché, avec abduction bilatérale peu marquée des bras ;

5° Couché, avec traction en arrière, à oscillations progressives des bras ;

6° et 7° Assis, avec traction unilatérale en dehors à oscillations progressives d'un bras ;

8° Assis, avec écartement à oscillations inégales progressives des bras tendus en avant ;

9° Debout, avec abduction bilatérale des bras ;

10° Debout, avec main du côté sain à la nuque, abduction à faible amplitude du bras du côté malade.

En dehors des séances, le sujet fait matin et soir 5 à 20 respirations nasales, debout, immobile, bras en sautoir pendant les deux premiers mois.

Au quatrième mois, la cure se poursuit comme chez un rhino-adénoïdien. Il doit être bien compris que ce sont là des schémas de cure. Les sommets suspects sont d'inégale valeur et l'examen clinique garde tous ses droits pour décider du choix entre la progression très sage que nous venons d'énoncer [le médecin pourra encore la ralentir s'il le juge utile) et la progression plus rapide donnée par nous dans le Traité du professeur Grancher.

c) Les résultats de notre pratique de l'exercice physiologique de respiration ont été donnés dans notre rapport au Congrès international de Liège (1905), et dans notre communication au Congrès de Physiothérapie de Paris (*Bulletin général de thérapeutique*, 23 mai 1910). Nous ne voulons pas ici reproduire les documents justificateurs ni de la cure rapide, ni des effets prolongés ; nous devons simplement indiquer les grandes lignes du résultat. Elles peuvent se schématiser dans les propositions suivantes.

L'exercice de respiration provoque la reprise en poids de l'adolescent qui maigrissait ou exagère la reprise en poids déterminée par le traitement antérieur. Comme dans les pleurésies, cette reprise en poids est immédiate, progressive, indépendante du régime, pourvu qu'il soit suffisant. Elle atteint en trois mois 2 à 5 kilogrammes en moyenne chez les adolescents. Dans notre rapport à Liège, nous notons pour l'observation I les poids suivants :

Décembre 1904, 44 kilogrammes ; janvier 1905, 48 kilogrammes ; février, 49^{kg},850 ; avril 50^{kg},500. Pour l'observation III une augmentation de 5 kilogrammes en trois mois, etc. Cette augmentation se fait avec les variétés suivantes : elle est souvent brusque et considérable dès le début, avec ralentissement de la vitesse après trois semaines, par exemple. Ce sont les cas où le sujet faisait des fautes grossières, faciles à corriger, de physiologie respiratoire (respiration buccale, inspiration saccadée, brusque, inégale et incomplète). D'autres fois, elle est lente à se prononcer franchement ; ce sont les cas où l'exercice doit d'abord arrêter une dénutrition dont la vitesse diminue, pour changer bientôt de sens. Quelquefois même le résultat semble faible ou nul ; il s'agit souvent d'enfants à système nerveux fatigué. Dans ces cas les doses sont trop fortes, il faut tonifier le système nerveux (hydrothérapie, opothérapie nerveuse (*Société de Thérapeutique*, 1911), injections hypodermiques d'eau de mer, friction de varech, etc.) et adoucir le traitement.

Enfin il existe des observations moins brillantes, si l'on veut, par le résultat final, mais plus décisives encore et plus aptes que toutes à entraîner les convictions. Ce sont celles fort nombreuses où le sommet de Grancher est accompagné d'un état dyspeptique rebelle, qui déterminerait tôt ou tard une déchéance organique complète. Nous ne retrouvons pas l'augmentation en poids de 2 à 5 kilogrammes ; souvent l'état général reste médiocre ; néanmoins l'état pulmonaire s'améliore : le contraste entre l'amélioration des organes respiratoires et la médiocrité persistante de l'état général dénote, affirme, démontre la puissance de la méthode.

L'exercice de respiration détermine le développement de la cage thoracique. — Ce développement est marqué d'abord par l'augmentation du jeu thoracique avec diminution initiale du périmètre, ensuite par le développement anatomique du thorax.

Bien avant l'invasion de la germination tuberculeuse, le jeu thoracique pouvait être nul ; les thorax immobiles quoique sains sont légion. Parfois même le thorax diminue de périmètre à l'inspiration. C'est le phénomène que nous avons étudié sous le nom d'*effondrement paradoxal;* il est dû à ce fait que l'air atmosphérique ne vient pas remplir assez rapidement un thorax agrandi par le jeu du diaphragme et l'ampliation inspiratoire des côtes. Les cartilages costaux étant insuffisamment résistants pour supporter la pression atmosphérique, la région sterno-costale au temps de l'inspiration se rapproche de la colonne vertébrale. Une fois le rhinopharynx dégagé et la rééducation respiratoire faite, ce phénomène décrit après nous par de nombreux auteurs ne tarde pas à disparaître.

Rapide, précoce, quelquefois immédiate est l'augmentation de l'ampliation thoracique. Le développement anatomique ne commencera à se dessiner qu'après plusieurs semaines, souvent plusieurs mois, et il trouvera mieux son étude avec les résultats éloignés de la méthode.

Prenons dans nos observations du mémoire de Liège (1905) :

le jeune U... (obs. I) en quatre mois et demi voit son jeu thoracique (il a treize ans) passer de 4 à 6 et à 9 centimètres ; le jeune Pierre I... (obs. II), âgé de dix ans et demi (1^m,30, 27^{kg},440 au 26 mars 1904 avant la cure) retrouve en trois mois un jeu thoracique normal de 8 centimètres et 10 centimètres aux deux périmètres, avec une augmentation anatomique de 1 centimètre au diamètre supérieur (29 juin 1904, hauteur : 1^m,34 poids, 29^{kg},500). Cette évolution se lit sur les mensurations suivantes :

Périmètre subomo-sus-mammaire.

26 mars 1904. 29,29 — 30,30 = + 2.

29 juin 1904. 29 1/2, 29 1/2 — 33 1/2, 33 1/2 = + 8.

Périmètre xyphoïdien.

26 mars 1904 — 27, 27 — 29-29 = + 4.

29 juin 1904 — 27, 27 — 32-32 = + 10.

De même, le jeune Maxime E..., âgé de douze ans et demi, dont le jeu respiratoire est de 4 et 6 centimètres avec un thorax asymétrique au niveau de l'appendice xyphoïde arrive en deux mois et demi à un jeu de 10 centimètres au périmètre subomo-sus-mammaire, et de 8 centimètres au périmètre xyphoïdien avec disparition de l'asymétrie thoracique. Mais après trois mois, le thorax a un périmètre d'expiration inférieur de 2 centimètres au périmètre de début de cure, ce qui s'explique par l'abaissement complet des côtes au moment de l'expiration. Le développement anatomique tend à augmenter essentiellement le diamètre antéro-postérieur.

Il y a donc opposition entre la rapidité de disparition des phénomènes de fonctionnement vicieux et la lenteur bien naturelle, bien facile à comprendre de l'accroissement anatomique.

Le troisième effet de la méthode réside dans l'influence que l'exercice de respiration peut avoir sur les signes pulmonaires relevés à l'examen physique (percussion, auscultation, radioscopie, radiographie instantanée, etc...) ; nos résultats varient avec la nature du substratum. En général, tout ce qui est simplement trouble de fonctionnement (stase localisée de la base avec râles sous-crépitants sus-diaphragmatiques, inertie au sommet avec obscurité du murmure vésiculaire) s'atténue et disparaît. Fréquemment nous avons vu des sommets obscurs à l'oreille donner après quelques séances un murmure vésiculaire doux et agréable à l'oreille : *nous avons indiqué* à plusieurs reprises que *le diagnostic du sommet suspect ne saurait être posé sans l'épreuve de l'exercice de respiration.* Tout ce qui est congestion ou inflammation est en général atténué. Tout ce qui est cicatrice reste indélébile. Cependant *il arrive en fin de cure, mais alors tardivement et souvent incomplètement après plusieurs mois que la tare inspiratoire qualitative du sommet, signe de certitude de lésion probablement tuberculeuse du sommet, s'atténue ou disparaisse, sans doute par fonctionnement vicariant des alvéoles intacts du sommet.* Nous n'avons jamais vu une tare qualitative disparaître en quelques séances. La persistance de la tare inspiratoire qualitative n'est pas contradictoire avec l'idée de guérison ; il y a lésion cicatrisée. D'ailleurs, malgré les affirmations un peu hâtives d'un auteur récent, l'obscurité aux rayons X atténuée quelquefois par l'emphysème, diminuée par la disparition de la congestion, ne s'efface jamais.

Chez les dyspeptiques en état de germination tuberculeuse, nous avons vu des amaigrissements invraisemblables d'intensité ne pas entraîner de terminaison fatale et disparaître après l'amélioration tardive des fonctions stomacales parce que le fonctionnement normal du poumon avait évité l'évolution de la tuberculose pulmonaire secondaire.

Accroissement en poids, développement du thorax, amélioration des signes d'examen du poumon sont donc pour le sommet suspect, comme ils le sont dans les pleurésies, dans les convalescences, dans les états rhinopharyngés, le trépied d'action de l'exercice physiologique.

d) En cas de bacillose confirmée ou ouverte. Le sommet suspect marque la dernière étape d'action éclatante de l'exercice de respiration. Dès que l'induration du sommet se manifeste et se confirme, dès que sous la clavicule on trouve non plus les troubles initiaux du murmure vésiculaire, mais la matité avec augmentation des vibrations et la rudesse de l'inspiration, dès ce moment la méthode devient difficile dans ses indications, pénible dans sa direction, difficultueuse dans sa conduite générale, pleine d'aléas et de dangers qui ne seront évités que par les règles étroites que nous avons posées. Alors que certains auteurs comme l'américain Knopf, à qui nous devons de si beaux documents kinésiques, déclarent que chanter dans les rues guérit la lésion pulmonaire, nous n'avons cessé de jeter le cri d'alarme *au Congrès de la Tuberculose* 1905, *au Congrès de Liège* 1905 et dans toutes nos communications.

« 7° Autant (rapport du Congrès de Liège 1905, conclusions) la gymnastique et la rééducation respiratoire sont puissantes comme moyen prophylactique de la tuberculose pulmonaire des rhino-adénoïdiens ou comme moyen curateur du som met de Grancher, autant elle est irrégulière dans ses résultats dans le traitement de la tuberculose pulmonaire confirmée et ouverte du rhino-adénoïdien. »

« Dans la tuberculose confirmée (leçon faite à la Faculté en mars 1907) un traitement de deux à trois mois au plus peut être tenté avant l'envoi au sanatorium. Mais il est difficile à diriger ; il faudra tâter la susceptibilité du sujet... je ne conseille à mes collègues de s'y risquer que lorsqu'ils auront une pratique prolongée de la physiothérapie. »

Dans le *Traité des Maladies de l'enfance* du Pr Grancher (1905), nous recommandions en cas de tuberculose ouverte la plus extrême prudence et nous avions soin de déclarer que la cure kinésique n'est en rien opposée à la cure d'altitude ou d'aération qui doit lui succéder. « N'oubliez pas que la clinique garde tous ses droits même contre l'exercice respiratoire. »

Voici, d'après notre communication à la Société de Thérapeutique (14 novembre 1906), les principes essentiels qui doivent régler en pareil cas la conduite du médecin. Nous en compléterons le commentaire en utilisant les faits d'hypersensibilité présentés à la Société de Médecine de Paris (9 avril 1909) et une curieuse observation d'adénopathie trachéo-bronchique présentée à la Société médicale des Hôpitaux, (28 mai 1909).

1° Les manœuvres de gymnastique respiratoire seront toujours appliquées par le médecin lui-même. Il est même indispensable que le médecin ait l'habitude de la physiothérapie et qu'il ait soigné antérieurement par cette méthode des cas plus simples à diriger.

2° Quelle que soit la gravité de la situation du malade, quels que soient les incidents pathologiques qu'il présente, même si le développement *quantitatif* de la fonction respiratoire est contre-indiqué, il y a toujours utilité à corriger les fautes de physiologie respiratoire, à faire en un mot *qualitativement* la rééducation respiratoire.

3° L'application du traitement physiothérapique est difficile ; elle sera toujours dirigée avec la plus extrême prudence. Quelques séances courtes de 5 à 10 respirations réaliseront l'*épreuve d'essai*, dont le succès permettra la continuation du traitement. Des réactions défavorables feraient immédiatement, à quelque moment qu'elles surviennent, cesser l'emploi d'une façon définitive ou provisoire.

4° Si le traitement peut être poursuivi, et que la situation du malade s'améliore, le traitement sera d'autant moins intensif que le malade présentera une amélioration plus grande. En cas d'accroissement considérable et rapide du poids et du périmètre thoracique, le traitement physiothérapique sera suspendu ; le malade mis au repos sera rigoureusement surveillé. Le traitement sera repris, s'il en est besoin, avec la plus grande prudence, dans un délai que fixera l'examen clinique. C'est la loi de l'amélioration inhibitrice ; nous la tenons pour essentielle.

5° De toutes façons les cures seront courtes, de quelques semaines, entrecoupées de périodes de repos équivalentes[1]. Elles seront suspendues à la moindre réaction d'intolérance, même si le malade était tolérant au début. Les doses à employer sont de 5 à 20 respirations dans les premières semaines ; on ne dépassera pas 80 respirations par séance. Ces respirations seront faites par série de 10 avec repos entre chaque exercice — 2 à 4 séances par semaine. On utilisera surtout le décubitus dorsal, les mouvements passifs et de faible amplitude donnés doucement, surtout du bras du côté sain (écartement, traction en arrière, flexion).

6° La cure de sanatorium est le complément indispensable d'un traitement de tuberculose ouverte où entre la gymnastique respiratoire. Le médecin du sanatorium sera juge de l'utilité de continuer ou de cesser les exercices[2].

---

1. Dettweiler recommandait aux tuberculeux de faire pendant la marche des respirations profondes. C'est évidemment une imprudence.

2. L'injection intratrachéale transglottique massive, appliquée régulièrement, rend cette clause moins rigoureuse.

7° La gymnastique respiratoire *n'ayant aucune action antimicrobienne*, et s'adressant uniquement au terrain, ne sera indiquée que tant que le malade gardera un état général relativement satisfaisant (voir 2° principe).

Il est inutile d'ajouter que le traitement physiothérapique ne se substitue pas aux autres thérapeutiques dont il est l'auxiliaire et non l'ennemi. — Il laisse dans toute leur intégrité les différentes indications hygiéniques et médicamenteuses posées par les diverses écoles.

*
* *

La méconnaissance de ces règles explique la diversité des opinions contradictoires formulées par les différents auteurs sur cette question.

Cette divergence d'opinions trouve sa formule la plus nette dans l'opposition entre les affirmations déjà mentionnées de l'auteur américain Knopf, qui attribue à la gymnastique respiratoire une action curative considérable sur la tuberculose pulmonaire et celle absolument opposée de Küss (d'Angicourt), qui considère la rééducation respiratoire comme une méthode toujours dangereuse. Au contraire, notre élève Lagarde, dans une thèse soutenue en 1904, admet l'utilité de la gymnastique respiratoire sous certaines réserves qui correspondent à nos trois premiers principes. Personnellement, au Congrès international de la tuberculose, comme au Congrès de physiothérapie de Liège, nous avons soutenu le rôle considérable préventif et prophylactique de la rééducation respiratoire, sans aborder la conduite à tenir en cas de tuberculose confirmée.

Nous ne voulons pas revenir trop longtemps sur les beaux travaux de Knopf. Nous avons fait connaître dans notre revue générale (*Journal de physiologie*, juillet 1903) les recherches de cet auteur, exposées dans le *Bulletin of the John Hopkins Hospital* (septembre 1901). Nous avons montré, en publiant en détail sa technique, combien en cas de tuberculose, elle nous paraissait violente ou tout au moins trop énergique, puisqu'il utilise chez les bacillaires les mouvements actifs et passifs les plus étendus. Néanmoins Knopf ne relate pas d'accident ; peut-être faut-il tenir compte de la résistance organique plus grande des malades qu'il a eu à soigner.

Le volume *Titre et résumé des communications annoncées du Congrès international de la tuberculose* (Paris, 27 octobre 1905. Masson éditeur) contient, page 36, la note suivante que nous reproduisons *in extenso* :

« Inutilité et danger des manœuvres dites de gymnastique respiratoire chez les malades atteints de tuberculose pulmonaire par le Dr Georges Küss (d'Angicourt).

« J'ai eu l'occasion d'observer un certain nombre de tuberculeux pulmonaires qui suivaient ou qui avaient suivi un traitement par les manœuvres dites de gymnastique respiratoire.

« L'étude de ces malades m'a démontré :

« 1° Que les manœuvres de gymnastique respiratoire ne sont d'aucune utilité chez les tuberculeux ; elles ne sauraient remplacer ni chez les tuberculeux, ni chez les prétuberculeux, la méthode classique de *l'entraînement* par des marches graduées en terrain plat et en terrain incliné ;

« 2° Que les manœuvres de gymnastique respiratoire exposent très fréquemment les tuberculeux, même convalescents et en bon état, à une aggravation par des poussées nouvelles de tuberculose ; elles sont donc dangereuses et doivent être bannies systématiquement du traitement de la tuberculose pulmonaire. »

Dans cette déclaration absolue, nous ne tiendrons aucun

compte de l'interdiction posée par Küss dans la prétuberculose : nous avons, comme d'autres auteurs, démontré par des faits précis l'efficacité prophylactique de la méthode, et le Congrès international a admis, dans ses vœux, la propagation de la gymnastique respiratoire.

Notre élève Lagarde, dans sa thèse, a commencé à préciser les conditions cliniques du traitement. Nous lisons dans ses conclusions (*Thèse*, p. 59) :

« 5° La cure de gymnastique respiratoire doit toujours être entreprise avec la plus extrême prudence. Certains malades se montrent absolument intolérants ; ils ne pourraient être que fâcheusement influencés par la continuation des exercices. Il faudra ne pas insister ou se contenter, chez eux, de supprimer les fautes de physiologie respiratoire.

« 6° Entre des mains autres que celles d'un clinicien prévenu des dangers possibles, la gymnastique respiratoire serait une arme dangereuse et entièrement à proscrire. »

Nous désirons également, dans cette revue des différentes conceptions des auteurs, citer l'opinion très intéressante de Stuart Tidey (de Montreux), d'après sa communication au Congrès international de la tuberculose (1905) (*Comptes rendus*, t. Ier, p. 760). L'auteur désire maintenir au repos les lésions du poumon malade, tout en activant le fonctionnement des parties saines. Nous le citons :

« Quand il n'est besoin (p. 763, 6ᵉ alinéa) que d'une compression partielle du poumon, on peut employer un moyen plus simple (que la résection des côtes) et qui, sans être aussi énergique, n'en est pas moins aussi efficace sous certains rapports. Il consiste en une vigoureuse pression exercée à l'extérieur sur le thorax, de façon à resserrer sa partie inférieure et à immobiliser le haut. On obtient ce résultat par l'application de bandes de sparadrap fortement serrées et dont les unes, contournant le thorax dans une direction horizontale, s'entre-croisent, antérieurement et postérieurement, avec d'autres bandes posées verticalement et passant par-dessus la clavicule.

« Après cette opération, on prescrit au malade l'exercice en plein air et la respiration forcée. Celle-ci met en jeu les parties du poumon qui habituellement ne fonctionnent presque pas pendant que le rétrécissement du thorax dirige les parties saines du poumon vers la région malade. »

Fait bien intéressant, ce traitement ne serait pas sans inconvénient. « Dans certains cas, la compression du poumon provoque une aggravation de la maladie : c'est qu'alors l'infection tuberculeuse est très virulente ou que le mal s'est trop étendu. » L'efficacité est surtout grande quand le thorax a gardé son élasticité.

Bien que nous ayons tenu à citer la doctrine de cet auteur suisse, nous tenons à faire remarquer que sa doctrine se rapproche de celle de A. M. Bloch, énoncée à la Société de Biologie (1898, *Comptes rendus*, p. 489) et développée dans la thèse de Champion, intitulée : *De l'immobilisation du thorax dans la tuberculose pulmonaire*. On en trouve l'étude critique dans la thèse de Lagarde (p. 17-20). En tout cas, Champion repousse l'immobilisation dans la tuberculose pulmonaire au début[1].

*
* *

Les règles que nous avons formulées montreront ce qu'il y a d'exagéré tant dans la théorie de Knopf que dans celle de Küss. L'épreuve d'essai empêche le clinicien d'appliquer

1. La méthode du pneumothorax provoqué de Forlanini permet dans les tuberculoses unilatérales d'associer l'immobilité du côté malade à l'exercice rythmé et méthodique du côté sain.

la méthode aux malades qui en pâtiraient, et leur nombre est, il faut le dire, très important ; la loi essentielle de l'amélioration inhibitrice évitera des accidents qui peuvent être terribles. Il est, d'ailleurs, bien évident que les exercices respiratoires, thérapeutique physiologique, auront d'autant plus de chance de provoquer une amélioration que l'état général sera meilleur et la lésion moins avancée. Si, comme Jaccoud l'a dit dans ses leçons sur la curabilité de la phtisie, le sanatorium guérit par une gymnastique respiratoire inconsciente des lésions initiales, l'absence absolument démontrée par nous d'action anti-infectieuse des exercices de respiration nous indique. *a priori* qu'ils seraient d'un faible secours dans les lésions incurables aux autres thérapeutiques.

Nous n'insistons pas sur le premier principe : il est trop évident que, chez le tuberculeux, tout exercice pulmonaire doit être guidé par le médecin lui-même. Le fait même de la discussion actuelle recommande la plus extrême prudence, — nous avons, d'ailleurs, bien souvent répété que la gymnastique respiratoire ne peut exister que si elle reste médicale.

Le deuxième principe, c'est-à-dire la nécessité de corriger les fautes de physiologie respiratoire chez tous les malades, demande quelques explications.

Il est de toute évidence que rien ne serait plus dangereux que de perturber, par une impulsion intempestive, le fonctionnement du poumon chez un malade atteint d'accidents aigus, congestion périphymique, hémoptysie, etc..., mais nous ne comprenons pas l'étrange erreur de raisonnement commise par ceux qui voient une aggravation possible de la maladie dans la substitution du mode nasal, seul physiologique, au mode buccal de la respiration. Transposons le problème. Supposez un dyspeptique en proie à des vomissements répétés ; vous apprenez que ce malade, dans l'intervalle de ses vomissements, mange trop rapidement et sans les mastiquer des aliments indigestes. Allez-vous, sous prétexte de ménager son tube digestif, le laisser continuer de pareils errements ?

Certes, une grande douceur et une grande habitude de la technique physiothérapique sont nécessaires : au cours d'une hémoptysie qui se prolonge, chez un tuberculeux confirmé, comme chez un tuberculeux initial, s'il y a intérêt à empêcher le traumatisme pulmonaire par l'air froid et chargé de poussière qu'apporte la respiration buccale ou bucconasale, craignez aussi que le malade, pour modifier son mode respiratoire, ne fasse des respirations brusques, saccadées ou heurtées. C'est au physiothérapeute à y veiller, à savoir le moment opportun du conseil, à guider son exécution progressive, sans exercice proprement dit. Mais le mode respiratoire est le régime du poumon : dans les maladies de cet organe, comme dans les affections de l'estomac, il faut veiller au régime de l'organe atteint. Seuls, les médecins opposés aux idées physiologiques continueront à accepter, sans mot dire, la respiration buccale des malades.

L'épreuve d'essai se fait avec la plus extrême prudence. Nous avons vu de jeunes bacillaires avoir une quinte de toux, ou se plaindre de sensations désagréables dans la poitrine à la suite de 5 respirations physiologiques rythmées au commandement. C'est, en effet, ce nombre que nous adoptons comme séance d'épreuve. Le malade, couché sur le dos (les bras collés au corps mais l'avant-bras, du côté atteint fléchi et croisant la face antérieure du thorax, si bien que la main, de ce côté, touche l'épaule du côté sain) fait au commandement 5 respirations nasales peu profondes. Le pouls, mesuré un quart d'heure avant et un quart d'heure après, ne doit accuser qu'une faible modification, souvent surtout émotive. La température, prise le soir, ne doit accuser que deux ou trois dixièmes de différence ; l'appétit reste intact. Dans ces conditions, on peut, selon les cas et l'impression clinique, atteindre rapidement 10, 20 et 40 respirations, en suivant rigoureusement la conduite que nous avons préconisée dans la cure des sommets de Grancher, c'est-à-dire en faisant respirer surtout le côté sain dont le bras est mis derrière la tête, tandis que l'autre avant-bras reste en sautoir, et en veillant au fonctionnement du diaphragme. Les séances seront faites tous les deux jours.

Le poids sera attentivement surveillé ; car il peut donner des indications de premier ordre. Si les séances, quoique prudentes, ont provoqué hyperthermie légère, baisse de l'appétit et diminution même légère du poids, il faut interrompre. Si à une légère hyperthermie de quelques dixièmes de degré s'ajoute une augmentation en poids, il faut mettre le malade au repos, mais continuer, en espaçant les séances (une séance de 10 respirations, une fois par semaine) ; car il ne faut pas confondre l'hyperthermie de réaction vitale avec l'hyperthermie de toxi-infection, et il ne faut pas préférer l'apyrexie de l'organisme torpide, qui n'est que le désarmement d'un vaincu à l'hyperthermie de lutte, réaction normale d'un organisme, qui triomphera. Nous avons vu souvent de grandes améliorations dans ces cas d'hyperthermie de réaction.

A l'appui de cet exposé général, nous avons publié des observations justificatives. Sans vouloir les résumer, ce qui allongerait inutilement ce travail, nous allons noter les enseignements qu'elle nous a suggérés.

L'observation I a trait à un jeune cocher de vingt-six ans qui subit deux fois par semaine une séance de 30 respirations, faites en 3 attitudes, couché, assis, debout. L'amaigrissement persiste, le mouvement fébrile ne s'atténue pas.

Nous n'insistons pas. Le malade part à Angicourt et nous ne l'avons pas revu.

Même à la dose minime de 5 respirations, nous avons souvent posé des contre-indications absolues après deux ou trois séances. Ce sont les cas dangereux ; à ce propos nous voulons faire une remarque. *Dans les services hospitaliers, des tuberculeux pulmonaires présentent quelquefois des aggravations inexpliquées dues à ces auscultations prolongées au cours desquelles le malade a fait des efforts respiratoires violents ou trop répétés ;* il nous plaît, au milieu de notre plaidoyer, de signaler ce phénomène.

Mais lorsque l'épreuve d'essai est supportée, qu'aucune réaction défavorable ne se produit, il est permis, toujours avec prudence, de continuer l'emploi de la physiothérapie. C'est ce que nous avons fait dans un cas de « pleurésie séro-fibrineuse chez un tuberculeux » (*Société médicale des hôpitaux de Paris*, le 27 janvier 1905) ; c'est ce que nous avons fait chez un de nos jeunes malades qui fait l'objet de la deuxième observation de notre mémoire, observation des plus favorables.

Le quatrième principe est tellement important et semble dans son énoncé tellement contradictoire que nous désirons le formuler à nouveau.

Quatrième principe : *Si le traitement peut être poursuivi et que la situation du malade s'améliore, le traitement sera d'autant moins intensif que l'état morbide s'améliore davantage. En cas d'accroissement considérable du développement thoracique et du poids, le traitement physiothérapique sera suspendu et le malade mis au repos sera rigoureusement surveillé. C'est la loi de l'amélioration inhibitrice.*

Dans notre première observation, on note une suspension du traitement par simple prudence. Dans les deux observations qui furent suivies de mort, nous avions pressenti le danger. Des circonstances indépendantes de notre volonté ont empêché l'envoi au sanatorium qui aurait paré à la catastrophe.

Albert S... comme Jeanne R..., dont nous avons publié l'histoire complète et qui ont présenté des améliorations inespérées, sont morts parce que leur organisme, d'ailleurs profondément atteint, n'a pas été capable de supporter l'effort colossal que leur demandait la gymnastique respiratoire. Leur mort, survenue longtemps après la suspension du traitement ne saurait être imputée à un traumatisme pulmonaire. Mais si, au lieu d'être sous l'influence de Knopf, nous eussions été averti des périls de l'amélioration trop rapide, si nous avions surtout pu recourir aux sanatoriums dont la gymnastique respiratoire étend le ressort, une conduite plus systématique eût ralenti la marche du progrès et permis à l'organisme de faire les frais de la guérison. Il faut ajouter que l'arsenal thérapeutique de notre pratique médicale s'est augmentée depuis de deux armes puissantes : l'une, la thérapeutique spécifique, qui avec les sérums de Marmorek, Vallée, etc., avec l'usage prudent des tuberculines (travaux allemands et suisses, Rénon, Küss, Castaigne, Savoire, etc..,) rend de grands services ; l'autre est l'injection intratrachéale massive, vraie et répétée, dont nous avons repris avec de la Jarrige l'étude systématique. Néanmoins, nous maintenons dans toute sa rigueur la loi de l'amélioration inhibitrice.

Nous allons revenir avec un peu plus d'exactitude sur la technique recommandée, puis sur les résultats à espérer et sur ceux qu'il ne faut pas chercher à obtenir.

Le traitement comprend comme nous l'avons vu *l'épreuve d'essai*, première phase, *les séances d'accoutumance*, deuxième phase, *les séances d'entraînement*, troisième

Nous n'avions donc pas atteint un développement thoracique trop marqué en ampliation. Le jeu faible du côté malade indique notre prudence et cependant il eût fallu, d'après les règles posées depuis par nous, suspendre le traitement. Voici les mensurations de Jeanne R... Le 22 octobre 1903, avant le traitement :

Périmètre subomo-sus-
mammaire. . . . . . 35.35 — 37.39 $= +$ 6 asymétrique.
Périmètre xyphoïdien. 31.32 — 34.36 $= +$ 7 asymétrique.

Le 27 janvier 1904, nous avions :

Périmètre subomo-sus-
mammaire. . . . . 40.40 — 44.44 $= +$ 8 symétrique.
Périmètre xyphoïdien. 35.35 — 39 1/2.39 1/2 $= =$ 9 symétrique

Le développement anatomique formidable de 10 centimètres s'alliait au retour de la normale du jeu thoracique. L'aspect de la malade était parfait ; il eut fallu la cure sanatoriale qui nous fut refusée.

La reprise en poids est indépendante du régime. Dans une observation publiée à la *Société médicale des hôpitaux* (28 mai 1909) nous avons noté jour par jour le menu du malade. Identique au moment de la baisse du poids, comme au moment de sa reprise, il avait une valeur de 2 800 à 3 200 calories, soit 37 à 42 calories par kilogramme, chiffre de légère suralimentation : nous n'avons pas voulu le dépasser, car déjà nous avons dû nous préoccuper d'un accident passager de suralimentation [voir les travaux de Marcel Labbé sur les dangers de suralimentation].

Enfin l'état local mérite d'être envisagé ; car il s'améliore dans les cas favorables. D'une part les phénomènes de congestion et de stase disparaissent ; de plus, bien que l'exercice de respiration n'ait aucune action directement anti-infectieuse, il peut par l'amélioration de l'état général, d'une façon indirecte, favoriser l'évolution des foyers vers la sclérose. Nous avons donc noté souvent la délimitation plus étroite des foyers, la diminution des râles, et même une restriction de l'obscurité à la radioscopie. Nous n'avons pas vu, dans nos observations les plus favorables, disparaître le bacille de Koch des crachats tant qu'il persiste de l'expectoration. Mais Jeanne R... ne crachait plus, gardait au sommet une simple tare inspiratoire après avoir eu des craquements ; le jeu du diaphragme était revenu et le sommet était moins obscur à l'examen aux rayons X !

Si nous insistons sur la prudence à garder dans l'emploi, au cours de la tuberculose ouverte, de l'exercice de respiration, c'est que des difficultés nouvelles et imprévues se présentent à tout moment. Voici deux faits que nous avons publiés et dont l'opposition terminera ce chapitre de technique.

Dans un cas d'adénopathie trachéo-bronchique tuberculeuse avec induration bacillaire du sommet, l'exercice de respiration fait dans la salle commune de l'hôpital Saint-Antoine a provoqué au commandement une augmentation en poids de 5 kilogrammes (*Société médicale des hôpitaux*, 28 mai 1909). Or les séances quotidiennes ne dépassaient pas 60 respirations (20 puis 30 respirations spontanées, 20 puis 30 respirations diaphragmatiques, décubitus dorsal, bras croisés). La vitesse d'accroissement a été de + 80 grammes pro die. Le malade, après la cure, est retourné en Italie où le grand air a achevé sa guérison.

Par contre, malgré un bon résultat apparent, nous avons arrêté le traitement par l'exercice physiologique de respiration chez un tuberculeux dont les réactions semblaient à un examen superficiel des plus favorables.

Il s'agissait d'un infirmier atteint d'induration bacillaire du sommet droit avec craquements à l'auscultation, et qui dans la salle commune, malgré le repos au lit, la viande crue et le cacodylate de soude restait au poids de 50^{kg},200 (poids stationnaire du 4 au 16 septembre 1908). Il a suffi de 5 *puis* 10 *respirations spontanées, bras croisés, en décubitus dorsal* pour amener un accroissement de 4^{kg},400 en quarante jours avec une vitesse de + 110 grammes par jour. Mais au sommet droit les signes physiques n'étaient modifiés en rien, et au sommet gauche, sous la clavicule, apparaissait une inspiration rude avec expiration prolongée et retentissement marqué de la toux et de la voix. Le sommet gauche était devenu opaque aux rayons X.

Amélioration générale, aggravation locale nous ont paru devoir faire suspendre le traitement par prudence.

Dans cette observation, nous avons également noté jour par jour le régime alimentaire qui fut le même pendant la période d'amaigrissement et celle d'accroissement en poids. Il est vrai qu'il s'agit d'un régime trop abondant qui atteint 3 300 à 3 500 calories avec 67 à 70 calories par kilogramme.

f) Enfin il nous a semblé important de consacrer une étude spéciale aux *résultats éloignés de nos cures*. Il est difficile de parler de résultats éloignés en cas de tuberculose ouverte, puisque l'*exercice en pareil cas ne sera jamais qu'un adjuvant temporaire et passager du traitement*. Aussi cette étude porte surtout sur la germination tuberculeuse. Notre mémoire du *Bulletin général de Thérapeutique* (23 mai 1910) a posé entre autres les conclusions suivantes :

« 3° L'exercice physiologique de respiration n'introduit dans l'organisme aucun vaccin, aucun principe immunisant. Si en relevant l'état général, il s'oppose indirectement aux récidives, son succès n'est stable que si les lois physiologiques de la respiration continuent à être observées par le sujet.

4° La surveillance respiratoire sera donc établie après chaque cure. Elle consiste en des séances espacées, variant d'une par semaine à une par trimestre ou même par an. Elle devra se relâcher si l'organisme prend un nouvel essor, elle devra se resserrer si l'organisme subit des atteintes morbides, causes nouvelles d'insuffisance respiratoire ».

En fait, notre conduite sera dirigée, dans ce cas encore par le rapport très étroit que nous avons admis d'une part entre l'exercice de respiration, qui n'est pas un gavage d'oxygène bon à tout faire, ou un tonique physiothérapique sans indication précise, et d'autre part entre l'insuffisance respiratoire, syndrome précis dû à la déficience du mécanisme respiratoire. Tant que ne reparaît pas l'insuffisance respiratoire, c'est-à-dire tant que la respiration reste nasale, suffisante, complète, rythmée, il est inutile de recommencer une cure. Un examen renouvelé au minimum deux fois par an contrôlera l'état satisfaisant du poumon, comme se contrôlera dans un examen bisannuel, en dehors de tout phénomène de carie dentaire, l'état des dents par exemple. Vienne une cause étiologique d'insuffisance respiratoire il faudra recourir au traitement selon l'indication. Il peut survenir une grippe qui annihile la fonction respiratoire, un obstacle rhinopharyngé qui nécessite une intervention, etc.

En observant cette ligne de conduite, mais à cette seule condition, vous obtiendrez des résultats durables et remarquables qui seront la récompense d'une technique scientifique, d'une méthode sagement poursuivie, loin de toute surenchère périlleuse et suspecte.

Nous résumerons la première observation de notre mémoire sur les résultats éloignés, en commentant la courbe reproduite. Il s'agit d'un jeune adolescent de quatorze ans, fils d'un père mort tuberculeux ; il fit un séjour dans un sanatorium à la suite d'une localisation au sommet droit de signes morbides. Consécutifs à une infection diagnostiquée grippe, ils relevaient peut-être d'une typhobacillose.

Nous l'avons surveillé et soigné d'octobre 1905 à janvier 1910. Le poids, la taille, le périmètre ont été en croissant régulièrement et méthodiquement.

Voici les chiffres d'octobre 1905 :

Taille 1^m,55. Poids 34 kilogrammes.

Mensuration des périmètres :

$$31.31 - 34.35 = + 7$$
$$29.29 - 33.33 = + 8$$

Section : 134 centimètres carrés gauche, 125 droite.

Voici les chiffres de janvier 1910 :

Taille 1^m,73. Poids 58^{kg},800.

Périmètre :

$$40.40 - 43 \ 1/2.43 \ 1/2$$

Section : 200 centimètres carrés à gauche, 190 à droite.

Soit un gain en quatre ans de 18 centimètres de taille, 25 kilogrammes, 18 centimètres de périmètre et 130 centimètres de section thoracique.

Pour préciser notre pratique de la surveillance respiratoire dans l'induration bacillaire du sommet, nous allons reproduire ce que nous avons dit dans notre mémoire de la direction du traitement :

D'octobre 1905 à mai 1906, Jacques Et... a subi une cure. Depuis 1906 il est en état de surveillance.

La cure a consisté dans un traitement de 3 séances par semaine, les premières comprenant 10 à 20 respirations avec bras droit en sautoir soit debout, soit assis, soit couché. Dès que l'épreuve d'essai a pu montrer la tolérance absolue de ce jeune sujet, il a fait à chaque séance :

20 respirations nasales avec bras en sautoir ;

20 respirations diaphragmatiques dans la station couchée, la main ou un objet léger sur le ventre aidant à la contraction inspiratoire du diaphragme.

20 respirations avec écartement progressif du bras gauche.

Après deux mois, chaque séance comprend 6 fois 20 respirations avec des mouvements passifs et faible écartement du bras droit. A la fin de la cure, chaque séance comprend 7 à 10 fois 20 respirations nasales. Voici un type de séance :

Couché, décubitus simple (1), décubitus simple bras gauche derrière la tête (2), décubitus bras gauche derrière la tête avec respiration diaphragmatique (3), avec écartement du bras gauche (4), traction du bras gauche en arrière (5). Debout, écartement du bras gauche (6), inégal des deux bras (7), à oscillations progressives du bras droit, et complètes du bras gauche (8), immobile (9).

A plusieurs reprises après la cure, la marche ascendante a paru s'arrêter. C'était l'indication de la mise au repos. Quelques semaines d'interruption ont laissé l'organisme reprendre son effort.

La surveillance respiratoire a consisté en des séances espacées faites de trois en trois semaines, puis de mois en mois et maintenant de trimestre en trimestre.

Le traitement hygiéno-diététique a été continué, de même certaines indications médicamenteuses (cacodylate de soude, etc.) ont été suivies.

Il n'est pas indifférent de donner le contrôle suivant des malades dont nous avons utilisé l'histoire au cours de ce travail.

Le jeune B... (*Société de Thérapeutique*, 14 novembre 1906), dont nous avons rapporté l'histoire à propos de l'emploi de l'exercice de respiration au cours de la tuberculose ouverte, ne fut soumis à aucune surveillance respiratoire ; l'insuffisance respiratoire ne fit pas de réapparition.

Voici son état au 14 novembre 1906.

Poids : 65 kilogrammes, au lieu de 53^{kg},500 à l'entrée à l'hôpital (septembre 1905).

Pression artérielle : 16 1/2 au lieu de 12 1/2. Jeu thoracique : 8 centimètres au lieu de 4 centimètres.

Au lieu de la tare inspiratoire croisée au sommet droit en avant et au sommet gauche en arrière, avec augmentation des vibrations, submatité et retentissement très marqué de la toux, on ne trouve plus au sommet qu'une diminution du murmure vésiculaire avec retentissement léger de la toux.

Voici son examen du 15 juin 1909.

Taille 1^m,70 ; poids 67^{kg},800.

Mensuration :

$$43.43. - 46.46. = + 6$$
$$41.41. - 44.44. = + 6$$

avec une augmentation anatomique de 4 centimètres.

Le sommet gauche semble normal. Au sommet droit en avant et en arrière, retentissement de la toux et de la voix, diminution du murmure vésiculaire qui est d'ailleurs faible au sommet gauche. Enfin la section thoracique a une valeur de 456 centimètres, soit 7 centimètres par kilogramme, ce qui est presque normal (professeur Maurel) et l'indice thoracique $\frac{20 \times 100}{27 \ 1/2}$ est au-dessus de la moyenne.

Citons encore les malades qui font l'objet de nos cinquième et sixième observations de notre rapport au Congrès de Liége.

Voici les résumés d'examen de Maxime E... (Ve Obs.) qui depuis la fin de sa cure, a fait simplement chez lui, matin et soir, 20 respirations nasales profondes.

KINÉSITHÉRAPIE.

Le 28 avril 1904 : douze ans et demi. Taille 1^m,55 poids 43^{kg},300.

Mensuration :

$$35.35 - 37.37 = + 4$$
$$32.34 - 35.37 = + 6$$

Tout le poumon droit respire mal, surtout le sommet qui présente en plus un retentissement marqué de la voix et de la toux.

En octobre 1904 : taille 1^m,60 ; poids 47^{kg},500 ; auscultation excellente.

Le 26 septembre 1908 : taille 1^m,82 ; poids 70 kilogrammes. Mensuration :

$$42.42 - 46\ 1/2.46\ 1/2 = + 9 \text{ centimètres}$$
$$39.39 - 43.43 = + 8 \text{ centimètres.}$$

La section thoracique est de 418 centimètres carrés soit 6 centimètres carrés par kilogramme et l'indice thoracique $\frac{18 \times 100}{25} = 72$ est satisfaisant. *Il persiste à l'auscultation une légère obscurité du sommet droit en avant.*

De même dans le cas de Léonce R. (VIe Obs.) ; voici les chiffres au début, en fin de cure et en résultat éloigné.

Le 15 mars 1905 : taille 1^m,64, altération du murmure vésiculaire au sommet droit avec exagération légère des vibrations ; poids 51^{kg},350.

Mensuration :

$$37.37 - 39.39 = + 4$$
$$34\ 1/2.34\ 1/2 - 36\ 1/2.36\ 1/2 = + 4$$

Le 26 juin 1905 (fin de cure) : poids 52^{kg},850. Mensuration :

$$37.37 - 42.42 = + 10 \text{ centimètres}$$
$$34.34 - 40.40 = + 12 \text{ centimètres.}$$

Le 10 juin 1909 : taille 1^m,77 (soit + 13 centimètres en

quatre ans) ; poids 59 kilogrammes (soit + 8 kilogrammes).

Mensuration :

$$39.39 - 43.43 = + 8 \text{ centimètres}$$

$36.36 - 41.41 = + 10$ centimètres avec gain anatomique de 4 centimètres.

Au sommet droit, on note encore une légère augmentation des vibrations et une diminution sans altération du murmure vésiculaire.

Ce résultat remarquable est obtenu par des séances trimestrielles puis semestrielles. L'auscultation mérite d'être retenue, car la persistance des séquelles physiques vient rappeler l'induration passée du sommet droit.

La cicatrice est indélébile, bien que la cure maintienne son effet depuis plus de cinq ans.

Nous renvoyons à nos autres observations.

On a pu se rendre compte de la sévérité avec laquelle nous limitions le rôle de l'exercice de respiration dans le traitement de la tuberculose ulcéreuse chronique. Or le professeur Robin [1] a montré récemment que le tuberculeux respire trop. Est-ce une raison pour contre-indiquer notre méthode ? Aucunement. Si on lit la remarquable thèse de Boiet [2], on verra que l'air courant n'est pas augmenté chez le tuberculeux qui respire plus souvent qu'un homme normal.

L'exercice de respiration, en calmant le poumon, diminue la dyspnée et supprime le phénomène démontré par les travaux du professeur Robin et de Boiet.

1. Professeurs Robin et Binet. *Académie de Médecine*, 1901 et 1902.

2. *Recherches spirométriques chez les tuberculeux*, 1904-1905, nº 162. L'air courant ne subit pas de modifications. La circulation aérienne seule est augmentée par l'accélération respiratoire. L'air de réserve n'est pas diminué.

L) *L'exercice de respiration, manœuvre adjuvante au cours de quelques traitements.*

a) Notre élève le Dr Tilloye s'est occupé de la question des *sourds-muets*, sur notre demande, et a exposé ses recherches dans une communication où-il veut bien nous remercier, comme « initiateur de la rééducation respiratoire médicale », d'avoir controlé ses efforts. D'ailleurs la gymnastique respiratoire était depuis longtemps employée à l'Institution des sourds-muets (travaux de Goguillot, du Pr Marchio), mais Tilloye a dû y appliquer la méthode physiologique, qui est la signature de toutes nos recherches [1].

La respiration chez tous les sourds-muets, sauf de rares exceptions, est défectueuse : ils sont souvent porteurs de végétations adénoïdes; la suppression de la parole et du chant entraîne l'immobilité du thorax et diminue le jeu du diaphragme. Le sourd-muet est donc à la fois adénoïdien et atteint d'insuffisance thoracique et diaphragmatique. Il doit donc subir les cures anatomiques et physiologiques consécutives ainsi que nous l'avons indiqué précédemment.

Sur 10 enfants pris dans le service de M. le Dr Leroux, médecin en chef, Tilloye a constaté :

1° Une paresse bien évidente des ailes du nez provenant d'une légère paralysie faciale ;

2° Des joues flasques et molles ;

3° Des thorax quelquefois déformés et toujours insuffisamment développés ;

4° Des ventres plats ne réagissant ni à l'inspiration, ni à l'expiration ;

1. Voir Lagrange, *Médication par l'exercice*. L'A. déclare déjà que la méthode phonétique, en combattant l'inertie respiratoire, a diminué la fréquence de la tuberculose des sourds-muets. Lire Barth, *Deutsche med. z. Vochenschr.*, 99, n° 7.

5° Des mouvements inspiratoires saccadés et répétés par soubresaut, sans qu'il se produise d'expiration.

6° Une dyspnée intense (35 respirations en moyenne à la minute).

« A l'auscultation, aucun ne présente une respiration nette et entière de ses deux poumons, et sans qu'il y ait de phénomènes pulmonaires bien nets, tous ont de l'obscurité. »

Tilloye a gardé 5 enfants comme témoins et a utilisé chez les 5 autres la technique suivante. Tous les matins il leur a donné la leçon ainsi formulée :

20 inspirations et expirations profondes et nasales dans le décubitus dorsal ;

20 inspirations et expirations profondes et nasales dans le décubitus dorsal avec abduction passive des bras tendus en avant ;

20 respirations avec flexion passive des cuisses sur l'abdomen.

Voyons les résultats obtenus :

C'est d'abord le retour de la respiration à un rythme régulier et la disparition de la dyspnée. Ce phénomène se conçoit de lui-même ; la respiration plus profonde provoque une hématose meilleure, et la soif d'air une fois calmée, le mécanisme respiratoire en reçoit une sédation parallèle. C'est également la cure de l'immobilité thoracique. Comme nous, Tilloye a constaté des poitrines entièrement immobiles ou des incursions de 1 centimètre, et cela avant tout soupçon d'invasion tuberculeuse.

« Après trente jours d'expérience, le thorax s'est entièrement régularisé, les respirations sont devenues de plus en plus profondes, le rythme respiratoire s'est établi. Nous ne constatons plus à l'auscultation d'obscurité pulmonaire et le thorax de ces enfants fonctionne de façon régulière, une expiration succédant à une inspiration sans secousse ni soubresaut. »

Je note parmi les exemples cités le jeune Bl.., âgé de sept ans, dont le jeu respiratoire droit est nul au début de l'expérience tandis que le jeu gauche est très faible (1 centimètre). Après trente jours, le jeu respiratoire symétrique atteint 2 centimètres des deux côtés ; et au lieu d'une « insuffisance respiratoire droite en haut », on note que la respiration s'est régularisée.

Le sourd-muet rentre donc dans la grande catégorie des rhino-adénoïdiens qui glissent à la tuberculose pulmonaire par inertie respiratoire.

L'exercice de respiration est chez eux le traitement spécifique de la prophylaxie de la tuberculose pulmonaire [1].

b) La question du *bégaiement* se rattache naturellement à la question de la surdi-mutité.

Nous ne voulons pas la traiter entièrement et nous renvoyons aux travaux spéciaux. Il faut néanmoins signaler l'importance capitale de l'exercice de respiration au cours des cures de ce trouble fonctionnel.

Dans un article récent du *Progrès médical* (1911), Henry Meige attribue cette anomalie vocale à trois sortes de perturbations qui s'observent isolément ou simultanément. Ce sont : 1° les troubles de la fonction respiratoire, avec arrêts brusques de l'inspiration ou de l'expiration, ou avec succession incoordonnée des inspirations et des expirations répétées ou sans rapport de durée les unes avec les autres ; 2° les troubles de la fonction phonatoire par excès de con-

1. Nous en dirons autant des cas de paralysies laryngées et pharyngo-laryngées, d'origine diphtérique en particulier. L'exercice de respiration, médication palliative, permettra d'atteindre sans tuberculose secondaire, le jour de la guérison accélérée par les médications classiques (sérothérapie, électrothérapie, etc.). De même au cours des atrophies musculaires, des paralysies diphtériques du diaphragme, des paralysies infantiles, le médecin développera les territoires de compensation.

traction des muscles glottiques ; 3° les troubles de la fonction élocutoire, dont les mouvements incomplets se précipitent.

On devra donc, dit Meige dans cette mise au point, « conseiller des exercices respiratoires ayant pour but de régulariser ou de ralentir les mouvements de la respiration. On fera faire au sujet d'abord des exercices respiratoires simples, puis lorsque ceux-ci seront bien exécutés, il devra s'efforcer de les mettre en pratique pendant la lecture et la parole. »

C'est donc une éducation respiratoire portant surtout sur le rythme. Nous recommandons des séries de respiration répétée progressivement jusqu'à 40 et 60 fois, à des vitesses de rythme constant ou variable, avec arrêts et reprises au commandement, accélération ou ralentissement à volonté. Il faut que le sujet arrive à être absolument maître de sa soufflerie naso-pulmonaire.

Voici une ordonnance (au point de vue respiratoire) de milieu de cure.

Faire matin et soir :

60 respirations nasales à 15 par minute au métronome.

30 respirations à 22 par minute ;

20 respirations à 12 par minute ;

30 sans interruption au rythme changé de 10 en 10 respirations de 18, 12, 15 par minute.

Pour achever la discipline rythmique respiratoire du bègue, il faudra en dernier lieu le soumettre à des épreuves variées, lui apprendre à faire succéder les respirations thoraciques et les respirations abdominales, à faire des pauses en respiration thoracique, des pauses en respiration abdominale, etc... Hugues a décrit avec soin ces manœuvres qui trouveront là leur application [1].

1. Voir les travaux de Chervin et l'auto-observation du Pr Rénon (*Soc. de Médecine de Paris*, 1908, p. 399).

c) Dans les cardiopathies, l'exercice de respiration ne saurait avoir qu'une action palliative, n'ayant et ne pouvant avoir aucune action sur la lésion même du cœur [1]; mais comme il aspire le sang veineux dans les oreillettes [2], il se différencie de toute thérapeutique médicamenteuse cardiotonique qui exagère la poussée ventriculaire et renforce la tonicité artérielle. C'est une véritable ventouse posée à la terminaison des veines caves.

Les conséquences de ce fait physiologique sont multiples. *Au cours des cardiopathies,* l'exercice physiologique de respiration prend place à côté du massage de l'abdomen et de la gymnastique des membres inférieurs, pour exercer une action de déplétion sur la circulation veineuse et reculer la venue de l'asystolie. A la période de compensation des maladies mitrales, nous croyons utile de prescrire au malade :

Les quinze premiers jours du mois, faire couché 20 respirations spontanées et 20 respirations diaphragmatiques. Continuez la mobilisation des membres inférieurs et le massage médical de l'abdomen [3].

Lorsqu'il y a menace de rupture de compensation, il faudra doser l'exercice de respiration avec soin de manière à aider la déplétion veineuse sans produire un encombrement brutal du cœur gauche. De même soyez prudents chez les aortiques mitralisés pour éviter toute syncope. Il faut alors répéter de petites doses.

---

1. Voir le fascicule *Kinésithérapie du cœur.*

2. Cette importante action aspiratrice est utilisée dans toutes les congestions pelviennes. Voir le remarquable fascicule de Stapfer.

3. Voir également le beau livre de Lagrange, *Rééducation du cœur,* et la communication récente de Heitz et Haranchipy au III° Congrès international de Physiothérapie.

d) *Chez les hépatiques* [1], l'exercice de respiration est utile au même titre. C'est un fait que j'ai établi dès mes premières recherches. Sérégé (de Vichy) a bien voulu le confirmer [2]. Chez les hépatiques, chez les gastropathes et les entéritiques, nous devons envisager la question d'une façon un peu plus complexe : Voici les deux idées directrices :

Tout processus douloureux ou inflammatoire sous-diaphragmatique crée une insuffisance diaphragmatique qui persiste après disparition de ces phénomènes.

L'atrophie du thorax entrave la position normale vraiment intrathoracique des viscères de l'abdomen supérieur. Le développement du thorax est un facteur important du retour à l'équilibre normal.

Commentons maintenant ces deux propositions :

Qu'il s'agisse de lithiase biliaire, de périhépatite cirrhotique, de péripylorite, etc..., le diaphragme arrête sa course pour ne pas réveiller de souffrance. De même au cours de l'ulcère de l'estomac, etc... En même temps que le traitement médico-chirurgical fait son œuvre, il faut songer à la rééducation du diaphragme resté paresseux par persistance de l'habitude vicieuse.

Inutile de répéter que nous ne voyons pas dans l'exercice de respiration le traitement de l'ulcère de l'estomac ! Il est simplement une manœuvre adjuvante utile au retour d'un état général satisfaisant. Prenons un cas de lithiase biliaire. Nous recommandons au radiologue de noter avec soin le jeu du diaphragme ; il notera soit le nombre de centimètres parcourus par la descente diaphragmatique, soit le nombre d'es-

1. Buttersack (*Berlin. klin. Wochenschrift*, 1902) accuse l'insuffisance diaphragmatique de la femme de la production de la lithiase biliaire : c'est pousser un peu loin les convictions kinésiques.

2. Serégé. *Bulletin de la Société de Médecine et Chirurgie de Bordeaux*, avril 1905.

paces intercostaux rendus plus visibles par la descente du muscle. Cette première constatation est simple ; car on note couramment les chiffres de 1/2 espace intercostal, de 0 à 1 centimètre, etc...

Nous prescrivons alors simplement à notre malade, en dehors bien entendu du traitement classique et à condition que le traitement classique ne contre-indique pas la mobilisation kinésithérapique :

Matin et soir, faire en décubitus dorsal de 5 a 20 respirations diaphragmatiques d'exclusion, jambes pliées d'abord, puis autant jambes étendues.

Les pauses en inspiration (deux à six secondes) qui favorisent l'aspiration veineuse seront un adjuvant utile et varieront l'exercice.

Lorsqu'un nouvel examen radioscopique aura montré que le diaphragme s'est rééduqué avec une grande facilité, craignez (professeur Maurel, de Toulouse) que le jeu du diaphragme, par sa puissance, ne vienne annihiler le jeu du thorax et créer une insuffisance thoracique. Vous modifiez ainsi votre ordonnance :

Matin et soir faire 1° en décubitus dorsal, 20 respirations diaphragmatiques d'exclusion, jambes étendues ;

2° En station debout, 20 respirations spontanées.

e) Dans le traitement symptomatique de l'épitaxis, souvenez-vous que l'exercice de respiration est hypotenseur et faites faire à vos malades de quinze en quinze minutes 5 à 10 grandes respirations nasales.

f) Quant aux cas où la statique abdominale est modifiée par l'étroitesse du thorax, ils vont comporter, si l'on veut obtenir un résultat, un traitement kinésithérapique long et à cures répétées. La conduite à tenir découlera des considérations suivantes. Ces malades sont souvent des fatigués ; en général, s'ils ne portent pas de lésions bacillaires des sommets au moment où ils sont soumis à notre observation, ils appartiennent à la grande catégorie des ptosiques de Glénard.

Nous pouvons utiliser les mouvements passifs de grande amplitude ; nous nous servirons beaucoup du décubitus dorsal pour éviter le plus possible l'effort organique. Mais nous attachons une grande importance à la gymnastique de la paroi abdominale antérieure et à celle du diaphragme.

Une première cure de trois mois est faite à raison de 3, 2, 1 séance par semaine. Voici un type de séance du deuxième mois :

1° Station debout, 20 respirations spontanées ;

2° Station debout, 20 respirations avec abduction des bras ;

3° Station assise, mouvement passif, progressif de natation ;

4° Station assise, mouvement passif de natation à grandes oscillations ;

5° Décubitus dorsal, 20 respirations diaphragmatiques, bras au corps ;

6° Décubitus dorsal, 20 respirations diaphragmatiques d'exclusion, mains à la nuque ;

7° Décubitus dorsal, traction en arrière des deux bras avec respiration diaphragmatique ;

8° à 10° Décubitus dorsal, traction de chaque bras, traction alternative des bras, traction en arrière des deux bras.

Après trois mois, laisser se poursuivre le résultat, et tenez-vous prêt, si besoin en est, à refaire après trois mois de repos une nouvelle cure, mais alors à séances espacées, une par semaine ou par quinzaine.

Pendant toute la durée de la cure, il faudra songer à la réfection de la paroi abdominale antérieure par les exercices spéciaux de flexion, d'inclinaison de rotation du tronc. Cette tonicité de la paroi aidera puissamment au jeu du diaphragme comme Glénard l'a montré.

g) De ces cas un peu spéciaux, il faut rapprocher les cas d'insuffisance thoracique après *fracture de côte, névralgie intercostale, port d'un appareil plâtré ou orthopédique* (Mme Nageotte). Il persiste fréquemment un arrêt unilatéral du jeu costal, dont la prolongation serait des plus fâcheuses. La conduite kinésithérapique est simple.

Pendant la consolidation d'une fracture, quelques respirations nasales d'entretien (10 à 40 matin et soir).

Après consolidation, on fera faire au malade le traitement suivant :

Dans une première séance, apprenez au sujet à respirer et faites-lui faire les exercices suivants : 5 respirations :

1° Station debout immobile ;

2° et 3° Station debout, immobile, avec occlusion de l'une et l'autre narine ;

4° Station debout, main à la nuque, côté sain ;

5° Debout, abduction passive progressive des bras ;

6° Debout, traction inégale en l'air des bras ;

7° Assis, mouvement passif de natation à oscillations très inégales, faibles du côté fracturé ;

8° Assis, abduction des bras tendus à oscillations inégales ;

9° Couché, abduction progressive du bras, côté fracturé ;

10° Couché, traction postérieure passive progressive des bras.

C'est là pour le début une séance maximum. Il serait préférable de se contenter des 4 ou 5 premiers exercices, et de ne réaliser cette ordonnance qu'à la deuxième ou troisième séance, selon indication clinique. En dehors du médecin, le malade fera matin et soir 20 respirations nasales simples, et 20 respirations avec mains à la nuque.

Rapidement on répète chaque exercice dix, quinze et vingt fois. Six séances doivent suffire, en moyenne.

Si les fractures sont bilatérales, il faut, au début de l'entraînement respiratoire, laisser une place importante à la respiration diaphragmatique d'exclusion.

Voici une ordonnance à recommander quinze jours après la consolidation d'une fracture bilatérale :

Faire matin et soir, en décubitus dorsal, 20 respirations diaphragmatiques d'exclusion et 20 respirations spontanées.

A la séance hebdomadaire (3 à 6 seront suffisantes), le médecin utilise les manœuvres suivantes :

Respirations :

1° Debout, immobile, mains à la nuque ;

2° Debout, avec abduction passive faible, des bras tendus ;

3° Debout, avec abduction passive des bras tendus, progressive ;

4° Debout, avec traction antérieure des poignets, bras fléchis ;

5° Debout, avec bras croisés derrière la taille ;

6° Assis, avec natation passive à faible écartement ;

7° Assis, avec natation passive à écartement progressif ;

8° Assis, mains à la nuque ;

9° Assis, avec abduction passive, progressive des bras tendus ;

10° Assis, avec mouvement en U, pris très doucement à oscillations faiblement progressives.

Dans la *névralgie intercostale,* la douleur rabat les côtes et les immobilise, ainsi qu'il est facile de le constater aux rayons X. Dès le stade douloureux, essayez de réveiller l'incursion respiratoire ou tout au moins luttez contre sa

restriction exagérée. Dès la guérison, quelques séances énergiques avec mélange d'exercices diaphragmatiques et d'exercices passifs unilatéraux rétabliront le jeu physiologique des
organes.

Les *appareils plâtrés ou orthopédiques* ont attiré l'attention de quelques auteurs. « La respiration, dit Mme Nageotte,
ne lutte pas contre les élastiques, l'amplitude maximale
axillaire et xyphoïdienne descend à un centimètre et au-dessous. » Tous ces enfants respirent à l'aide du diaphragme
juste assez pour vivre.

En cas d'appareils plâtrés, on peut à la rigueur se contenter
pendant qu'ils sont appliqués de la respiration diaphragmatique. Mais il ne saurait en être de même avec les appareils
orthopédiques. Mme Nageotte a constaté une restriction du
jeu thoracique réduit à 1/3 ou 1/4 de centimètre, même avec
les corsets orthopédiques à tuteurs, laissant la poitrine entièrement libre : l'immobilisation du dos, les plaques de pression
latérale tendent à diminuer l'amplitude respiratoire. Aussi,
selon cet auteur, il faut être avare de corsets inamovibles.
Le corset amovible « n'est inoffensif au point de vue de la santé
générale, que s'il est enlevé régulièrement pour permettre
les exercices respiratoires ».

On verra, en persévérant ainsi, la respiration se maintenir
pendant des années à une amplitude de 4 à 6 centimètres,
dans des cas fréquents où il n'est pas possible de redresser
un enfant sans corset.

En pareil cas, la mise en pratique du traitement doit s'inspirer des nécessités du traitement orthopédique. L'exercice
physiologique de respiration se plie aux exigences du traitement fondamental. Un traitement long, à séances rapidement
espacées, hebdomadaires, comprend des exercices passifs de
courte excursion, dirigés très doucement, de façon à éviter

les incidents, tels que la *dépression paradoxale* par nous signalée, qui pourraient venir aggraver les méfaits du rachitisme.

Voici un type de séance maximum. Respirations :

1° Décubitus dorsal, bras au corps ;

2° Décubitus dorsal, respiration diaphragmatique d'exclusion ;

3° Décubitus dorsal, mains à la nuque ;

4° Décubitus dorsal, abduction bilatérale des bras au corps ;

5° et 6° Décubitus dorsal, traction des bras, en haut et en arrière ;

7° et 8° Décubitus latéral, avec abduction passive du bras ;

9° Décubitus dorsal, écartement passif des bras tendus en avant ;

10° Décubitus dorsal, bras au corps.

Mme Nageotte a développé d'intéressantes considérations sur l'emploi de la gymnastique respiratoire au cours des déformations rachitiques (*Archives de médecine des enfants*, juillet 1908) ; il faut séparer dans cette étude les difformités en cours et les déformations constituées. L'exercice de respiration sera simplement palliatif et auxiliaire du traitement général.

h) Les borborygmes rythmés, ce bizarre syndrome abdominal qui atteint surtout de jeunes femmes névropathes et paraît en parenté avec l'aérophagie, peuvent, d'après Desqueyroux (de Bordeaux), disparaître par la gymnastique respiratoire. Au moment de leur production, le sujet présente une respiration purement diaphragmatique (Ritrès). Il suffira de la faire redevenir costale supérieure, selon le type habituel de respiration féminine pour amener la disparition de ce syndrome.

i) La question de l'ozène.

Infection nasale à bacille spécifique, rhinite atrophique spéciale, syphilis ou tuberculose non folliculaire des cavités nasales, l'ozène ne paraît pas *a priori* pouvoir relever dans son essence de l'exercice physiologique de respiration. Cependant l'atrophie de la muqueuse, la perte de la sensibilité nasale, l'élargissement des cavités nasales ont rendu plus incertaine, plus difficultueuse, plus variable la respiration nasale qui se perd. Souvent les ozéneux sont du fait de leur insuffisance nasale atteints d'une cachexie d'origine respiratoire qui vient s'ajouter aux troubles toxi-infectieux de leur état général. Chez les malades de cette catégorie soumis à notre observation, nous avons noté après la cure d'exercice de respiration une dissociation logique et remarquable dans le résultat. L'ozéneux à poitrine atrophiée, à respiration buccale devenait après la cure un ozéneux à poitrine large, à respiration nasale; il restait ozéneux avec diminution des symptômes, de plus, sa santé générale améliorée lui permettait de bénéficier plus rapidement d'un traitement local. N'est-ce pas conforme aux grandes lignes de la méthode? Thérapeutique fonctionnelle et physiologique, sans action sur le squelette, sans action sur l'infection, l'exercice de respiration ne doit pas *a priori* pouvoir *guérir* l'ozène.

Marcel Natier pense différemment. Nous avons déjà eu à rappeler les divergences qui nous séparent de cet auteur. Les traités passent en général à tort ses recherches sous silence ; peut-être parce que cet auteur a publié ses recherches dans un périodique personnel peu connu, appelé *La Parole*.

Dans deux communications à la Société de Médecine de Paris (28 mai 1910 et 9 juin 1911) et récemment dans la

Médecine scolaire (novembre 1911), Marcel Natier a soutenu que l'ozène était un trouble local des fosses nasales dû à une altération de la santé générale. L'origine, indirecte, peut être multiple. Mais qu'il s'agisse de tuberculose non folliculaire, d'infections connues, de fièvres éruptives graves, le mécanisme pathogénique de l'ozène est purement et simplement une atteinte considérable portée à la santé générale. « Les altérations respiratoires y jouent un rôle primordial : toutefois elles sont elles-mêmes dominées, d'une manière générale, par de graves désordres de l'estomac. »

Marcel Natier présente des observations à l'appui de sa théorie. Inutile de faire un traitement local ; de propos délibéré, il faut s'en abstenir. Un régime simple et des exercices respiratoires conduits selon le mode ordinaire amènent rapidement la guérison.

Nous n'acceptons pas les conclusions de M. Natier, mais il est utile de les connaître. L'ozéneux rentre souvent dans la catégorie des rhino-adénoïdiens. Les cures chirurgicale, hygiénique locale, respiratoire ne peuvent évidemment qu'avoir une influence remarquable sur son état. Il nous paraît dangereux de supprimer l'un des termes du problème [1].

j) L'exercice de respiration dans la coqueluche.

Il suffit de réfléchir au mécanisme de la toux dans la coqueluche pour concevoir l'axiome suivant : *la coqueluche relevant d'un agent infectieux ne saurait avoir comme traitement spécifique l'exercice de respiration qui n'a aucune action anti-infectieuse*. Il faut donc abandonner la conception de Woleski.

[1]. Robert Foy (*Annales des maladies de l'oreille*, 1911, n° 10) utilise les soins locaux, l'exercice de respiration et ses manœuvres nasales déjà signalées.

Mais d'autre part il suffit d'examiner les jeunes malades pour se convaincre des troubles suivants qui seront améliorés par l'exercice :

La quinte de coqueluche[1] amène dans le jeu du poumon des perturbations qui se traduisent par des altérations du rythme, de l'insuffisance respiratoire thoracique et diaphragmatique due à l'épuisement, des zones d'inertie, points d'appel des pyrexies broncho-pulmonaires.

L'exercice de respiration aura donc à intervenir :

Par des respirations lentes et bien rythmées en décubitus dorsal exécutées à distance des quintes, et qui auront un effet sédatif très prononcé non sur le nombre des quintes, mais sur l'intensité de la secousse due à chaque effort de toux ;

Par des exercices passifs de faible amplitude, mélangés d'exercices diaphragmatiques d'exclusion qui feront la prophylaxie des atélectasies pulmonaires.

La cure kinésithérapique aidée du massage des membres et du thorax s'associera à une thérapeutique stimulante du système nerveux (opothérapie, kola, plasma, Quinton, etc...).

Il est difficile de donner une ordonnance type en cas de coqueluche. Voici une prescription pour le cas simple :

Chaque jour faire exécuter à distance des crises, en décubitus dorsal :

30 respirations diaphragmatiques d'exclusion ;

30 respirations spontanées ;

20 respirations avec mains à la nuque.

---

1. Puisque nous ébauchons le sujet du traitement de la coqueluche, hâtons-nous de dire combien il est dangereux de combattre avec des moyens énergiques la toux, symptôme de défense et de rejet des mucosités infectantes, alors que toute complication grave la supprime et indique ainsi l'utilité de cette réaction de défense.

k) *La constipation.*

Il y a une singulière et regrettable exagération à parler du traitement respiratoire de la constipation. Depuis longtemps les kinésithérapeutes ont appelé l'attention sur l'importance de la sangle abdominale musculaire (voir p. 104 les exercices à faire pour la développer), et nous avons eu soin dès 1903 d'indiquer la constipation diaphragmatique, c'est-à-dire due à l'action incomplète de ce muscle, que Fernet vient d'étudier en 1911. Mais le problème de la constipation est complexe : les sécrétions des glandes internes participent probablement à l'exonération. Pas de surenchère, si nous voulons forcer le monde médical à accepter la kinésithérapie.

M) *L'exercice de respiration chez le nourrisson et l'enfant du premier âge.*

Par la définition même de l'exercice de respiration, respiration voulue dirigée par le sujet, il semble que la méthode ne puisse s'appliquer au nourrisson ou à l'enfant au premier âge.

Cependant dans les cachexies même d'origine digestive, il faut appeler l'attention sur l'immobilité respiratoire secondaire. Ce facteur peut être combattu *indirectement.*

Par des pressions rythmées sur les parties latérales de la cage thoracique ;

Par des tractions rythmées des bras, analogues aux mouvements faits au noyés ;

Par des flexions rythmées des membres inférieurs ;

Par des pressions rythmées sur l'abdomen.

De même dans les broncho-pneumonies et les bronchites infantiles, il sera bon de réveiller l'activité du mécanisme respiratoire. On y parviendra par des flexions rythmées des membres inférieurs, et des exercices des bras, autorisés par l'absence de tout signe d'inflammation alvéolaire du côté mobilisé.

Nous réprouvons avec la plus grande énergie les pressions exercées sur les côtes au cours des pyrexies pulmonaires des enfants. Ce sont là manœuvres violentes et non méthode physiologique. Elles ont été employées à l'étranger.

N) *Dangers des méthodes simplifiées. Rappels de l'indication médicale de l'exercice physiologique.*

Avant de conclure, un mot des méthodes simplifiées qui ont été proposées récemment :

A la suite de nos recherches, ou en tout cas après nos recherches, un certain nombre d'auteurs dont quelques-uns ont bien voulu reconnaître qu'ils avaient trouvé dans nos travaux le goût de la kinésie, ont proposé des procédés plus simples ou moins prolongés de rééducation. Quelques exercices faits le matin sans contrôle, quelques mouvements actifs d'emblée, la gymnastique pure du diaphragme, un traitement spécial du nez éviteraient au malade l'ennui de nos efforts. Nous repoussons absolument ces méthodes simplifiées comme dangereuses au point de vue des applications aux cas médicaux que nous avons envisagés [1]. *L'erreur de ces auteurs ou de leurs adeptes consiste dans le fait d'avoir voulu généraliser de beaux résultats obtenus dans des cas limités, le plus souvent chez des sujets simplement malingres ou faibles, mais à parenchyme pulmonaire intact.* Des catastrophes regrettables suivraient rapidement la généralisation de telles méthodes ; nous en rejetons entièrement la

1. *Académie de Médecine*, 4 juin 1912. Rapport de M. Mosny sur nos recherches.

responsabilité. Elles peuvent rendre les plus grands services dans des cas spéciaux d'éducation physique simple.

* *

Dans tout le cours de nos recherches nous avons bien spécifié la catégorie de sujets auxquels s'applique la méthode de l'exercice de respiration. Nous résumons notre pensée dans les propositions suivantes :

Chez l'enfant et l'adolescent sain, chez le conscrit (Thooris), les méthodes de développement physique peuvent suffire ; elles doivent être employées à condition de ne pas introduire des habitudes vicieuses respiratoires. On utilisera la gymnastique éclectique dérivée de la gymnastique suédoise qui en est la base, et qui est la première phase de l'éducation physique et non le tout.

L'exercice de respiration est réservé aux cas d'insuffisance respiratoire, c'est-à-dire à la catégorie si nombreuse des sujets que notre étiologie a passé en revue, et qui ne sont plus en santé normale.

Après guérison de l'insuffisance respiratoire sous les réserves exprimées au cours de notre exposé, les sujets pourront être remis entre les mains des éducateurs physiques ordinaires.

CHAPITRE VI

PROPOSITIONS TERMINALES

1° L'exercice de respiration, formule médicale et scientifique de la gymnastique respiratoire, n'est pas (conception ancienne) une panacée universelle, ou un tonique merveilleux bon à tous les usages et capable de guérir toute déchéance. Il est le traitement des fautes de physiologie, des imperfections du mécanisme de la respiration, c'est-à-dire du syndrome de l'insuffisance respiratoire. Il n'est pas un gavage d'oxygène, il cesse d'être indiqué lorsque le mécanisme respiratoire donne toute satisfaction pour retrouver son indication à toute imperfection nouvelle.

2° L'insuffisance respiratoire reconnaît 4 divisions qui s'observent isolées ou associées :

L'*insuffisance nasale* née d'un obstacle mécanique à la respiration qui devra être levé chirurgicalement, ou d'un trouble fonctionnel ;

L'*insuffisance thoracique*, dépendant souvent des obstructions du rhino-pharynx. Conséquence d'une affection pleuro-pulmonaire ou d'une maladie générale ou fréquemment d'un simple affaiblissement organique, elle est due le plus souvent à une inspiration insuffisante, quelquefois à une expiration défectueuse.

L'*insuffisance diaphragmatique* due à toute inflammation même lointaine du péritoine ou de la plèvre, ou liée à des syndromes précédents.

Les troubles du rythme ;

La majeure partie des infections pleuro-pulmonaires, et en tête les pleurésies et la tuberculose pulmonaire comptent parmi leurs causes prédisposantes les plus importantes l'insuffisance respiratoire souvent antérieure et primordiale.

3° L'*exercice physiologique de respiration* est simplement une respiration faite selon les règles de la physiologie, surveillée, contrôlée, dirigée par le médecin ; c'est-à-dire exclusivement nasale, suffisante, complète, rythmée. Il sera pratiqué dans diverses attitudes, accompagné de mouvements simples longtemps passifs, puis actifs, puis des actes ordinaires de la vie (marche, écriture, lecture, etc.). Toujours la cure sera dirigée et surveillée par le médecin.

4° Le traitement par l'exercice physiologique de respiration s'accompagne régulièrement du quadruple résultat :

Une diurèse avec déchloruration, surtout appréciable lorsque le traitement est institué en pleine période fébrile (pleuro-tuberculose aiguë), naturellement absente si le sujet n'est pas en état de rétention ;

Une amélioration de la circulation veineuse, par appel au cœur du sang veineux de la circulation générale non moins que du sang hépatique, d'où l'emploi de la méthode pour combattre la congestion hépatique ;

Une augmentation en poids, rapide, immédiate progressive indépendante du régime alimentaire, qui en fait un élément essentiel du traitement des convalescences des déchéances organiques et de la phase prémonitoire de la tuberculose pulmonaire ;

Un développement du thorax qui est marqué d'abord par le retour d'une ampliation physiologique, puis par l'élargissement anatomique antéro-postérieur et transverse de la cage thoracique. L'ampliation physiologique est l'ampliation d'entraînement (G. Rosenthal) et non la moyenne (Nageotte) des ampliations ordinaires. Ce développement méthodique est d'après nous un élément essentiel du traitement préventif spécifique de la tuberculose pulmonaire.

5° La technique de l'exercice physiologique et la progression suivie seront réglées rigoureusement d'après les principes médicaux méthodiques, rigoureux et précis que nous avons contribué à poser. La prudence sera d'autant plus grande que le malade aura un état général moins satisfaisant ou des troubles pulmonaires plus marqués. En cas de tuberculose pulmonaire confirmée et ouverte, il faudra obéir strictement aux principes de l'*épreuve d'essai* et de l'*amélioration inhibitrice*; et pratiquer simultanément l'injection intra-trachéale transglottique.

6° Toute méthode simplifiée peut à la rigueur donner de bons résultats chez des individus sains, déjà sélectionnés et d'un recrutement identique. Elle constituerait chez les malades dont nous nous occupons une surenchère coupable dont nous laissons à d'autres la responsabilité. En thérapeutique, les résultats important s'acquièrent avec effort.

7° Il n'existe pas d'opposition entre la médication kinésithérapique et la médication hygiéno-diététique ou spécifique. Le médecin cherche à guérir ; il ne saurait enfermer son action dans l'étroitesse d'une méthode exclusive. L'injection intratrachéale (de la Jarige, G. Rosenthal), les tuberculines, le sérum, les corps I. K. de Spengler, l'autosérothérapie à liquide filtré, les cures d'air, les cures de villes d'eau (La Bourboule, Mont-Dore, Luchon, Challes, etc...), le plasma marin et toutes les médications toniques (huiles et principes de l'huile de foie de morue, arsenic, fer, etc...) seront utilisées.

8° L'exercice de respiration ne tend pas à suppléer les

méthodes diverses d'éducation physique. Appliqué aux malades, garantie de maintien de santé des sains, il ouvre la porte aux diverses méthodes, gardant son exclusivité dès que vient, menace ou pourrait menacer la maladie.

TABLE DES MATIÈRES

CHAPITRE VI

LIBRAIRIE FÉLIX ALCAN

FÉLIX ALCAN ET R. LISBONNE, ÉDITEURS

MÉDECINE — SCIENCES

CATALOGUE

DES

Livres de Fonds

TABLE DES MATIÈRES

*On peut se procurer tous les ouvrages
qui se trouvent dans ce Catalogue par l'intermédiaire des libraires
de France et de l'Étranger.*

*On peut également les recevoir franco par la poste,
sans augmentation des prix désignés, en joignant à la demande
des TIMBRES-POSTE FRANÇAIS ou un MANDAT sur Paris.*

108, BOULEVARD SAINT-GERMAIN, 108

PARIS

OCTOBRE 1911

EN COURS DE PUBLICATION :

TRAITÉ INTERNATIONAL

DE PSYCHOLOGIE PATHOLOGIQUE

PUBLIÉ SOUS LA DIRECTION DU

Dᵣ A. MARIE

Médecin en chef de l'Asile de Villejuif.

COMITÉ DE RÉDACTION

MM. LES PROFESSEURS

BETCHEREW   CLOUSTON   DÉJERINE   GRASSET   LUGARO
(de Saint-Pétersbourg)   (d'Édimbourg)   (de Paris)   (de Montpellier)   (de Modène)

Dᵣ MAGNAN   PILCZ   RAYMOND   ZIEHEN
(de Paris)   (de Vienne)   (de Paris)   (de Berlin)

Publiés :

Tome I. — **Psychopathologie générale**, par MM. les Professeurs GRASSET, DEL GRECO, P. MARIE, MALLY, P. MINGAZZINI, MARINESCO, LUGARO, KLIPPEL, L. LAVASTINE, MOREL, CLOUSTON, DIDE, BETCHEREW, CARRARA, FERRARI, MARRO. 1 fort vol. grand in-8, de xx-1028 pages avec 353 gravures dans le texte. . . . . **25 fr.**

Tome II. — **Psychopathologie clinique**, par MM. les Professeurs BAGENOFF, BETCHEREW, Docteurs BOURILHET, CAPGRAS, COLIN, DENY, HESNARD, LHERMITTE, MAGNAN, A. MARIE, Professeurs PICK, PILCZ, RÉGIS, Docteurs RICHE, ROUBINOVITCH, SÉRIEUX, SOLLIER, Professeur ZIEHEN. 1 fort vol. grand in-8, xxiv-1000 pages, avec 311 gravures dans le texte . . . . **25 fr.**

L'ouvrage sera complet en 3 volumes; le tome III paraîtra en décembre 1911.

MANUEL

D'HISTOLOGIE PATHOLOGIQUE

PAR

V. CORNIL   ET   **L. RANVIER**
Professeur à la Faculté de Médecine,   Professeur au Collège de France,
Membre de l'Académie de Médecine,   Membre de l'Institut,
Médecin de l'Hôtel-Dieu.   Membre de l'Académie de Médecine.

AVEC LA COLLABORATION DE MM.

A. BRAULT   **M. LETULLE**
Médecin   Professeur à la Faculté de Médecine,
de l'hôpital Lariboisière.   Membre de l'Académie de Médecine.
Membre de l'Académie de Médecine.

— *Troisième édition entièrement refondue* —

Publiés :

Tome I, par MM. CORNIL, RANVIER, BRAULT, Fernand BEZANÇON, professeur agrégé à la Faculté de médecine, médecin des hôpitaux; Maurice CAZIN, chef de laboratoire à la Faculté de médecine. — *Généralités sur l'histologie normale.* — *Cellules et tissus normaux.* — *Généralités sur l'histologie pathologique.* — *Altérations des cellules et des tissus.* — *Des inflammations.* — *Des tumeurs.* — *Notions élémentaires sur les bactéries.* — *Lésions des os et des tissus cartilagineux.* — *Anatomie pathologique des articulations.* — *Des altérations du tissu conjonctif.* — *Lésions des membranes séreuses.* — 1 fort volume grand in-8, avec 369 gravures en noir et en couleurs. . . . . **25 fr.**

Tome II, par MM. G. DURANTE, chef de laboratoire à la Maternité; J. JOLLY, H. DOMINICI, GOMBAULT, médecin des hôpitaux, et CL. PHILIPPE, chef de laboratoire à la Salpêtrière. — *Muscles.* — *Sang et hématopoïèse.* — *Cerveau.* — *Moelle.* — *Nerfs.* — 1 fort volume grand in-8, avec 202 gravures en noir et en couleurs . . . . **25 fr.**

Tome III, par MM. GOMBAULT, médecin des hôpitaux ; NAGEOTTE et A. RICHE, médecins de Bicêtre ; G. DURANTE ; R. MARIE, médecin des hôpitaux ; Fernand BEZANÇON, Th. LEGRY, professeurs agrégés à la Faculté de médecine, médecins des hôpitaux. — *Système nerveux central (Cerveau et Moelle épinière).* — *Nerfs.* — *Cœur et vaisseaux.* — *Rate.* — *Ganglion lymphatique.* — *Larynx.* — 1 fort volume grand in-8, avec 382 gravures en noir et en couleurs . . . . **35 fr.**

Le tome IV et dernier, par MM. MILIAN, DIEULAFÉ, HERPIN, DECLOUX, CRITZMANN, COURCOUX, BRAULT, LEGRY, HALLÉ, KLIPPEL et LEFAS. — *Poumon.* — *Bouche.* — *Tube digestif.* — *Estomac.* — *Intestin.* — *Foie.* — *Rein.* — *Vessie et urèthre.* — *Rate*, paraîtra en décembre 1911.

DERNIÈRES PUBLICATIONS MÉDICALES
(1910 et 1911)

TRAITÉ CHIRURGICAL D'UROLOGIE
par F. LEGUEU
Chirurgien de l'hôpital Laënnec. Professeur agrégé à la Faculté de Médecine de Paris.

Avec 663 figures dans le texte et 8 planches en couleurs hors texte.

Préface de M. le Professeur GUYON, de l'Institut.

Un fort volume grand in-8, de VIII-1382 pages, cartonné. . . . . . **40 fr.**

TRAVAUX DE LA DEUXIÈME CONFÉRENCE INTERNATIONALE
POUR

L'ÉTUDE DU CANCER
Tenue à Paris du 1er au 5 Octobre 1910
PUBLIÉS SOUS LA DIRECTION DE MM.

Le prof. PIERRE DELBET   et le   Dr R. LEDOUX-LEBARD

Secrétaire général   Secrétaire

de l'Association française pour l'Étude du Cancer

RAPPORTS PRÉSENTÉS — DISCUSSIONS

Un fort volume in-8 de LXII-803 p. et une planche hors texte. . . . **20 fr.**

LES MALADIES DU CŒUR
par le Dr JAMES MACKENSIE
Membre du Collège royal des Médecins.

Traduit sur la deuxième édition anglaise.

par le Dr FRANÇON

Médecin consultant à Aix-les-Bains.

Préface de M. le Dr H. VAQUEZ

Professeur agrégé à la Faculté de Médecine, Médecin des Hôpitaux de Paris.

Un fort vol. in-8, avec 280 figures dans le texte et hors texte. . . . **15 fr.**

L'ANAPHYLAXIE
par CH. RICHET
Professeur à la Faculté de Médecine de Paris, Membre de l'Académie de Médecine.

Un volume in-16. . . . . **3 fr. 50**

L'ÉTAT MENTAL DES HYSTÉRIQUES
LES STIGMATES MENTAUX DES HYSTÉRIQUES. — LES ACCIDENTS MENTAUX
DES HYSTÉRIQUES. — ÉTUDES SUR DIVERS SYMPTÔMES HYSTÉRIQUES
LE TRAITEMENT PSYCHOLOGIQUE DE L'HYSTÉRIE.

par le Dr PIERRE JANET
Professeur de psychologie au Collège de France.

2e édition. 1 fort vol. gr. in-8 avec gravures dans le texte. . . . . . **18 fr.**

Le Diagnostic des Maladies nerveuses
par PURVES STEWART (de Londres).
Médecin de l'hôpital de Westminster et de l'hôpital de West End pour les maladies nerveuses.

Traduction et adaptation française par le Dr GUSTAVE SCHERB

Préface du Dr F. HELME

Un fort volume grand in-8 avec 208 figures et diagrammes. . . . . . **15 fr.**

4 FÉLIX ALCAN, ÉDITEUR, 108, BOULEVARD SAINT-GERMAIN, PARIS (6ᵉ)

SUITE DES DERNIÈRES PUBLICATIONS MÉDICALES (1910 ET 1911)

L'HYSTÉRIE ET LES HYSTÉRIQUES
par le Dʳ P. HARTENBERG
Un volume in-16. . . . . 3 fr. 50

LA DISSOCIATION D'UNE PERSONNALITÉ
Étude biographique de Psychologie pathologique
par le Dʳ MORTON-PRINCE
Professeur de pathologie du système nerveux à l'École de Médecine
de « Tufts collèges » (États-Unis).
Un volume in-8°, traduit de l'anglais par R. et J. Ray. . . . . . . 10 fr.

L'AVARICE
Essai de Psychologie morbide
par J. ROGUES de FURSAC
Médecin en chef des asiles de la Seine.
Un volume in-16. . . . . 2 fr. 50

RESPONSABILITÉ PÉNALE ET FOLIE
Étude Médico-légale
par
P. DUBUISSON   A. VIGOUROUX
Médecin de l'Asile Sainte-Anne.   Médecin de l'Asile de Vaucluse.
Préface de M. le Prof. LACASSAGNE, correspondant de l'Institut.
Un volume in-8°. . . . . 7 fr. 50

LES OPIOMANES
Étude Clinique et Médico-littéraire
par R. DUPOUY, Médecin de l'Asile de Charenton.
Préface de M. le Professeur RÉGIS
Un volume in-8°. . . . . 5 fr.

La Fatigue et le Repos
par le Dʳ Fernand LAGRANGE
Avec le concours du Dʳ de GRANDMAISON
Un volume in-8°. . . . . 6 fr.

COLLECTION MÉDICALE
Volumes in-16, cartonnés à l'anglaise, à 6 fr., 4 fr. et 3 fr.

DERNIERS VOLUMES PARUS (1910 ET 1911) :

La mimique chez les aliénés, par le Dʳ G. DROMARD. . . . . . . 4 fr.
L'Amnésie, par les Dʳˢ G. DROMARD et J. LEVASSORT. . . . . . 4 fr.
Essais de médecine préventive, par le Dʳ P. LONDE, ancien interne des hôpitaux de Paris. . . . . . 4 fr.
Manuel de pratique obstétricale, par le Dʳ E. PAQUY, ancien chef de clinique d'accouchements à la Faculté de médecine de Paris, avec 107 gravures. . . . . . 4 fr.
La joie passive. Étude de psychologie pathologique, par le Dʳ M. MIGNARD, ancien interne des asiles de la Seine. Préface de M. le Dʳ G. DUMAS, professeur adjoint à la Sorbonne. 1 vol. in-16. . . . . . 4 fr.
Guide pratique de puériculture. À l'usage des docteurs en médecine et des sages-femmes, par le Dʳ DELÉARDE, professeur à la Faculté de médecine de Lille, chargé du cours de

clinique médicale infantile. Avec gravures............................... 4 fr.

Manuel de pathologie. *A l'usage des sages-femmes et des mères*, par le Dr H. DUFOUR, médecin de l'Hôpital de la Maternité. 1 vol. in-16, avec 53 grav. dans le texte et 14 pl. en coul. hors texte... 6 fr.

La médecine préventive du premier âge, par le Dr P. LONDE, ancien interne des hôpitaux de Paris... 4 fr.

Manuel de psychiatrie, par le Dr J. ROGUES DE FURSAC, médecin en chef des asiles de la Seine. 4e édition. Revue et augmentée............................... 4 fr.

La démence précoce. *Étude psychologique, médicale et médico-légale*, par le Dr CONSTANZA PASCAL, médecin des asiles publics d'aliénés........................... 4 fr.

Hygiène de l'alimentation dans l'état de santé et de maladie, par le Dr J. LAUMONIER, avec gravures. 4e édition. Entièrement refondue......................... 4 fr.

PRÉCÉDEMMENT PARUS :

Essai sur la puberté chez la femme, par Mlle le Dr Marthe FRANCILLON, ancien interne des hôpitaux de Paris.. 4 fr.

La mélancolie, par le Dr R. MASSELON, médecin adjoint de l'asile de Clermont....... 4 fr.

Les embolies bronchiques tuberculeuses, par le Dr SABOURIN, médecin du sanatorium de Durtol, avec gravures....................................... 4 fr.

La responsabilité. *Étude de socio-biologie et de médecine légale*, par le Dr G. MORACHE, prof. de médecine légale à l'Univ. de Bordeaux, associé de l'Académie de médecine. 4 fr.

Naissance et mort. *Étude de socio-biol. et de médecine lég.*, par le même.......... 4 fr.

Grossesse et accouchement. *Étude de socio-biol. et de médecine lég.*, par le même... 4 fr.

Les nouveaux traitements, par le Dr J. LAUMONIER. 2e édit.......... 4 fr.

Manuel d'électrothérapie et d'électrodiagnostic, par le Dr E. ALBERT-WEIL, avec 88 gravures. 2e édition. (*Couronné par l'Académie de médecine*)................. 4 fr.

L'hystérie et son traitement, par le Dr PAUL SOLLIER..................... 4 fr.

L'instinct sexuel. *Évolution, dissolution*, par le D^r CH. FÉRÉ, médecin de Bicêtre. 2e éd. 4 fr.

L'intubation du larynx chez l'enfant et l'adulte, par le Dr A. BONIN, avec 42 grav. 4 fr.

Pratique de la chirurgie courante, par le Dr M. CORNET. Préface du prof. OLLIER, avec 111 gravures... 4 fr.

Les maladies de l'urèthre et de la vessie chez la femme, par le Dr KOLISCHER, prof. de gynécologie à Chicago Clinical School. Traduit de l'all. par le Dr Beuttner, avec grav. 4 fr.

L'éducation rationnelle de la volonté. *Son emploi thérapeutique*, par le Dr P.-E. Lévy, préface de M. le *Professeur Bernheim*, 7e édition............................... 4 fr.

La mort réelle et la mort apparente. Nouveaux procédés de diagnostic et traitement de la mort apparente, par le Dr S. ICARD, avec gravures. (*Ouvrage récompensé par l'Institut*). 4 fr.

La fatigue et l'entraînement physique, par le D^r PH. TISSIÉ, préface de M. le *Professeur Bouchard*, avec gravures. 3e édition................................. 4 fr.

Morphinisme et morphinomanie, par le Dr P. RODET. (*Ouvrage couronné par l'Académie de médecine*)... 4 fr.

L'hygiène sexuelle et ses conséquences morales, par le Dr S. RIBBING, professeur à l'Université de Lund (Suède). 4e édition.................................... 4 fr.

Hygiène de l'exercice chez les enfants et les jeunes gens, par le Dr F. LAGRANGE, lauréat de l'Institut. 9e édition... 4 fr.

L'exercice chez les adultes, par le même. 7e édition..................... 4 fr.

Hygiène des gens nerveux, par le Dr LEVILLAIN. 5e édition................. 4 fr.

L'Idiotie. *Psychologie et éducation de l'idiot*, par le Dr J. VOISIN, médecin de la Salpêtrière, avec gravures... 4 fr.

La famille névropathique. *Hérédité, prédisposition morbide, dégénérescence*, par le D^r CH. FÉRÉ, médecin de Bicêtre, avec gravures. 2e édition.................... 4 fr.

L'éducation physique de la jeunesse, par A. Mosso, professeur à l'Université de Turin. 4 fr.

Manuel de percussion et d'auscultation, par le Dr P. SIMON, professeur à la Faculté de médecine de Nancy, avec gravures.................................... 4 fr.

Le traitement des aliénés dans les familles, par le D^r CH. Féré, médecin de Bicêtre, 3e édition... 4 fr.

Dans la même Collection :

MÉDECINE OPÉRATOIRE

par M. le Professeur FÉLIX TERRIER
Membre de l'Académie de médecine,
Professeur de clinique chirurgicale à la Faculté de médecine de Paris.

Petit manuel d'anesthésie chirurgicale, par les Drs FÉLIX TERRIER et M. PÉRAIRE, avec 37 gravures... 3 fr.

Petit manuel d'antisepsie et d'asepsie chirurgicales, par les mêmes, avec 70 gravures. 3 fr.

L'opération du trépan, par les mêmes, avec 222 gravures.................... 4 fr.

Chirurgie de la face, par les Drs FÉLIX TERRIER, GUILLEMAIN, chirurgien des hôpitaux de Paris, et MALHERBE, avec 214 gravures............................ 4 fr.

Chirurgie du cou, par les mêmes, avec 101 gravures....................... 4 fr.

Chirurgie de la plèvre et du poumon, par les Drs FÉLIX TERRIER et E. REYMOND, avec 67 gravures... 4 fr.

Chirurgie du cœur et du péricarde, par les mêmes, avec 79 gravures............ 3 fr.

NOUVELLE
COLLECTION SCIENTIFIQUE

Directeur : ÉMILE BOREL

Sous-directeur de l'École normale supérieure,
Professeur à la Sorbonne.

VOLUMES IN-16 A 3 FR. 50

Volumes publiés en 1910 et en 1911

TANNERY (Jules), de l'Institut, sous-directeur de l'École Normale Supérieure; Science et Philosophie. 1 vol. in-16... 3 fr. 50

RABAUD (E.), maître de conférences à la Sorbonne. Le transformisme et l'expérience. 1 vol. in-16.. 3 fr. 50

OSTWALD, professeur à l'Université de Leipzig. L'Évolution de l'électro-chimie, traduit de l'allemand par E. PHILIPPI. 1 vol. in-16............................. 3 fr. 50

De la méthode dans les sciences : (2e série).

 Avant-propos, par ÉMILE BOREL. — Astronomie, jusqu'au milieu du XVIIIe siècle, par B. BAILLAUD, de l'Institut, directeur de l'Observatoire de Paris. — Chimie physique, par JEAN PERRIN, professeur à la Sorbonne. — Géologie, par LÉON BERTRAND, professeur-adjoint à la Sorbonne. — Paléobotanique, par R. ZEILLER, de l'Institut, professeur à l'École des Mines. — Botanique, par LOUIS BLARINGHEM, chargé de cours à la Sorbonne. — Archéologie, par SALOMON REINACH, de l'Institut. — Histoire littéraire, par GUSTAVE LANSON, professeur à la Sorbonne. — Statistique, par LUCIEN MARCH, directeur de la statistique générale de la France. — Linguistique, par A. MEILLET, professeur au Collège de France. 1 vol. in-16.. 3 fr. 50

BUAT (E.), chef d'escadron au 25e régiment d'artillerie de campagne. L'artillerie de campagne. Son histoire, son évolution, son état actuel. 1 vol. in-16 avec 75 grav. 3 fr. 50

MEUNIER (Stanislas), professeur de géologie au Muséum d'histoire naturelle. * L'évolution des Théories géologiques. 1 vol. in-16, avec gravures........................ 3 fr. 50

NIEDERLE (Lubor), professeur à l'Université de Prague. * La Race slave, Statistique, démographie, anthropologie. Traduit du tchèque et précédé d'une préface, par L. LEGER, de l'Institut. 1 vol. in-16.. 3 fr. 50

PAINLEVÉ (Paul), de l'Institut, et BOREL (Emile). * L'Aviation. 4e édition; revue et augmentée. 1 vol. in-16, avec gravures.. 3 fr. 50

DUCLAUX (Jacques), préparateur à l'Institut Pasteur. * La Chimie de la Matière vivante. 2e édition. 1 vol. in-16.. 3 fr. 50

MAURAIN (Ch.), professeur à la Faculté des sciences de Caen. * Les États physiques de la Matière. 2e éd. 1 vol. in-16, avec gravures................................. 3 fr. 50

Précédemment parus.

LE DANTEC (F.), chargé du cours de biologie générale à la Sorbonne. Éléments de Philosophie biologique. 1 vol. in-16. 3e édition.............................. 3 fr. 50

BONNIER (Dr P.), laryngologiste de la clinique médicale de l'Hôtel-Dieu. La Voix. Sa culture physiologique. Théorie nouvelle de la phonation. 3e édition. 1 vol. in-16, avec gravures.. 3 fr. 50

* De la Méthode dans les Sciences : (1re série).

 1. Avant-propos, par M. P.-F. THOMAS, docteur ès lettres, professeur de philosophie au lycée Hoche. — 2. De la Science, par M. ÉMILE PICARD, de l'Institut. — 3. Mathématiques pures, par M. J. TANNERY, de l'Institut. — 4. Mathématiques appliquées, par M. PAINLEVÉ, de l'Institut. — 5. Physique générale, par M. BOUASSE, professeur à la Faculté des Sciences de Toulouse. — 6. Chimie, par M. JOB, professeur au Conservatoire des Arts et Métiers. — 7. Morphologie générale, par M. A. GIARD, de l'Institut. — 8. Physiologie, par M. LE DANTEC, chargé de cours à la Sorbonne. — 9. Sciences médicales, par M. PIERRE DELBET, professeur à la Faculté de médecine de Paris. — 10. Psychologie, par M. TH. RIBOT, de l'Institut. — 11. Sciences médicales, par M. DURKHEIM, professeur à la Sorbonne. — 12. Morale, par M. LÉVY-BRUHL, professeur à la Sorbonne. — 13. Histoire, par M. G. MONOD, de l'Institut. 2e édition, 1 vol. in-16.................... 3 fr. 50

THOMAS (P.-F.), professeur au lycée Hoche. * L'Éducation dans la Famille. Les péchés des parents. 3e édition: 1 vol. in-16 (Couronné par l'Institut)....................... 3 fr. 50

LE DANTEC (F.). La Crise du Transformisme. 2e édition. 1 vol. in-16............... 3 fr. 50

OSTWALD (W.), professeur à l'Université de Leipzig. L'Énergie, traduit de l'allemand par E. PHILIPPI, 3e édition. 1 vol. in-16.................................. 3 fr. 50

RÉCENTES PUBLICATIONS
MÉDICALES ET SCIENTIFIQUES

Pathologie et Thérapeutique médicales.

ALBERT-WEIL (E.), chargé du service d'électrothérapie de la Clinique chirurgicale infantile de l'hôpital Tenon. **Manuel d'électrothérapie et d'électrodiagnostic.** 1906. In-16, avec 88 fig. 2ᵉ édition. Cart. à l'angl. (*Récompensé par l'Académie de médecine*)........ 4 fr.

BATIER (Dʳ G.). **Tuberculose humaine et tuberculoses animales.** De leur unicité. 1907. 1 vol. gr. in-8 .... 6 fr.

BERGER (E.) et LOEWY (R.). **Les troubles oculaires d'origine génitale chez la femme.** 1905. 1 vol. in-16....... .... 3 fr.

BONAIN (A.), chirurgien de l'hôpital civil de Brest. **Traité de l'intubation du larynx chez l'enfant et chez l'adulte.** 1902. 1 vol. in-16, avec 50 fig. Cartonné à l'anglaise...... 4 fr.

BOUCHUT et DESPRÉS, professeurs agrégés à la Faculté de médecine de Paris, médecin et chirurgien des hôpitaux. **Dictionnaire de médecine et de thérapeutique médicale et chirurgicale,** comprenant le résumé de la médecine et de la chirurgie, les indications thérapeutiques de chaque maladie, la médecine opératoire, les accouchements, l'oculistique, l'odontotechnie, les maladies d'oreille, l'électrisation, la matière médicale, les eaux minérales, et un formulaire spécial pour chaque maladie. 7ᵉ édit., très augmentée, revue par MM. les Dʳˢ Fernand Bouchut et G. Marion, professeur agrégé à la Faculté de médecine de Paris, chirurgien des hôpitaux. 1907. 1 vol. in-4, avec 1 097 figures dans le texte : broché, 25 fr. — Relié .... 30 fr.

CORNIL (V.) et BABES, professeur à la Faculté de médecine de Bucarest. **Les bactéries,** leur rôle dans l'histologie pathologique des maladies infectieuses. 2 vol. gr. in-8; contenant la description des méthodes de bactériologie. 3ᵉ édit., 1890, avec 385 fig. en noir et en couleurs dans le texte et 12 planches hors texte.................... 40 fr.

CORNIL (V.), RANVIER (L.), BRAULT et LETULLE. **Manuel d'histologie pathologique.** Tome I, 1901. 1 vol. grand in-8, avec gravures en noir et en couleurs. 3ᵉ édit., 25 fr. — Tome II, 1902. 1 vol. grand in-8, avec gravures en noir et en couleurs, 25 fr. — Tome III. 1907. 1 fort vol., grand in-8, avec grav. en noir et en couleurs, 30 fr. (Voir détails page 2.)

DESCHAMPS (Dʳ A.). **Les maladies de l'énergie.** *Les asthénies générales. Épuisements, insuffisances, inhibitions* (clinique-thérapeutique), préface de M. le Prof. F. Raymond. 2ᵉ édit., revue, 1909. 1 vol. in-8 (*couronné par l'Académie de médecine*).......... 8 fr.

DUFOUR (Dʳ H.). Médecin de l'hôpital de la Maternité. **Manuel de pathologie.** A *l'usage des sages-femmes et des mères.* 1 vol. in-16, avec 53 grav. dans le texte et 14 pl. en coul. hors texte. 1911 .... 6 fr.

FÉRÉ (Ch.), médecin de Bicêtre. **L'instinct sexuel.** *Évolution. Dissolution.* 2ᵉ édit. 1902. 1 vol. in-12, cart... 4 fr.

FINGER (Ernest), professeur à l'Université de Vienne. **La syphilis et les maladies vénériennes,** traduit de l'allemand, avec notes, par les docteurs Doyon, P. et L. Spillmann. 3ᵉ éd., 1909. 1 vol. in-8, avec 8 pl. .... 12 fr.

GALEZOWSKI (J.). **Le fond de l'œil dans les maladies du système nerveux.** 1 vol. in-8, avec 3 pl. en couleurs. 1904.. 5 fr.

GUÉPIN (A.). **Le traitement de l'hypertrophie sénile de la prostate.** 1 vol. in-12 1904... 2 fr. 50

HÉRARD, CORNIL et HANOT. **La phtisie pulmonaire,** étude anatomo-pathologique et clinique. 2ᵉ édit. 1 vol. in-8, avec 65 fig. en noir et en couleurs et 2 planches... 20 fr.

KOLISCHER, professeur de gynécologie à Chicago Clinical School. **Les maladies de l'urèthre et de la vessie chez la femme,** traduit de l'allemand par le Dʳ Beuttner. 1900. In-12, avec grav., cart... 4 fr.

LABADIE-LAGRAVE, médecin de la Charité, et LEGUEU, professeur agrégé à la Faculté de médecine de Paris, chirurgien des hôpitaux. **Traité médico-chirurgical de gynécologie.** 1 vol. gr. in-8, avec 378 grav. dans le texte, cart. à l'angle. 3ᵉ édit., 1904 (*Couronné par l'Académie des sciences et par l'Académie de médecine*)................ 25 fr.

LAGRANGE (Fernand), lauréat de l'Académie des sciences et de l'Académie de médecine. **La médication par l'exercice.** 2ᵉ éd., 1904. 1 fort vol. in-8, avec 69 gravures dans le texte et une carte coloriée hors texte................................. 12 fr.

— **Les Mouvements méthodiques et la « mécanothérapie ».** 1899. 1 vol. grand in-8, avec 57 gravures. .... 10 fr.

— **Le traitement des affections du cœur par l'exercice et le mouvement.** 1903. 1 vol. in-8, avec fig. et une carte coloriée.. 6 fr.

LANDOUZY (L.), Doyen de la Faculté de médec. de Paris, et HEITZ (Dʳ J.). **La balnéation carbo-gazeuse** (*Spécialisation fonctionnelle des eaux de Royat*). 1906. In-8..... 2 fr.

LAUMONIER (J.). **Les nouveaux traitements.** 2ᵉ édit., 1904. 1 vol. in-16, cartonné à l'anglaise .... 4 fr.

LE DANTEC (F.), chargé de cours à la Sorbonne. Introduction à la pathologie générale.
1 fort vol. in-8, avec fig. 1906 .... 15 fr.
LEGUEU (Voir plus haut : LABADIE-LAGRAVE).
LÉPINE (R.), professeur de clinique médicale à l'Université de Lyon. Le diabète sucré.
1909. 1 vol. gr. in-8 .... 16 fr.
LONDE (Dr P.), ancien interne des hôpitaux de Paris. Essais de médecine préventive. 1910.
1 vol. in-16, cart. à l'angl .... 4 fr.
— La médecine préventive du premier âge. 1911. 1 vol. in-16, cart. à l'angl ...... 4 fr.
MACKENSIE (Dr J.), membre du Collège royal des médecins. Les maladies du cœur.
Traduit sur la 2e édition anglaise par le Dr G. FRANÇON, médecin consultant à Aix-les-
Bains. Préface du Dr H. VAQUEZ, prof. agrégé à la Faculté de Médecine, médecin des
hôpitaux de Paris, 1911. 1 vol. gr. in-8 avec 280 fig. dans le texte et hors texte... 15 fr.
MOSSÉ (A.), professeur de clinique médicale à l'Université de Toulouse. Le diabète et
l'alimentation aux pommes de terre. 1903. 1 vol. grand in-8, avec graphiques..... 5 fr.
RICHET (Ch.), prof. à la Faculté de médecine de Paris. L'anaphylaxie. 1911. 1 vol.
in-16 .... 3 fr. 50
SIMON (P.), professeur à la Faculté de médecine de Nancy. Manuel de percussion et
d'auscultation. 1895. In-12, cart .... 4 fr.
SPRINGER. La croissance. Son rôle en pathologie. Essai de pathologie générale. 1 vol.
in-8. 1890 .... 6 fr.
UNNA, professeur à l'Université de Vienne. Thérapeutique des maladies de la peau.
Traduit de l'allemand par les Drs DOYON et SPILLMANN. 1908. 1 vol. grand in-8... 10 fr.
Revue de Médecine. Directeurs, MM. les Prof. BOUCHARD, CHAUFFARD, CHAUVEAU, LAN-
DOUZY, LÉPINE, PITRES, ROGER et VAILLARD; Rédacteurs en chef, MM. LANDOUZY et
LÉPINE; Secrétaire de la rédaction, Dr JEAN LÉPINE (v. p. 30).

Maladies nerveuses et mentales.

BERNARD LEROY. L'illusion de fausse reconnaissance. 1 vol. in-8. 1898 .... 4 fr.
— Le langage. Essai sur la fonction normale et pathologique de cette fonction. 1 vol.
in-8. 1906 .... 5 fr.
BINET. Les altérations de la personnalité. 2e édit. 1902. In-8, cart .... 6 fr.
CAMUS (J.) et PAGNIEZ (Ph.). Isolement et psychothérapie. Traitement de l'hystérie et
de la neurasthénie, pratique de la rééducation morale et physique. Préface de M. le
Dr DÉJERINE. 1904. Gr. in-8 .... 9 fr.
DAREL. La Folie. Ses causes. Sa thérapeutique. 1 v. in-8. 1901 .... 4 fr.
DESCHAMPS (Dr A.). Les Maladies de l'énergie. Les asthénies générales. Épuisements,
insuffisances, inhibitions (Clinique-thérapeutique), préface de M. le Prof. RAYMOND.
1 vol. in-8 2e éd. 1909. (Couronné par l'Académie de médecine) .... 8 fr.
DROMARD (Dr G.). La mimique chez les aliénés. 1909. 1 vol. in-16, cart ...... 4 fr.
DROMARD (Dr G.) et LEVASSORT (Dr J.). L'amnésie. 1907. 1 vol. in-16, cart ... 4 fr.
DUBUISSON (P.) et A. VIGOUROUX. Responsabilité pénale et folie. 1 vol. in-8°. 1911. 7fr.50
DUPOUY (Dr R.). Les Opiomanes. 1 vol. in-8°. 1911 .... 5 fr.
FÉRÉ (Ch.), médecin de Bicêtre. Le traitement des aliénés dans les familles. 1 vol. in-18.
3e éd., cart. à l'angl .... 4 fr.
— Les épilepsies et les épileptiques. 1 vol. gr. in-8, avec 67 gravures et 12 planches hors
texte .... 20 fr.
— Pathologie des émotions, études cliniques et physiologiques. 1 vol. grand in-8, avec
figures .... 12 fr.
— La Famille névropathique. Théorie tératologique de l'hérédité et de la prédisposition
morbides et de la dégénérescence. 1 vol. in-12, 2e éd., 1898, avec 25 grav. dans le texte,
cart. à l'angl .... 4 fr.
— Dégénérescence et criminalité. 1 vol. in-12. 4e éd., 1907 .... 2 fr. 50
FLEURY (Maurice de). Introduction à la médecine de l'esprit. 1 vol. gr. in-8, avec fig.
9e éd., 1911 (Couronné par l'Académie française et par l'Académie des sciences). 7 fr. 50
— Les grands symptômes neurasthéniques. Pathogénie et traitement. 10e éd., 1904. 1 vol.
in-8, avec figures .... 7 fr. 50
— Manuel pour l'étude des maladies du système nerveux. Gr. in-8, avec 133 grav. en noir
et en coul., cart. à l'angl. 1904 .... 25 fr.
(Ces deux ouvrages ont été couronnés par l'Académie de médecine.)
FRENKEL. L'Ataxie tabétique. Son traitement par la rééducation des mouvements. Traduit
de l'allemand par le Dr Van BIERVLIET. Préface du Prof. RAYMOND. 1 fort vol. gr. in-8,
av. 132 grav. 1906 .... 8 fr.
GRASSET, professeur de la Faculté de médecine de Montpellier. Les maladies de l'orien-
tation et de l'équilibre. 1901. 1 vol. in-8, avec grav., cart. à l'angl .... 6 fr.
— Demifous et demiresponsables. 1 vol. in-8. 2e édit. 1908 .... 5 fr.
HARTENBERG (P.). Les timides et la timidité. 3e éd. 1 vol. in-8 .... 5 fr.
— Psychologie des Neurasthéniques. 2e édit., 1909. 1 vol. in-16 .... 3 fr. 50
— L'Hystérie et les hystériques. 1910. 1 vol. in-16 .... 3 fr. 50

ICARD (S.). La femme pendant la période menstruelle, étude de psychologie morbide et de médecine légale. 1 vol. in-8.. 6 fr.

INGEGNIEROS (J.), professeur à l'Université de Buenos-Ayres. Le Langage musical et ses troubles hystériques. 1907. 1 vol. gr. in-8.............................. 6 fr.

JANET (Pierre), professeur au Collège de France. L'état mental des hystériques. *Les stigmates mentaux des hystériques. Les accidents mentaux des hystériques. Études sur divers symptômes hystériques. Le traitement psychologique de l'hystérie.* 2ᵉ édition, 1911. 1 vol. gr. in-8 avec gravures... 18 fr.

— et RAYMOND (F.), professeur de la clinique des maladies nerveuses à la Salpêtrière. Névroses et idées fixes. — I. *Études expérimentales sur les troubles de la volonté, de l'attention, de la mémoire, sur les émotions, les idées obsédantes et leur traitement,* par P. JANET. 1 vol. gr. in-8, avec 92 fig. 2ᵉ édit., 1904................... 12 fr.

II. — *Névroses, maladies produites par les émotions; les idées obsédantes et leur traitement,* par F. RAYMOND et Pierre JANET. 1 vol. gr. in-8, avec 97 grav. 2ᵉ édit., 1908. 14 fr. (*Ouvrage couronné par l'Académie des sciences et par l'Académie de médecine.*)

— Les obsessions et la psychasthénie. I. — *Études cliniques et expérimentales sur les idées obsédantes, les impulsions, les manies mentales, la folie du doute, les tics, les agitations, les phobies, les délires du contact, les angoisses, les sentiments d'incomplétude, la neurasthénie, les modifications des sentiments du réel, leur pathogénie et leur traitement.* 2ᵉ édit., 1908. 1 vol. grand in-8, avec 8 gravures................ 18 fr.

II. — *États neurasthéniques, aboulies, incomplétude, agitation et angoisses diffuses, algies, phobies, délires du contact, tics, manies mentales, folies du doute, idées obsédantes, impulsions.* 2ᵉ édition, 1911. 1 vol. grand in-8, avec 22 gravures............... 14 fr.

LANGE, professeur à l'Université de Copenhague. Les émotions. Traduit de l'allem. par G. DUMAS 4ᵉ édit. 1911. 1 vol. in-12......................... 2 fr. 50

LÉVY (P.-E.), L'Éducation rationnelle de la volonté, *son emploi thérapeutique.* Préface de M. le Prof. BERNHEIM. 10ᵉ édit., 1910. 1 vol. in-12, cart. à l'angl........ 4 fr.

— Neurasthénie et névroses. *Leur guérison définitive en cure libre.* 2ᵉ édition, 1910. 1 vol. in-16... 4 fr.

MAUDSLEY. Le crime et la folie. 1 vol. in-8. 1901, 7ᵉ édit. Cart................. 6 fr.

PHILIPSON. L'autonomie et la centralisation dans le système nerveux des animaux. 1906. In-8... 5 fr.

RAYMOND (Pʳ F.). Voyez JANET (Pierre) et RAYMOND, ci-dessus.

RODET (P.). Morphinisme et morphinomanie, 1897. 1 vol. in-12, cart. à l'angl. (*Couronné par l'Académie de médecine*).. 4 fr.

ROGUES DE FURSAC (J.), ancien chef de clinique à la Faculté de Médecine de Paris Manuel de Psychiatrie. 3ᵉ édit. revue et augmentée, 1909. 1 vol. in-16, cartonné à l'anglaise.. 4 fr.

SÉRIEUX (P.) et CAPGRAS (J.), médecins en chef des asiles de la Seine. Les folies raisonnantes. *Le délire d'interprétation.* 1909. 1 vol. in-8.................... 7 fr.

SOLLIER (P.). Genèse et nature de l'hystérie. 2 vol. in-8. 1897................ 20 fr.

— L'hystérie et son traitement. 1 vol. in-12, cart. 1901.................... 4 fr.

STEWART (Dʳ PURWES) (de Londres), médecin de l'hôpital de Westminster et de l'hôpital de West End pour les maladies nerveuses. Le diagnostic des maladies nerveuses. Traduction et adaptation française par le Dʳ G. SCHERB (d'Alger). Préface de M. le Dʳ HELME. 1910. 1 vol. gr. in-8 avec 208 fig. et diagrammes.................... 15 fr.

Psychologie expérimentale.

BAZAILLAS (A.), prof. de philosophie au lycée Condorcet, docteur ès lettres. Musique et inconscience. Introduction à la psychologie de l'inconscient. 1908. 1 vol. in-8.. 5 fr.

BINET (Alfred), directeur du laboratoire de psychologie physiologique à la Sorbonne. La psychologie du raisonnement. *Recherches expérimentales par l'hypnotisme.* 4ᵉ édit., 1907. 1 vol. in-18... 2 fr. 50

— Les Révélations de l'écriture. 1 vol. in-8, avec grav. 1906.............. 5 fr.

CHABRIER (Dʳ). Les émotions et les états organiques. 1911. 1 vol. in-18...... 2 fr. 50

CRÉPIEUX-JAMIN (J.). L'écriture et le caractère, 5ᵉ édit. revue et augmentée, 1909. 1 vol. in-8.. 7 fr. 50

DANVILLE (Gaston). Psychologie de l'amour. 5ᵉ édit., 1910. 1 vol. in-18...... 2 fr. 50

DUMAS (G.), chargé du cours de psychologie expérimentale à la Sorbonne. Le Sourire. *Psychologie et physiologie,* avec figures. 1906. 1 vol. in-16............. 2 fr. 50

DUPRÉ (Dʳ E.), agrégé de la Faculté de Paris, médecin des hôpitaux, et NATHAN (Dʳ M.), Ancien interne des hôpitaux de Paris. Le langage musical. *Étude médico-psychologique.* Préface de Ch. MALHERBE, bibliothécaire de l'Opéra. 1911. 1 vol. in-8....... 3 fr. 75

EGGER (V.), professeur à la Sorbonne. La parole intérieure. 2ᵉ édit., 1904. 1 vol. in-8.. 5 fr.

FOUCAULT (M.), professeur à l'Université de Montpellier. Le Rêve (*Recherches et observations*). 1 vol. in-8... 5 fr.

GLEY (E.), membre de l'Académie de médecine, professeur au Collège de France. Études de psychologie physiologique et pathologique. 1903. 1 vol. in-8...... 5 fr.

GODFERNAUX (A.). Le sentiment et la pensée et leurs principaux aspects physiologiques. 2ᵉ édit. 1 vol. in-16. 1905.. 2 fr. 50

HOFFDING, professeur à l'université de Copenhague. Esquisse d'une psychologie fondée sur l'expérience, trad. POITEVIN, préface de PIERRE JANET. 4ᵉ édit., 1909. 1 vol. in-8.. 7 fr. 50

JAMES (William). La théorie de l'émotion. Trad. de l'anglais. Introd. par G. DUMAS, prof. à la Sorbonne. 3ᵉ édit., 1910. 1 vol. in-16.......................... 2 fr. 50

JANET (Pierre), professeur au Collège de France. L'automatisme psychologique. 6ᵉ édit., 1910. 1 vol. in-8.. 7 fr. 50

JOFFROY (A.), Professeur à la Faculté de Médecine de Paris, médecin de l'asile Sainte-Anne, et DUPOUY (R.), médecin de l'asile Saint-Yon. Fugues et vagabondage. Étude clinique et psychologique. Préface de M. le Dʳ C. DENY, médecin de la Salpêtrière. 1909. 1 vol. in-8.. 7 fr.

KOSTYLEFF (N.). La crise de la psychologie expérimentale. 1911. 1 vol. in-16. 2 fr. 50

MALAPERT (P.). Les éléments du caractère et leurs lois de combinaison. 1905. 1 vol. in-8. 2ᵉ édition... 5 fr.

MOSSO, professeur à l'Université de Turin. La Peur. Étude psychophysiologique. 4ᵉ édit. revue, 1908. 1 vol. in-18, avec grav.. 2 fr. 50

— La fatigue intellectuelle et physique, traduit de l'italien par P. LANGLOIS. 6ᵉ édit., 1908. 1 vol. in-18, avec grav... 2 fr. 50

NAYRAC (J.-P.). Physiologie et psychologie de l'attention. (Ouvrage récompensé par l'Institut). 1 vol. in-8. 1906.. 3 fr. 75

PHILIPPE (J.), chef des travaux au laboratoire de psychologie physiologique à la Sorbonne. L'image mentale. 1903. 1 vol. in-18, avec figures.............................. 2 fr. 50

PIDERIT. La mimique et la physiognomonie. In-8, av. 100 grav. 1888............... 5 fr.

PROAL (Louis), Conseiller à la Cour de Paris. L'éducation et le suicide des enfants. 1907. 1 vol. in-18... 2 fr. 50

RIBOT (Th.), de l'Institut, directeur de la Revue philosophique. La psychologie de l'attention. 11ᵉ édit., 1910. 1 vol. in-18... 2 fr. 50

— L'hérédité psychologique. 9ᵉ édit., 1910. 1 vol. in-8........................... 7 fr. 50

— La psychologie des sentiments. 8ᵉ édit., 1911. 1 vol. in-8..................... 7 fr. 50

— Essai sur les passions. 3ᵉ édit., 1910. 1 vol. in-8............................ 3 fr. 75

— Problèmes de psychologie affective. 1910. 1 vol. in-16........................ 2 fr. 50

ROEHRICH (E.). L'attention spontanée et volontaire. Son fonctionnement, ses lois, son emploi dans la vie pratique. 1907. 1 vol. in-18.............................. 2 fr. 50
   (Récompensé par l'Académie des sciences morales et politiques).

SERMYN (Dʳ W. C.). Contribution à l'étude de certaines facultés cérébrales méconnues. 1911. 1 vol. in-8... 7 fr. 50

SOLLIER (P.). Le problème de la mémoire. Essai de psycho-mécanique. 1900. 1 vol. in-8.. 3 fr. 75

— Les phénomènes d'autoscopie. 1903. 1 vol. in-18, avec gravures................ 2 fr. 50

SOURIAU (P.), prof. à l'Univ. de Nancy. La suggestion dans l'Art. 2ᵉ édit., 1909. 1 vol. in-8.. 5 fr.

TARDIEU (Émile). L'ennui. Étude psychologique. 1903. 1 vol. in-8............... 5 fr.

TASSY (E.). Le travail d'idéation. Hypothèses sur les réactions centrales dans les phénomènes mentaux. 1911. 1 vol. in-8... 5 fr.

THOMAS (P.-F.). La suggestion, son rôle dans l'éducation. 5ᵉ édit., 1910. 1 vol. in-18... 2 fr. 50

WAYNBAUM (Dʳ J.). — La physionomie humaine. Son mécanisme et son rôle social. 1907. 1 vol. in-8... 5 fr.

WUNDT. Hypnotisme et suggestion, traduit de l'allemand par E. KELLER. 4ᵉ édit., 1909. 1 vol. in-18.. 2 fr. 50

WYLM (Dʳ A.). La morale sexuelle. 1907. 1 vol. in-8........................... 5 fr.

Journal de psychologie normale et pathologique, par les professeurs PIERRE JANET et G. DUMAS (Voir page 31).

Psychologie pathologique.

DUPRAT. L'instabilité mentale, essai sur les données de la psycho-pathologie. 1 vol. in-8. 1899.. 5 fr.

— Les causes sociales de la folie. 1900. 1 vol. in-12........................... 2 fr. 50

— Le Mensonge, 2ᵉ édit. revue, 1 vol. in-16.................................... 2 fr. 50

DURKHEIM (Em.), professeur à la Sorbonne. Le suicide. 1 vol. in-8. 1897........ 7 fr. 50

DUGAS et MOUTIER. La Dépersonnalisation. 1 vol. in-16. 1911................... 2 fr. 50

GAUSSEN (Dʳ Ch.). La mélancolie présénile. Étude psychologique et clinique. 1911. 1 vol. gr. in-8... 7 fr.

GRASSET (J.), professeur à la Faculté de médecine de Montpellier. Demifous et demiresponsables. 2ᵉ édit., 1908. 1 vol. in-8....................................... 5 fr.

GURNEY, MYERS et PODMORE. Les hallucinations télépathiques, adaptation de l'anglais par L. MARILLIER, avec préface de M. Ch. RICHET. 4ᵉ édit., 1905. 1 vol. in-8. 7 fr. 50

HARTENBERG (Dʳ). Psychologie des neurasthéniques. 1 vol. in-16. 2ᵉ éd., 1909. 3 fr. 50
HESNARD (Dʳ A.). Les troubles de la personnalité dans les états d'asthénie psychique. Étude de psychologie clinique. Préface de M. le Prof. Régis. 1909. 1 vol. gr. in-8. 6 fr.
LAUVRIÈRE (E.). Edgar Poë. Sa vie et son œuvre. Étude de psychologie pathologique (Couronné par l'Académie de médecine). 1 vol. in-8. 1905............................. 10 fr.
MASSELON (R.), médecin adjoint de l'asile de Clermont. La Mélancolie, étude médicale et psychologique. 1906. 1 vol. in-16, cart.. 4 fr.
MIGNARD (Dʳ M.), ancien interne des asiles de la Seine. La joie passive. Étude de psychologie pathologique. Préface de M. le Dʳ G. Dumas, professeur adjoint à la Sorbonne. 1910. 1 vol. in-16, cartonné.. 4 fr.
MORTON PRINCE, prof. de pathologie du système nerveux à l'école de médecine de « Tufts collège », médecin spécialiste des maladies nerveuses aux hôpitaux de Boston. La dissociation d'une personnalité. Étude biographique de psychologie pathologique, trad. de l'anglais par R. Ray et J. Ray. 1911. 1 vol. in-8...................... 10 fr.
MURISIER, professeur à l'Université de Neufchâtel. Les maladies du sentiment religieux. 1 vol. in-12, 3ᵉ édit., 1909... 2 fr. 50
MYERS. La personnalité humaine. Sa survivance. Ses manifestations supranormales, traduit par le Dʳ Jankélévitch. 3ᵉ édit. 1 vol. in-8. 1910...................... 7 fr. 50
NORDAU (Max). Dégénérescence. 2 vol. in-8. 7ᵉ édit., 1909................... 17 fr. 50
PASCAL (Dʳ C.), médecin des asiles publics d'aliénés. La démence précoce. Étude psychologique, médicale et médico-légale. 1911. 1 vol. in-10, cart. à l'angl......... 4 fr.
PHILIPPE et BONCOUR (G.-Paul). Les anomalies mentales chez les écoliers. Étude médico-pédagogique. 2ᵉ édit. (Couronné par l'Institut). 1909. 1 vol. in-16........... 2 fr. 50
— L'Éducation des anormaux. Principes d'éducation physique, intellectuelle, morale. 1910. 1 vol. in-16... 2 fr. 50
RIBOT (Th.), de l'Institut. Les maladies de la mémoire. 22ᵉ éd., 1911. 1 vol. in-16... 2 fr. 50
— Les maladies de la volonté. 26ᵉ édit., 1910. 1 vol. in-16..................... 2 fr. 50
— Les maladies de la personnalité. 15ᵉ édit., 1911. 1 vol. in-16............... 2 fr. 50
ROGUES DE FURSAC. L'Avarice, essai de psychologie morbide. 1 vol. in-16. 1911. 2 fr. 50
SÉRIEUX (P.) et CAPGRAS (J.), médecins en chef des asiles de la Seine. Les folies raisonnantes. Le délire d'interprétation. 1907. 1 vol. in-8.......................... 7 fr.
SAINT-PAUL (G.), médecin-major de l'armée. Le langage intérieur et les paraphasies (la fonction endophasique). 1904. 1 vol. in-8................................... 5 fr.
SOLLIER (P.). Psychologie de l'idiot et de l'imbécile. 2ᵉ édit., 1901. 1 vol. in-8, avec planches.. 5 fr.
Traité international de psychologie pathologique, publié sous la direction du Dʳ A. Marie, médecin en chef de l'asile de Villejuif. — Tome I : Psychopathologie générale, 1 fort vol. gr. in-8 de xx-1028 pages avec 353 gravures dans le texte........................ 25 fr
Tome II : Psychopathologie clinique, 1 fort vol. gr. in-8 de xxix-1000 pages, avec 351 gravures dans le texte.. 25 fr.
(L'ouvrage sera complet en 3 volumes; le tome III paraîtra en décembre 1911.)
VAN BRABANT (W.). Psychologie du vice infantile. 1910. 1 vol. gr. in-8........ 3 fr. 50

Hygiène. — Thérapeutique. — Pharmacie.

BOSSU. Petit compendium médical. Quintessence de pathologie, thérapeutique et médecine usuelle. 6ᵉ éd., 1901. 1 vol. in-32, cart. à l'angl............................... 1 fr. 25
BOUCHARDAT (A.) et (G.), membres de l'Académie de médecine. Nouveau Formulaire magistral, 1909, 4ᵉ édition, collationné avec le Codex de 1908, revue et augmentée de formules nouvelles, d'un mémoire thérapeutique et de la Liste complète des mets permis aux glycosuriques. 1 vol. in-18, cartonné à l'anglaise........................... 4 fr.
BOUCHARDAT (A.) et DESOUBRY. Nouveau formulaire vétérinaire. 6ᵉ édit., conforme au nouveau Codex revue et augmentée. 1904. 1 vol. in-18, cartonné à l'anglaise... 4 fr.
DELÉARDE (Dʳ), professeur à la Faculté de Médecine de Lille, chargé du cours de clinique médicale infantile. Guide pratique de puériculture, à l'usage des docteurs en médecine et des sages-femmes. 1910. 1 vol. in-16 avec gravures, cart. à l'anglaise......... 4 fr.
DEMENY (G.), professeur du cours d'éducation de la Ville de Paris et de gymnastique appliquée à l'école de gymnastique militaire de Joinville-le-Pont. Les bases scientifiques de l'éducation physique. 4ᵉ édition, 1909, 1 vol. in-8, avec 198 fig. Cart........... 6 fr.
— Mécanisme et éducation des mouvements. 4ᵉ édit., 1911. 1 vol. in-8, avec 571 figures, cartonné à l'anglaise.. 9 fr.
— PHILIPPE (J.) et RACINE. Cours théorique et pratique d'éducation physique. 2ᵉ édit. revue et augmentée. 1909. 1 vol. in-8, avec gravures et planches hors texte....... 4 fr.
DUFOUR (L.), pharmacien de 1ʳᵉ classe. Manuel de pharmacie pratique. 2ᵉ édit., 1903. 1 vol. in-18.. 3 fr. 50
LAGRANGE (F.). L'hygiène de l'exercice chez les enfants et les jeunes gens. 9ᵉ éd., 1910. 1 vol. in-12, cartonné à l'angl.. 4 fr.
— De l'exercice chez les adultes. 7ᵉ édit., 1911. 1 volume in-12, cart. à l'angl...... 4 fr.

LAGRANGE (F.) et de GRANDMAISON. La fatigue et le repos. 1 vol. in-8. 1911... 6 fr.
LAGOR (J.) (Dr Cazalis) et Dr LUCIEN-GRAUX. L'alimentation à bon marché saine et
rationnelle. 2e édition, 1909. 1 vol. in-16 (*Récompensé par l'Académie française*). 3 fr. 50
LAUMONIER (J.). Hygiène de l'alimentation dans l'état de santé et de maladie. 1 vol.
in-12. 4e édit., entièrement refondue, 1911, cart. à l'angl., avec grav............. 4 fr.
LEFÉBURE (Ct), ancien comt de l'école de gymnastique militaire belge. Méthode de gym-
nastique éducative suédoise. 1 vol. in-8, avec gravures et planches. 1906......... 5 fr.
— L'éducation physique en Suède. Sa diffusion universelle. Nouvelle édition, 1908. 1 vol.
gr. in-8.. 6 fr.
MACÉ, professeur à l'École de pharmacie de Rennes. Traité pratique et raisonné de phar-
macie galénique. 1 vol. in-8.. 6 fr.
Manuel d'hygiène athlétique, à l'usage des lycéens et des jeunes gens des associations
athlétiques. 1 broch. in-32, 1895.. 50 c.
MOSSO, professeur à l'Université de Turin. L'éducation physique de la jeunesse. 1 vol.
in-12, cart. à l'angl. 1895.. 4 fr.
— Les exercices physiques et le développement intellectuel. 1904. 1 vol. in-8, cartonné.. 6 fr.
Puériculture et hygiène infantile (*Première série*). Conférences faites sous la présidence
de MM. G. LYON, recteur de l'Académie de Lille et Th. BARROIS, professeur à la Faculté
du Lille, par MM. BUÉ, DELÉARDE, GAUDIER, LAMBLING, OUï, professeurs à la Faculté de
médecine de Lille et V. DUBRON, président du Comité du Nord de l'Alliance d'hygiène
sociale. 1908. 1 vol. in-16.. 2 fr.
— (*Deuxième série*), par MM. BUÉ, CARRIÈRE, CHARMEIL, DELÉARDE, GAUDIER, GÉRAD,
LAMBLING, OUï, SURMONT, prof. à la Faculté de médecine de Lille, CALMETTE et GUÉAIX,
de l'Institut Pasteur de Lille. 1911. 1 vol. in-16.................................... 3 fr.
RIBBING, prof. à l'Univ. de Lund (Suède). L'hygiène sexuelle et ses conséquences
morales. 4e éd. 1911, in-12, cart.. 4 fr.
ROZET (G.). La défense et illustration de la race française. 1911. 1 vol. in-16... 3 fr. 50
TISSIÉ (Th.). La fatigue et l'entrainement physique. 3e édit., 1 vol. in-12, cart. à l'angl.
1908 (*Couronné par l'Acad. de méd.*).. 4 fr.
WEBER. Climatothérapie, traduit de l'allemand par MM. les docteurs DOYON et SPIL-
MANN. 1 vol. in-8.. 4 fr.
YVERT (A.), médecin principal de l'armée, en retraite. Causeries sanitaires. Tome I.
Théorie des germes. 1903. 1 vol. in-8... 5 fr.
Tome II. *Désinfection.* 1905. 1 vol. in-8... 6 fr.

Pathologie et thérapeutique chirurgicales.

BOURCART, privat-docent à l'Université de Genève, et CAUTRU. Le ventre. *Étude de la
cavité abdominale au point de vue du massage.* Tome I. *Le rein.* 1 vol. gr. in-8, avec
gr. et pl.. 10 fr.
Tome II. *L'estomac et l'intestin.* 1 vol. gr. in-8 avec grav. et pl................. 12 fr.
Conférence internationale du Cancer (2e). Tenue à Paris du 1er au 5 octobre 1910. Travaux
publiés sous la direction de M. le Prof. Pierre DELBET, secrétaire général, et le Dr LE-
DOUX-LEBARD, secrétaire, de l'Association française pour l'étude du cancer. Rapports
présentés, discussions. 1911. 1 vol. gr. in-8 de LXII-803 pages...................... 20 fr.
CORNET. Pratique de la Chirurgie courante. Préface du professeur OLLIER. 1 fort vol.
in-12, avec 111 grav. 1900. Cart.. 4 fr.
CORNIL (V.), membre de l'Académie de médecine, professeur à la Faculté de médecine de
Paris. Les tumeurs du sein. 1908. 1 vol. gr. in-8, avec 169 fig. dans le texte..... 12 fr.
DELBET, professeur à la Fac. de méd. de Paris, chirurgien des hôpitaux. Du traitement
des anévrysmes. 1 vol. in-8.. 5 fr.
DELORME, médecin inspecteur général de l'armée. Traité de chirurgie de guerre. — I.
Histoire de la chirurgie militaire française, plaies par armes à feu des parties molles.
1 vol. gr. in-8, avec 95 fig. dans le texte et 1 planche hors texte................. 16 fr.
II. *Lésions des os par les armes de guerre.* — *Blessures des régions.* — *Service de
santé en campagne.* 1 fort vol. grand in-8, avec 397 gravures dans le texte........ 36 fr.
(*Ouvrage couronné par l'Académie des sciences*).
DODERLIN (Dr A.), professeur à l'université de Tubingue. — Précis d'opérations obsté-
tricales, traduit par le Dr L. AUBERT. 1 vol. in-8, avec 150 figures, cart. 1907... 10 fr.
DURET (H.), ex-chirurgien des hôpitaux de Paris, professeur de clinique chirurgicale à la
Faculté libre de Lille. Les tumeurs de l'encéphale. — *Manifestations et chirurgie.* 1 fort
vol. gr. in-8, avec 297 figures. 1905.. 20 fr.
ESTOR (L.), professeur à la Faculté de médecine de Montpellier. Guide pratique de chi-
rurgie infantile. 2e édit. revue et augmentée, 1909. 1 vol. in-8, avec 174 gravures. 8 fr.
HENNEQUIN (Dr J.) et LOEWY (Dr R.). Les Luxations des grandes articulations. Leur
traitement pratique. 1908. 1 vol. gr. in-8, avec 125 gravures...................... 16 fr.
JULLIARD (Dr Ch.). Manuel pratique des bandages, pansements et appareils chirurgicaux.
Préface de M. le Prof. TERRIER. 1907. 1 vol. gr. in-8, avec 200 fig. Prix broché... 6 fr.
cartonné.. 7 fr. 50

KOCHER (Th.). Les fractures de l'humérus et du fémur. 1 vol. gr. in-8, avec 105 figures et 56 planches. 1904.. 15 fr.

LABADIE-LAGRAVE, médecin des hôpitaux de Paris, et LEGUEU, prof. agrégé à la Fac. de méd. de Paris, chirurgien des hôpitaux. Traité médico-chirurgical de gynécologie. 1 vol. gr. in-8, avec 387 gravures dans le texte. 3ᵉ édit., 1904. Cart. à l'anglaise (*Couronné par l'Académie des sciences et par l'Académie de médecine*).................. 25 fr.

LEGUEU (Félix), professeur agrégé à la Faculté de médecine de Paris, chirurgien des hôpitaux. Leçons de clinique chirurgicale. 1902. 1 vol. grand in-8, avec gravures. 12 fr.

— Traité chirurgical d'Urologie. Préface de M. le prof. GUYON, de l'Institut. 1910. 1 vol. gr. in-8 avec 663 gravures dans le texte et 8 planches en couleurs hors texte, cart. 40 fr.

LEGUEU (voir ci-dessus : LABADIE-LAGRAVE).

NIMIER (H.), médecin principal de l'armée, directeur de l'École de médecine du service de santé militaire. *Chirurgie nerveuse.* Blessures du crâne et de l'encéphale par coup de feu. 1904. 1 vol. gr. in-8, avec 158 grav................................. 15 fr.

— et DESPAGNET. Traité élémentaire d'ophtalmologie. 1894. 1 vol. gr. in-8, avec 432 gravures, cart. à l'angl... 20 fr.

— et LAVAL. Les projectiles des armes de guerre. *Leur action et leurs effets vulnérants.* 1898. 1 vol. in-12, avec gravures.. 3 fr.

— Les explosifs, les poudres, les projectiles d'exercices, *leur action vulnérante.* 1899. 1 vol. in-12, avec gravures.. 3 fr.

— Les armes blanches. *Leur action et leurs effets vulnérants.* 1889. 1 fort vol. in-12, avec gravures... 6 fr.
(*Ces trois volumes ont été couronnés par l'Académie des sciences.*)

— De l'infection en chirurgie d'armée. *Évolution des blessures de guerre.* 1900. 1 fort vol. in-12, avec gravures.. 6 fr.

— Traitement des blessures de guerre. 1901. 1 fort vol. in-12, avec gravures....... 6 fr.
(*Ces cinq volumes ont été récompensés par l'Académie de médecine. — Prix Laborie.*)

PAQUY (Dʳ E.), chef de clinique d'accouchements à la Faculté de médecine de Paris. Manuel de pratique obstétricale. 1910. 1 vol. in-16, avec 107 grav., cart. à l'angl......... 4 fr.

REVERDIN (J.-L.), professeur à la Faculté de médecine de Genève. Leçons de chirurgie de guerre. *Des blessures faites par les balles des fusils.* Préface de H. NIMIER, médecin-inspecteur de l'armée française, professeur au Val-de-Grâce. 1910. 1 vol. in-8, avec 7 pl. en phototypie... 7 fr. 50

TERRIER, prof. à la Faculté de Médecine de Paris, et AUVRAY, prof. agrégé. Chirurgie du foie et des voies biliaires.

  TOME I. *Traumatisme du foie et des voies biliaires. — Foie mobile. — Tumeurs du foie et des voies biliaires.* 1901. 1 vol. gr. in-8, avec 50 gravures.................. 10 fr.

  TOME II. *Echinococcose hydatique commune. — Kystes alvéolaires. — Suppurations hépatiques. — Abcès tuberculeux intra-hépatique. — Abcès de l'actinomycose.* 1907. 1 vol. gr. in-8, avec 47 gravures... 12 fr.

— GUILLEMAIN, chir. des hôp., et MALHERBE. Chirurgie du cou. 1 vol. in-12 avec 101 grav., cart. à l'angl. 1898... 4 fr.

— Chirurgie de la face. 1 vol. in-12, av. 214 grav., 1896................... 4 fr.

— et PÉRAIRE. Manuel de petite chirurgie de Jamain. 8ᵉ éd., refondue. 1901. 1 vol. gr. in-18, avec 572 fig., cart. à l'angl...................................... 8 fr.

— Petit manuel d'antisepsie et d'asepsie chirurgicales, 1 vol. in-18, avec 70 grav., cart. à l'angl. 1893.. 3 fr.

— Petit Manuel d'anesthésie chirurgicale. 1 vol. in-18, avec grav., cart. à l'angl. 1893. 3 fr.

— L'opération du trépan. 1 vol. in-12, avec 222 gr., cart. à l'angl. 1895.......... 4 fr.

— et E. REYMOND. Chirurgie de la plèvre et du poumon. 1 vol. in-12, avec 67 grav., cart. à l'anglaise 1899 ....

— Chirurgie du cœur et du péricarde. 1 vol. in-12, avec 79 grav. cart. à l'anglaise 1898. 3 fr.

Congrès français de Chirurgie. *Procès-verbaux, mémoires et discussions,* publiés sous la direction de MM. S. POZZI, PICQUÉ et Ch. WALTHER, secrétaires généraux (Chaque session forme un vol. in-8, avec figures).

1ʳᵉ session (1885) : 14 fr. ; 2ᵉ session (1886) : 14 fr. ; 3ᵉ session (1888) : 14 fr. ; 4ᵉ session (1889) : 16 fr.; 5ᵉ session (1891) : 14 fr. ; 6ᵉ session (1892) : 16 fr. ; 7ᵉ session (1893) : 18 fr. ; 8ᵉ à 21ᵉ sessions (1894 à 1908) · chacune 20 fr. ; 22ᵉ et 23ᵉ sessions (1909 et 1910) : chacune 25 fr.

Revue de Chirurgie. Directeurs : MM. les Prof. QUÉNU, PONCET, P. DELBET, P. DUVAL, LEJARS, GROSS, FORGUE, DEMONS, CESTAN ; Rédacteur en chef : M. QUÉNU. (Voir p. 30.)

Anatomie. — Physiologie.

ARLOING, professeur à la Faculté de médecine de Lyon. Les virus. 1 vol. in-8, avec grav., cart... 6 fr.

BERNSTEIN. Les sens. 1 vol. in-8, avec 91 fig., 5ᵉ édit., cart.................. 6 fr.

BERT (A.) et PELLANDA. La nomenclature anatomique et ses origines. *Explication des termes anciens employés de nos jours.* 1904. 1 vol. in-8...................... 2 fr.

BONNIER (Dʳ P.). La voix. Sa culture physiologique. Théorie nouvelle de la phonation, 3ᵉ édition, 1910. 1 vol. in-16, avec grav.................................. 3 fr. 50

BOURDEAU (Louis). Le problème de la mort. 1904, 4e édit. In-8................. 5 fr.
— Le problème de la vie. 1901. 1 vol. in-8........................... 7 fr. 50
CHARLTON BASTIAN. Le cerveau et la pensée chez l'homme. 2 vol. in-8, avec grav.
cart... 12 fr.
CHASSEVANT (A.), professeur agrégé à la Faculté de médecine de Paris. Précis de chimie
physiologique. 1905. 1 vol. gr. in-8 avec fig....................... 10 fr.
CORNIL, professeur à la Faculté de médecine de Paris, membre de l'Académie de médecine
RANVIER, de l'Institut, professeur au Collège de France; BRAULT et LETULLE, membres
de l'Académie de Médecine. Manuel d'histologie pathologique. 3e édit. entièrement refondue.

   TOME I. Généralités. — Inflammations. — Tumeurs. — Bactéries. — Lésions des os,
des tissus, des membranes séreuses, par MM. RANVIER, CORNIL, BRAULT, F. BEZANÇON,
M. CAZIN. 1 vol. gr. in-8, avec 369 grav. en noir et en couleurs. 1900........... 25 fr.

   TOME II. Muscles. — Sang et hématopoïèse. — Cerveau et moelle. — Nerfs, par
MM. G. DURANTE, J. JOLLY, H. DOMINICI, A. GOMBAULT, PHILIPPE. 1 vol. gr. in-8, avec
grav. en noir et en couleurs, 1902.................................. 25 fr.

   TOME III. Cerveau. — Centres nerveux inférieurs. — Nerfs. — Cœur, artères et veines.
— Vaisseaux et ganglions lymphatiques. — Rate. — Larynx, par MM. A. GOMBAULT,
A. RICHE, J. NAGEOTTE, G. DURANTE, R. MARIE, F. BEZANÇON et Th. LEGRY. 1 fort vol. gr.
in-8, avec 388 gravures en noir et en couleurs...................... 35 fr.

   TOME IV, terminant l'ouvrage, paraîtra en décembre 1911.
CORNIL et BABES, professeur à la Faculté de médecine de Bucarest. Les bactéries et leur
rôle dans l'histologie pathologique des maladies infectieuses. 2 vol. gr. in-8, contenant la
description des méthodes de bactériologie. 3e édit., 1890, avec 385 figures en noir et en
coul. dans le texte, et 10 pl. hors texte........................... 40 fr.
CYON (E. de). Les nerfs du cœur. Anatomie et physiologie. 1 vol. gr. in-8, avec 42 gravures, 1905... 6 fr.
DEBIERRE (Ch.), professeur à la Faculté de médecine de Lille. Traité élémentaire d'anatomie de l'homme (anatomie descriptive et dissection, avec notions d'organogénie et
d'embryologie générale). (Ouvrage couronné par l'Académie des sciences).

   TOME I. Manuel de l'amphithéâtre : Système locomoteur, système vasculaire, nerfs
périphériques. — TOME II. Système nerveux central, organes des sens, splanchnologie,
système vasculaire, système nerveux périphérique. 2 vol. gr. in-8, avec 965 grav. en noir
et en couleurs dans le texte, 1890-91.............................. 40 fr.
   On ne vend séparément que le TOME PREMIER seul..................... 20 fr.
— Atlas d'ostéologie, comprenant les articulations des os et les insertions musculaires.
1 vol. in-4, avec 253 grav. en noir et en couleurs, cart., 1895..... 12 fr.
— Leçons sur le péritoine. 1900. 1 vol. in-8, avec 58 figures....... 4 fr.
— Le cerveau et la moelle épinière. 1 vol. in-8, avec gravures et planches, 1907.. 15 fr.
FAU. Anatomie des formes du corps humain, à l'usage des peintres et des sculpteurs. 1 atlas
in-folio de 25 planches. — Figures noires 15 fr. — Figures coloriées............ 30 fr.
FÉRÉ (Ch.), médecin de Bicêtre. Travail et plaisir. Études expérim. de psycho-mécanique.
1904. Gr. in-8, av. 200 fig.. 12 fr.
GELLÉ (E.-M.), membre de la Société de biologie. L'audition et ses organes. 1 vol. in-8,
avec grav., cart. à l'angl. 1899.................................... 6 fr.
GRASSET (J.), prof. de clinique médicale à l'Université de Montpellier. Introduction
physiologique à l'étude de la philosophie (Conférence sur la physiologie du système
nerveux de l'homme). Préface de M. BENOIST, recteur de l'Académie de Montpellier.
2e édition, 1910. 1 vol. in-8, avec 47 fig......................... 5 fr.
JAVAL (E.), de l'Académie de médecine. Physiologie de la lecture et de l'écriture. 2e édit.
1906. 1 vol. in-8, avec 95 grav., cart............................. 6 fr.
LAGRANGE (F.), lauréat de l'Institut. Physiologie des exercices du corps. 1 vol. in-8,
10e édition. 1908, cart. à l'angl.................................. 6 fr.
LE DANTEC (F.), chargé du cours d'embryologie générale à la Sorbonne. Traité de bio-
logie. 2e édit. 1906. Gr. in-8..................................... 15 fr.
— Éléments de philosophie biologique. 2e édit. in-16. 1908......... 3 fr. 50
— Le déterminisme biologique. 3e édit., 1908, 1 vol. in-18......... 2 fr. 50
— La stabilité de vie. 1 vol. in-8. 1911. cart..................... 6 fr.
PREYER, professeur à l'Université d'Iéna. Éléments de physiologie générale, traduit de
l'allemand par M. Jules SOURY. 1 vol. in-8........................ 5 fr.
— Physiologie spéciale de l'embryon. In-8, avec fig............... 7 fr. 50
RICHET (Ch.), professeur à la Faculté de médecine de Paris, membre de l'Académie de
médecine. La chaleur animale. In-8, cart.......................... 6 fr.
— Physiologie, travaux du laboratoire du prof. Ch. RICHET.

   Tome I. Système nerveux, Chaleur animale............................ (Épuisé.)
   Tome II. Chimie physiologique, Toxicologie......................... (Épuisé.)
   Tome III. Chloralose, Sérothérapie, etc. In-8, avec grav. 1894..... 12 fr.
   Tome IV. Appareils glandulaires, nerfs et muscles, sérothérapie; chloroforme.
avec gravures. 1898.. 12 fr.
   Tome V. Muscles et nerfs, Épilepsie, Zomothérapie, Réflexes psychiques. In-8, avec
gravures. 1902.. 12 fr.
   Tome VI. Anaphylaxie, Alimentation, Toxicologie. In-8. 1909...... 12 fr.

— **Dictionnaire de physiologie**, publié avec le concours de savants français et étrangers. Formera 10 à 12 volumes gr. in-8, se composant chacun de 3 fascicules ; chaque volume, 25 fr. ; chaque fascicule, 8 fr. 50. 9 volumes parus.
Tome I (*A-Bac*). — Tome II (*Bac-Cer*). — Tome III (*Cer-Cob*). — Tome IV (*Coc-Dig*). — Tome V (*Dig-Fac*). — Tome VI (*Fiam-Gal*). — Tome VII (*Gal-Gra*). — Tome VIII (*Gra-Hys*). — Tome IX (*Ido-Ins*).

SNELLEN. Échelle typographique pour mesurer l'acuité de la vision, 17e éd., 1904.. 4 fr.
Journal de l'anatomie et de la physiologie normale et pathologique de l'homme et des animaux. Directeurs : MM. les Prof. RETTERER et TOURNEUX (v. p. 31.)

Physique. — Chimie.

BERTHELOT, de l'Institut. **La synthèse chimique.** 10e édit., 1 vol. in-8, cart....... 6 fr.
— **La Révolution chimique**, Lavoisier. 1 vol. in-8, 2e éd., cart..................... 6 fr.
BLASERNA, prof. à l'Univ. de Rome, et HELMHOLTZ, prof. à l'Univ. de Berlin. **Le son et la musique.** 5e éd. In-8, cart................................ 6 fr.
CHASSEVANT (A.), professeur agrégé à la Faculté de médecine de Paris. **Précis de chimie physiologique.** 1905. 1 vol. gr. in-8 avec fig.............................. 10 fr.
DUPARC (E.) et MONNIER (A.), **Traité de chimie analytique qualitative** suivi de tables systématiques pour l'analyse minérale, 2e édit. revue et augmentée, 1908. 1 vol. gr. in-8. 9 fr.
DUPARC (L.) et BASADONNA (M.). **Manuel théorique et pratique d'analyse volumétrique.** 1910. 1 vol. in-8, avec gravures................................ 8 fr.
GOULLIART (A.), prof. de l'Institut électrotechnique de Lille. **Précis d'électricité industrielle.** 1911. 1 vol. in-18, avec 400 gravures....................... 3 fr. 50
GRIMAUX, de l'Institut. **Chimie organique élémentaire.** 8e édit., 1901. 1 vol. in-12, avec figures, cart... 5 fr. 50
— **Chimie inorganique élémentaire.** 8e édit., 1901. 1 vol. in.-12, avec figures, cart. 5 fr. 50
ISSAILOVITCH-DUSCIAN (Dr). Privat-docent à la Faculté de Médecine de Genève. **Répertoire pratique de chimie physiologique et pathologique.** 1907. 1 vol. in-16.... 2 fr.
MALMEJAC (F.), pharmacien de l'armée. **L'eau dans l'alimentation.** 1902. 1 vol. in-8, avec figures, cartonné à l'anglaise.................................. 6 fr.
NORMAN LOCKYER. **L'évolution inorganique** expliquée par l'analyse spectrale. 1 vol. in-8, avec figures. Cart. à l'anglaise.................................. 6 fr.
PISANI. **Traité pratique d'analyse chimique** qualitative et quantitative, suivi d'un *traité d'Analyse au chalumeau.* 5e éd., 1900. 1 vol. in-12.................. 3 fr. 50
PISANI et DIRVELL. **La chimie du laboratoire.** 1 v. in-12 avec fig. dans le texte, 2e édit. revue. 1893... 4 fr.
REY (A.), prof. à l'Université de Dijon. **La théorie de la physique chez les physiciens contemporains.** 1907. 1 vol. in-8................................ 7 fr. 50
SCHUTZENBERGER, de l'Institut. **Les fermentations.** 1 vol. in-8. 6e édit., 1895. Cart. 6 fr.
STALLO. **La matière et la physique moderne.** Préface de Ch. FRIEDEL, de l'Institut. In-8. 3e éd. Cart... 6 fr.
WURTZ, de l'Institut. **La théorie atomique.** In-8. 9e édit. Cart.................... 6 fr.

Botanique. — Géologie.

BLARINGHEM (L.), chargé de cours à la Sorbonne. **Mutation et traumatismes.** *Étude sur l'évolution des formes végétales.* 1908. 1 vol. gr. in-8, avec planches........... 10 fr.
CANDOLLE (de), correspondant de l'Institut. **L'origine des plantes cultivées.** 1 vol. in-8. 3e édition. Cart... 6 fr.
COOKE et BERKELEY. **Les champignons**, avec 110 figures dans le texte. 1 vol. in-8. 4e édit. Cart.. 6 fr.
COSTANTIN (J.), professeur au Muséum d'histoire naturelle. **Les végétaux et les milieux cosmiques.** (Adaptation, évolution). 1 vol. in-8, avec 171 grav., cart. à l'angl. 1898. 6 fr.
— **La nature tropicale**, 1 vol. in-8, avec 166 gravures. Cart.................... 6 fr.
— **Le transformisme appliqué à l'agriculture.** In-8. Cart.................... 6 fr.
DAUBRÉE, de l'Institut. **Les régions invisibles du globe** et des espaces célestes. In-8, avec 89 fig. 2e éd. Cart...................................... 6 fr.
DE LANESSAN, professeur agrégé à la Faculté de médecine de Paris. **Introduction à la botanique** (*le Sapin*). In-8. Cart................................. 6 fr.
MEUNIER (Stanislas), professeur au Muséum d'histoire naturelle. **La géologie comparée.** 1 vol. in-8, avec grav. 1895. Cart. à l'angl..................... 6 fr.
— **La géologie expérimentale.** 1 vol. in-8, avec grav. 2e édit., 1904. Cart. à l'angl... 6 fr.
— **La géologie générale.** In-8, avec 36 grav. Cart. à l'angl................. 6 fr.
VRIES (H. de). **Espèces et variétés.** *Leur naissance par mutation.* 1909. 1 vol. in-8. Cart.. 12 fr.

Histoire naturelle de l'homme et des animaux.

BELZUNG, professeur agrégé des sciences naturelles au Lycée Charlemagne, docteur ès sciences. **Anatomie et physiologie végétales.** 1900. 1 fort vol. in-8, avec 1 700 gravures dans le texte. (Licence ès sciences)......................... 20 fr.

BOHN (G.), directeur du laboratoire de biologie et psychologie comparée à l'école des Hautes-Études. La nouvelle psychologie animale. 1911. 1 vol. in-16 (Cour. par l'Institut) .... 2 fr. 50
GRASSET, professeur à la Faculté de médecine de Montpellier. Les limites de la biologie. 1 vol. in-16. Préface de Paul Bourget, de l'Académie française. 6e édit., 1909. . 2 fr. 50
HERBERT SPENCER. Principes de biologie. 2 vol. in-8. 6e édit. .... 20 fr.
HUXLEY (Th.), de la Société royale de Londres. L'écrevisse, introduction à l'étude de la zoologie. 1 vol. in-8, avec 89 fig. 2e éd. Cart. .... 6 fr.
LALOY (L.). Parasitisme et mutualisme dans la nature. Préface du prof. A. Giard, de l'Institut. 1 vol. in-8, avec 80 gravures, cart. à l'anglaise. 1906 .... 6 fr.
LE DANTEC (F.), chargé du cours de biologie générale à la Sorbonne. La crise du transformisme. 2e édition, 1910. 1 vol. in-16. .... 3 fr. 50
— Traité de biologie. 2e éd., 1906. 1 vol. gr. in-8, avec 101 grav. .... 15 fr.
LUBBOCK (Sir John). Les sens et l'instinct chez les animaux, principalement chez les insectes. 1 vol. in-8, avec grav. Cart. .... 6 fr.
PERRIER (Edm.), de l'Institut, directeur du Muséum. La philosophie zoologique avant Darwin. 1 vol. in-8. 3e édit. 1896. Cart. .... 6 fr.
QUATREFAGES (de), de l'Institut. L'espèce humaine. 1 vol. in-8. 15e édit., 1911. Cart. 6 fr.
— Darwin et ses précurseurs français. 2e édit., 1892. In-8, cart. .... 6 fr.
— Les Émules de Darwin, avec préface de MM. Perrier et Hamy, de l'Institut. 1893. 2 vol. in-8. Cart. .... 12 fr.
ROCHÉ (G.), inspecteur général des Pêches maritimes. La culture des mers en Europe. 1898. 1 vol. in-8, avec 81 grav., cart. à l'angl. .... 6 fr.
SCHMIDT (O.), professeur à l'Université de Strasbourg. Les mammifères dans leurs rapports avec leurs ancêtres géologiques. 1887. 1 vol. in-8, avec 51 fig. Cart. .. 6 fr.
TAUSSAT (J.). Le monisme et l'animisme. Leur valeur comme hypothèses dans le transformisme. 1 vol. in-16 .... 2 fr. 50
VAN BENEDEN. Les commensaux et les parasites dans le règne animal. 1 vol. in-8, avec figures. 4e édit. Cart. .... 6 fr.

Anthropologie.

BRUNACHE. Le centre de l'Afrique. Autour du Tchad. In-8, avec grav. Cart. ...... 6 fr.
GARTAILHAC. La France préhistorique. In-8, 2e édit., avec grav. Cart. .... 6 fr.
COLAJANNI (N.), Latins et Anglo-Saxons. Races supérieures et races inférieures. Trad. de l'italien par J. Dubois. 1 vol. in-8. Cart. à l'angl. 1906 .... 9 fr.
L'École d'anthropologie de Paris (1876-1906), avec portrait de Paul Broca. 1 vol. gr. in-8 .... 10 fr.
GROSSE. Les débuts de l'art. 1901. In-8, avec gravures .... 6 fr.
MODESTOV (B.). Introduction à l'histoire romaine. L'ethnologie préhistorique. Les influences civilisatrices à l'époque préromaine et les commencements de Rome. Traduit du russe par Michel Delines. Préface de M. Salomon Reinach, de l'Institut. 1 vol. in-4, avec 39 planches hors texte et 30 fig. .... 15 fr.
MORIN-JEAN, archéologue. Archéologie de la Gaule et des pays circonvoisins. 1 vol. in-8 avec 73 fig. et 25 pl. hors texte. 1908 .... 6 fr.
MORTILLET (G. de), professeur à l'École d'anthropologie. La formation de la nation française. 2e édit., 1900. 1 vol. in-8, avec 150 grav. et 18 cartes. Cartonné à l'angl. 6 fr.
PIÉTREMENT. Les chevaux dans les temps historiques et préhistoriques. In-8. 6 fr.
TOPINARD. L'homme dans la nature. In-8. Cart. .... 6 fr.
Revue anthropologique (Voir p. 31).

Anthropologie criminelle.

AUBRY (Dr P.). La contagion du meurtre. 3e édit., 1896. 1 vol. in-8 .... 5 fr.
DUPRAT (G.-L.), directeur du laboratoire de psychologie expérimentale d'Aix-en-Provence. La criminalité dans l'adolescence. Causes et remèdes d'un mal social actuel. 1 vol. in-8. Cartonné (Couronné par l'Institut) .... 6 fr.
FÉRÉ (Ch.). Dégénérescence et criminalité. 4e éd., 1907. 1 v. in-18, avec 21 graphiques. 2 fr. 50
FERRI (Enrico), prof. à l'Université de Rome. La sociologie criminelle. 1906. in-8. 10 fr.
— Les criminels dans l'art et la littérature. 3e édit., 1908. 1 vol. in-16 ...... 2 fr. 50
FLEURY (Dr Maurice de). L'Ame du criminel. In-18. 2e édit., 1907 .... 2 fr. 50
GAROFALO, président à la Cour d'appel de Naples. La criminologie. 1 vol. in-8. 5e éd., 1905 .... 7 fr. 50
LASSERRE (E.). Les délinquants passionnels. 1908. 1 vol. in-18 .... 2 fr.
LOMBROSO, professeur à l'Université de Turin. L'homme criminel (criminel-né, fou-moral, épileptique). 2e édit., 1895. 2 vol. in-8, avec atlas .... 36 fr.
— Le crime. Causes et remèdes. 2e édit., 1906. 1 vol. in-8 .... 10 fr.
— L'homme de génie. 4e édit., 1909. 1 vol. in-8, avec 15 planches hors texte. 10 fr.
— et FERRERO. La femme criminelle et la prostituée. In-8, avec 13 pl. hors texte. 15 fr.
— et LASCHI. Le crime politique et les révolutions. 2 vol. in-8, avec pl. hors texte. 15 fr.

PROAL (Louis), conseiller à la Cour de Paris. **La criminalité politique.** 2ᵉ édition, augmentée d'une préface nouvelle. 1908. 1 vol. in-8 .... 5 fr.
— **Le crime et la peine.** 4ᵉ édit., 1911. 1 vol. in-8.. 10 fr.
— **Le crime et le suicide passionnels.** 1900. 1 vol. in-8................................ 10 fr.
SIGHELE. **La foule criminelle.** 2ᵉ édit., 1910. 1 vol. in-8.............................. 5 fr.
TARDE (G.), de l'Institut. **La criminalité comparée.** 7ᵉ édit., 1910. 1 vol. in-18... 2 fr. 50
TARNOWSKY (Dᵣ Pauline). **Les femmes homicides.** 1 fort vol. gr. in-8, avec 40 pl. hors texte et 8 tableaux anthropométriques. 1908.. 15 fr.

Hypnotisme et magnétisme. — Sciences occultes.

BINET. **La psychologie du raisonnement,** étude expérimentale par l'hypnotisme. 4ᵉ édit., 1907. 1 vol. in-18 .... 2 fr. 50
— et FÉRÉ. **Le magnétisme animal.** 5ᵉ éd., 1908. In-8.............................. 6 fr.
BOIRAC (E.), recteur de l'Académie de Dijon. **La psychologie inconnue.** Introduction et contribution à l'étude expérimentale des sciences psychiques. 1908. 1 vol. in-8... 5 fr.
DU POTET. **Traité complet de magnétisme.** 5ᵉ éd. 1 vol. in-8...................... 8 fr.
— **Manuel de l'étudiant magnétiseur.** 8ᵉ édit. In-18.............................. 3 fr. 50
— **Le magnétisme opposé à la médecine.** In-8...................................... 6 fr.
DURAND DE GROS. **Le Merveilleux scientifique.** Mesmérisme, Braidisme, Fario-Grimisme. 1894. 1 vol. grand in-8.. 6 fr.
— **Les mystères de la suggestion.** 1 br. in-8. 1896................................ 1 fr.
ÉLIPHAS LÉVI. **Histoire de la magie,** avec une exposition de ses procédés, de ses rites et de ses mystères. In-8, avec 90 fig. 2ᵉ éd.. 12 fr.
— **La clef des grands mystères,** suivant Hénoch, Abraham, Hermès Trismégiste et Salomon. Nouvelle édition, avec gravures. 1 vol. in-8.. 12 fr.
— **Dogme et rituel de la haute magie.** 5ᵉ édit., 1910. 2 vol. in-8, avec 24 fig....... 18 fr.
— **La science des esprits,** révélation du dogme secret des cabalistes, esprit occulte des Évangiles, appréciations des doctrines et des phénomènes spirites. Nouvelle édition, 1909. 1 vol. in-8.. 7 fr.
ENCAUSSE (Papus). **L'occultisme et le spiritualisme.** 3ᵉ édit., 1911. 1 vol. in-16. 2 fr. 50
GELEY (G.). **L'être subconscient.** 1 vol. in-12. 3ᵉ éd., 1911.................... 2 fr. 50
BESNARD (Dʳ). **Les troubles de la personnalité dans les états d'asthénie psychique.** Préface de M. le Prof. Régis. 1909. 1 vol. gr. in-8...................................... 6 fr.
JANET (Pierre). **L'automatisme psychologique.** 1 vol. in-8. 6ᵉ édit. 1910........ 7 fr. 50
JASTROW (J.). **La subconscience.** Préface de M. le Dʳ P. Janet. 1908. 1 vol. in-8. 7 fr. 50
LAFONTAINE. **L'art de magnétiser,** ou le magnétisme vital au point de vue théorique, pratique et thérapeutique. 7ᵉ édit. in-8.. 5 fr.
— **Mémoires d'un magnétiseur.** 2 vol. in-18.. 7 fr.
MAXWELL (J.), docteur en médecine, substitut au tribunal de la Seine. **Les phénomènes psychiques.** Recherches, observations, méthodes. Préface du professeur Ch. Richet. 4ᵉ édit., revue 1909. 1 vol. in-8.. 5 fr.
MESMER. **Mémoires et aphorismes,** suivis des procédés de d'Eslon. Nouv. édit., avec des notes par J.-J.-A. Ricard. In-18.. 2 fr. 50
MYERS. **La personnalité humaine.** Sa survivance. 3ᵉ édit. 1910. 1 vol. in-8..... 7 fr. 50
NIZET (A.). **L'Hypnotisme,** étude critique. 1 vol. in-12. 2ᵉ éd.................... 2 fr. 50
WUNDT. **Hypnotisme et suggestion.** 4ᵉ éd. 1909. 1 vol. in-18................... 2 fr. 50

Histoire des sciences.

BOUCHUT, prof. agrégé à la Fac. de méd. de Paris. **Histoire de la médecine et des doctrines médicales.** 2 vol. in-8.. 16 fr.
FIGARD (L.), docteur ès lettres. **Un médecin philosophe au XVIᵉ siècle.** Jean Fernel. 1903. 1 vol. in-8.. 7 fr. 50
MAINDRON (E.). **L'Académie des sciences.** Histoire de l'Académie ; fondation de l'Institut national ; Bonaparte, membre de l'Institut. 1 fort vol. grand in-8, avec 53 gravures dans le texte, portraits, plans, etc., 8 planches hors texte et 2 autographes.............. 12 fr.
NICAISE, de l'Académie de médecine. **La grande Chirurgie de Guy de Chauliac,** chirurgien, maître en médecine de l'Université de Montpellier, composée en l'an 1363, revue et collationnée sur les manuscrits et imprimés latins et français, avec gravures, notes, une introd. sur le moyen âge, sur la vie et les œuvres de Guy de Chauliac, un glossaire et une table alphab. 1 fort vol. grand in-8. 1891.. 28 fr.
— **Traité de chirurgie de Henri de Mondeville,** d'après les manuscrits du XIVᵉ siècle. 1 vol. grand in-8, avec introd. et notes. 1892.. 28 fr.
— **Chirurgie de Pierre Franco de Turriers en Provence,** composée en 1561, avec une introd. historique, une biographie et l'histoire du collège de chirurgie. 1 vol. gr. in-8, avec gravures. 1894.. 20 fr.
PILASTRE. **Malgaigne.** Sa vie et ses idées. 1 vol. in-8.......................... 5 fr.
TANNERY (P.). **Pour la science hellène,** de Thalès à Empédocle. 1 vol. in-8.... 7 fr. 50

BIBLIOTHÈQUE SCIENTIFIQUE

INTERNATIONALE

(L'astérisque indique les ouvrages adoptés par le ministère de l'instruction publique).

VOLUMES IN-8, CARTONNÉS A L'ANGLAISE; OUVRAGES A 6, 9 ET 12 FRANCS.

Derniers volumes parus (1910-1911) :

PEARSON. La Grammaire de la Science (*Physique*). 1 vol. in-8. Trad. de l'anglais, par LUCIEN MARCH.. 12 fr.
CYON (E. de). L'oreille. *Organe d'orientation dans le temps et dans l'espace.* 1 vol. in-8 avec 45 grav. dans le texte, 3 planches hors texte et 1 portrait de Flourens........ 6 fr.
ANDRADE (J.), professeur à la Faculté des sciences de Besançon. Le Mouvement. *Mesures de l'étendue et mesures du temps.* 1 vol. in-8, avec 46 fig. dans le texte.. 6 fr.
CUÉNOT (L.), professeur à la Faculté des sciences de Nancy. *La Genèse des espèces animales. 1 vol. in-8 avec 123 grav. dans le texte............................... 12 fr.
ROUBINOVITCH (Dr J.), médecin en chef de l'hospice de Bicêtre. * Aliénés et anormaux. 1 vol. in-8 avec 63 gravures.. 6 fr.
LE DANTEC (F.), chargé de cours à la Sorbonne. La Stabilité de la vie. *Étude énergétique de l'évolution des espèces.* 1 vol. in-8....................................... 6 fr.

PRÉCÉDEMMENT PUBLIÉS :

ANGOT (A.), directeur du Bureau météorologique. *Les Aurores polaires. 1 vol. in-8, avec figures.. 6 fr.
ARLOING, prof. à l'Ecole de médecine de Lyon. *Les Virus. 1 vol. in-8........... 6 fr.
BAGEHOT. *Lois scientifiques du développement des nations. 1 vol. in-8. 7e éd... 6 fr.
BAIN. *L'Esprit et le Corps. 1 vol. in-8. 6e édition............................... 6 fr.
— *La Science de l'éducation. 1 vol. in-8. 11e édition........................... 6 fr.
BALFOUR STEWART. *La Conservation de l'énergie, avec fig. 1 vol. in-8. 6e édit.. 6 fr.
BERNSTEIN. *Les Sens. 1 vol. in-8, avec 91 figures. 5e édition.................. 6 fr.
BERTHELOT, de l'Institut. *La Synthèse chimique. 1 vol. in-8. 8e édition........ 6 fr.
— *La Révolution chimique, Lavoisier. 1 vol. in-8. 2e éd........................ 6 fr.
BINET. *Les Altérations de la personnalité. 1 vol. in-8. 2e édition............. 6 fr.
BINET et FÉRÉ. *Le Magnétisme animal. 1 vol. in-8. 5e édition.................. 6 fr.
BLASERNA et HELMHOLTZ. *Le Son et la Musique. 1 vol. in-8. 5e édition........ 6 fr.
BOURDEAU (L.). Histoire de l'habillement et de la parure. 1 vol. in-8........... 6 fr.
BRUNACHE (P.). *Le Centre de l'Afrique. Autour du Tchad. 1 vol. in-8, avec figures.. 6 fr.
CANDOLLE (de). * L'Origine des plantes cultivées. 1 vol. in-8. 4e édition........ 6 fr.
CARTAILHAC (E.). La France préhistorique, d'après les sépultures et les monuments. 1 vol. in-8, avec 162 figures. 2e édition................................. 6 fr.
CHARLTON BASTIAN. *Le Cerveau, organe de la pensée chez l'homme et chez les animaux. 2 vol. in-8, avec figures. 2e édition................................ 12 fr.
— L'Évolution de la vie. 1 vol. in-8, avec fig. et pl........................... 6 fr.
COLAJANNI (N.). *Latins et Anglo-Saxons. 1 vol. in-8........................... 9 fr.
CONSTANTIN (le Capitaine). Le rôle sociologique de la guerre et le sentiment national. Suivi de la traduction de *La guerre, moyen de sélection collective,* par le Dr STEINMETZ. 1 vol in-8... 6 fr.
COOKE et BERKELEY. *Les Champignons. 1 vol. in-8, avec figures. 4e édition... 6 fr.
COSTANTIN (J.), prof. au Muséum. *Les Végétaux et les Milieux cosmiques (adaptation, évolution). 1 vol. in-8, avec 171 gravures............................... 6 fr.
— *La Nature tropicale. 1 vol. in-8, avec gravures............................. 6 fr.
— *Le Transformisme appliqué à l'agriculture. 1 vol. in-8, avec 105 gravures.. 6 fr.
DAUBRÉE, de l'Institut. Les Régions invisibles du globe et des espaces célestes. 1 vol. in-8, avec 85 fig. dans le texte. 2e édition........................... 6 fr.
DEMENY (G.). *Les bases scientifiques de l'éducation physique. 1 vol. in-8, avec 198 gravures. 5e édition.. 6 fr.
— Mécanisme et éducation des mouvements. 1 vol. in-8, avec 565 gravures. 2e édit. 9 fr.
DEMOOR, MASSART et VANDERVELDE. *L'évolution régressive en biologie et en sociologie. 1 vol. in-8, avec gravures..................................... 6 fr.
DRAPER. Les Conflits de la science et de la religion. 1 vol. in-8. 12e édition.... 6 fr.
DUMONT (L.). *Théorie scientifique de la sensibilité. 1 vol. in-8. 4e édition..... 6 fr.

GELLÉ (E.-M.). * L'audition et ses organes. 1 vol. in-8, avec gravures............ 6 fr.
GRASSET (J.), prof. à la Faculté de médecine de Montpellier. — Les Maladies de l'orientation et de l'équilibre. 1 vol. in-8, avec gravures...................... 6 fr.
GROSSE (E.). * Les débuts de l'art. 1 vol. in-8, avec gravures.................... 6 fr.
GUIGNET et GARNIER. * La Céramique ancienne et moderne. 1 vol. in-8, avec gravures... 6 fr.
HERBERT SPENCER. * Les Bases de la morale évolutionniste. 1 vol. in-8. 6e édit... 6 fr.
— * La Science sociale. 1 vol. in-8. 14e édition...................................... 6 fr.
HUXLEY. * L'Écrevisse, introduction à l'étude de la Zoologie. 1 vol. in-8, avec figures. 2e édition.. 6 fr.
JACCARD, professeur à l'Académie de Neuchâtel (Suisse). * Le pétrole, le bitume et l'asphalte au point de vue géologique. 1 vol. in-8, avec figures.......... 6 fr.
JAVAL (E.), de l'Académie de médecine.. * Physiologie de la lecture et de l'écriture. 1 vol. in-8, avec 96 gravures. 2e édition.................................... 6 fr.
LAGRANGE (F.). * Physiologie des exercices du corps. 1 vol. in-8. 10e édition... 6 fr.
LALOY (L.). * Parasitisme et mutualisme dans la nature. Préface du Prof. A. GIARD, de l'Institut. 1 vol. in-8, avec 82 gravures... 6 fr.
LANESSAN (DE). * Introduction à l'Étude de la botanique (le Sapin). 1 vol. in-8. 2e édition, avec 143 figures... 6 fr.
— * Principes de colonisation. 1 vol. in-8.. 6 fr.
LE DANTEC, chargé de cours à la Sorbonne. * Théorie nouvelle de la vie. 4e édit. 1 vol. in-8, avec figures... 6 fr.
— L'évolution individuelle et l'hérédité. 1 vol. in-8............................. 6 fr.
— Les lois naturelles. 1 vol. in-8, avec gravures................................. 6 fr.
LOEB, professeur à l'Université Berkeley. * La dynamique des phénomènes de la vie. Traduit de l'allemand par MM. DAUDIN et SCHAEFFER, agrégés de l'Université, préface de M. le prof. A. GIARD, de l'Institut. 1 vol. in-8 avec fig................. 9 fr.
LUBBOCK (SIR JOHN). * Les Sens et l'instinct chez les animaux, principalement chez les insectes. 1 vol. in-8, avec 150 figures.................................... 6 fr.
MALMEJAC (F.). L'eau dans l'alimentation. 1 vol. in-8, avec fig................ 6 fr.
MAUDSLEY. * Le Crime et la Folle. 1 vol. in-8. 7e édition....................... 6 fr.
MEUNIER (Stan.), professeur au Muséum. — * La Géologie comparée. 1 vol. in-8, avec gravures. 2e édition.. 6 fr.
— * La Géologie générale. 1 vol. in-8, avec gravures. 2e édit.................. 6 fr.
— * La Géologie expérimentale. 1 vol. in-8, avec gravures. 2e édit............ 6 fr.
MEYER (de). * Les Organes de la parole et leur emploi pour la formation des sons du langage. 1 vol. in-8, avec 51 gravures.. 6 fr.
MORTILLET (G. de). * Formation de la Nation française. 2e édit. 1 vol. in-8, avec 150 gravures et 18 cartes.. 6 fr.
MOSSO (A.), professeur à l'Univ. de Turin. * Les exercices physiques et le développement intellectuel. 1 vol. in-8.. 6 fr.
NIEWENGLOWSKI (H.). * La photographie et la photochimie. 1 vol. in-8, avec gravures et une planche hors texte.. 6 fr.
NORMAN LOCKYER. * L'Évolution inorganique. 1 vol. in-8 avec gravures....... 6 fr.
PERRIER (Edm.), de l'Institut. La Philosophie zoologique avant Darwin. 1 vol. in-8. 3e édition... 6 fr.
PETTIGREW. * La Locomotion chez les animaux, marche, natation et vol. 1 vol. in-8, avec figures. 2e édition.. 6 fr.
QUATREFAGES (DE), de l'Institut. * L'Espèce humaine. 1 vol. in-8. 15e édit. .... 6 fr.
— * Darwin et ses précurseurs français. 1 vol. in-8. 2e édit. refondue........... 6 fr.
— * Les Émules de Darwin. 2 vol. in-8, avec préfaces de MM. Ed. PERRIER et HAMY. 12 fr.
RICHET (Ch.).—professeur à la Faculté de médecine de Paris. La Chaleur animale. 1 vol. in-8, avec figures.. 6 fr.
ROCHÉ (G.). * La Culture des Mers (piscifacture, pisciculture, ostréiculture). 1 vol. in-8, avec 81 gravures... 6 fr.
SCHMIDT (O.). * Les Mammifères dans leurs rapports avec leurs ancêtres géologiques. 1 vol. in-8, avec 51 figures.. 6 fr.
SCHUTZENBERGER, de l'Institut. * Les Fermentations. 1 vol. in-8. 6e édition.... 6 fr.
SECCHI (le Père). * Les Étoiles. 2 vol. in-8, avec fig. et pl. 3e édition.......... 12 fr.
STALLO. * La Matière et la Physique moderne. 1 vol. in-8. 3e édition.......... 6 fr.
STARCKE. * La Famille primitive. 1 vol. in-8....................................... 6 fr.
THURSTON (R.). * Histoire de la machine à vapeur. 2 vol. in-8, avec 140 figures et 16 planches hors texte. 3e édition... 12 fr.
TOPINARD. L'Homme dans la Nature. 1 vol. in-8, avec figures................... 6 fr.
VAN BENEDEN. * Les Commensaux et les Parasites dans le règne animal. 1 vol. in-8, avec figures. 4e édition... 6 fr.
VRIES (Hugo de). Espèces et Variétés, trad. de l'allemand par L. BLARINGHEM, chargé d'un cours à la Sorbonne, avec préface. 1 vol. in-8..................... 12 fr.
WHITNEY. * La Vie du Langage. 1 vol. in-8. 4e édition........................... 6 fr.
WURTZ, de l'Institut. * La Théorie atomique. 1 vol. in-8. 10e édition........... 6 fr.

LISTE PAR ORDRE DE MATIÈRES

DES VOLUMES

DE LA BIBLIOTHÈQUE SCIENTIFIQUE

INTERNATIONALE

Volumes in-8, cartonnés à l'anglaise à 6, 9 et 12 francs.

SCIENCES SOCIALES

* Introd. à la science sociale, par HERBERT SPENCER. 1 vol. in-8. 14e éd............ 6 fr.
* Les Bases de la morale évolutionniste, par HERBERT SPENCER. 1 vol. in-8. 6e édit. 6 fr.
Les Conflits de la science et de la religion, par DRAPER, professeur à l'Université de New-York. 1 vol. in-8. 12e édit............ 6 fr.
* Le Crime et la Folie, par H. MAUDSLEY, professeur de médecine légale à l'Université de Londres. 1 vol. in-8. 7e édit............ 6 fr.
* La Science de l'éducation, par ALEX. BAIN, professeur à l'Université d'Aberdeen (Écosse). 1 vol. in-8. 11e édit............ 6 fr.
* Lois scientifiques du développement des nations, par W. BAGEHOT. 1 vol. in-8. 7e édit. 6 fr.
* Histoire de l'habillement et de la parure, par L. BOURDEAU. 1 vol. in-8............ 6 fr.
* La Vie du langage, par D. WHITNEY, professeur de philologie comparée à Yale-College de Boston (États-Unis). 1 vol. in-8. 3e édit............ 6 fr.
* La Famille primitive, par J. STARCKE, prof. à l'Univ. de Copenhague. 1 vol. in-8.... 6 fr.
* Principes de colonisation, par J.-L. DE LANESSAN, prof. agrégé à la Faculté de médecine de Paris, ancien gouverneur de l'Indo-Chine. 1 vol. in-8............
Le rôle sociologique de la guerre, par le capitaine CONSTANTIN, suivi de la traduction de La Guerre, moyen de sélection collective, par le prof. STEINMETZ. 1 vol. in-8...... 6 fr.

PHYSIOLOGIE

* La Locomotion chez les animaux (marche, natation et vol), par J.-B. PETTIGREW, professeur au Collège royal de chirurgie d'Édimbourg (Écosse). 1 vol. in-8, avec 140 figures dans le texte. 2e édit............ 6 fr.
L'oreille. Organe d'orientation dans le temps et dans l'espace, par E. DE CYON. 1 vol. in-8, avec 45 fig. dans le texte, 3 pl. hors texte et 1 portrait de Flourens............
* Les Sens, par BERNSTEIN, professeur de physiologie à l'Université de Halle (Prusse). 1 vol. in-8, avec 91 figures dans le texte. 4e édit............ 6 fr.
* Les Organes de la parole, par H. DE MEYER, professeur à l'Université de Zurich, traduit de l'allemand et précédé d'une introduction sur l'Enseignement de la parole aux sourds-muets, par O. CLAVEAU, inspecteur général des établissements de bienfaisance. 1 vol. in-8, avec 51 grav............ 6 fr.
* Physiologie des exercices du corps, par le docteur F. LAGRANGE. 1 vol. in-8. 10e édit. (Ouvrage couronné par l'Institut)............ 6 fr.
La Chaleur animale, par CH. RICHET, professeur de physiologie à la Faculté de médecine de Paris. 1 vol. in-8, avec figures dans le texte............ 6 fr.
* Les Virus, par M. ARLOING, professeur à la Faculté de médecine de Lyon, directeur de l'École vétérinaire. 1 vol. in-8, avec fig............ 6 fr.
* Théorie nouvelle de la vie, par F. LE DANTEC, chargé du cours d'embryologie générale à la Sorbonne. 4e édit. Revue. 1 vol. in-8, avec figures............ 6 fr.
L'évolution individuelle et l'hérédité, par le même. 1 vol. in-8............
L'évolution de la vie, par CHARLTON BASTIAN, professeur à University Collège de Londres, traduction et avant-propos par H. DE VARIGNY, docteur ès sciences naturelles, avec la collaboration de Mlle G. DE VARIGNY. 1 vol. in-8, avec 12 fig. dans le texte et 12 planches hors texte............
La stabilité de la vie. Étude énergétique de l'évolution des espèces, par F. LE DANTEC, chargé de Cours à la Sorbonne. 1 vol. in-8............ 6 fr.
Aliénés et anormaux, par le Dr J. ROUBINOVITCH, médecin en chef de l'hospice de Bicêtre. 1 vol. in-8, avec gravures............
* L'audition et ses organes, par le Dr E.-M. GELLÉ, membre de la Société de biologie. 1 vol. in-8, avec grav............ 6 fr.
* Les bases scientifiques de l'éducation physique, par G. DEMENY, chargé du cours d'éducation physique de la Ville de Paris. 1 vol. in-8, avec 196 grav. 4e édit............ 6 fr.

Mécanisme et éducation des mouvements, par *le même*. 1 vol. in-8, avec 565 gravures, 3e édit. Revue et augmentée.. 9 fr.

* Les exercices physiques et le développement intellectuel, par A. Mosso, professeur à l'Université de Turin. 1 vol. in-8.. 6 fr.

* Physiologie de la lecture et de l'écriture, par le Dr E. Javal, membre de l'Académie de médecine. 1 vol. in-8, avec gravures. 2e édit.. 6 fr.

PHILOSOPHIE SCIENTIFIQUE

* Le Cerveau et la Pensée chez l'homme et les animaux, par Charlton Bastian, prof. à l'Univ. de Londres. 2 vol. in-8, avec 184 fig. 2e édit............................... 12 fr.

Les Maladies de l'orientation et de l'équilibre, par J. Grasset, professeur à la Faculté de médecine de Montpellier. 1 vol. in-8, avec gravures............................... 6 fr.

* Le Crime et la Folie, par H. Maudsley, prof. à l'Univ. de Londres. In-8, 6e éd..... 6 fr.

* L'Esprit et le Corps, considérés au point de vue de leurs relations, suivi d'études sur les *Erreurs généralement répandues au sujet de l'esprit*, par Alex. Bain, prof. à l'Université d'Aberdeen (Écosse). 1 vol. in-8. 6e éd...................................... 6 fr.

* Théorie scientifique de la sensibilité : *le Plaisir et la Douleur*, par Léon Dumont. 1 vol. in-8. 3e édit... 6 fr.

* La Matière et la Physique moderne, par Stallo, précédé d'une préface par M. Ch. Friedel, de l'Institut. 1 vol. in-8. 2e édit.. 6 fr.

Le Magnétisme animal, par Alf. Binet et Ch. Féré. 1 vol. in-8. 5e édit............. 6 fr.

* L'Évolution régressive en biologie et en sociologie, par Demoor, Massart et Vandervelde, prof. des Univ. de Bruxelles. 1 vol. in-8, avec grav...................... 6 fr.

* Les Altérations de la personnalité, par Alf. Binet, directeur du laboratoire de psychologie à la Sorbonne. In-8, avec gravures... 6 fr.

Les lois naturelles, *réflexions d'un biologiste sur les sciences*, par F. Le Dantec, chargé de cours à la Sorbonne. 1 vol. in-8, avec gravures.................................... 6 fr.

La dynamique des phénomènes de la vie, par le Pr Lœb. Traduit de l'allemand par MM. Daudin et Schæffer. 1 vol. in-8, avec gravures............................. 9 fr.

ANTHROPOLOGIE

* L'Espèce humaine, par A. de Quatrefages, de l'Institut. 1 vol. in-8. 15e édit...... 6 fr.

* Ch. Darwin et ses précurseurs français, par *le même*. 1 vol. in-8. 2e édition........ 6 fr.

* Les Émules de Darwin, par *le même*, avec une préface de M. Edm. Perrier, de l'Institut, et une notice sur la vie et les travaux de l'auteur par E.-T. Hamy, de l'Institut. 2 vol. in-8.. 12 fr.

Latins et Anglo-Saxons. *Races supérieures et races inférieures*, par N. Colajani, prof. à l'Université de Naples. Trad. de l'italien par J. Dubois, agrégé de l'Université. 1 vol in-8... 9 fr.

La France préhistorique, par E. Cartailhac. In-8, avec 150 grav. 2e édit............ 6 fr.

* L'Homme dans la Nature, par Topinard. 1 vol. in-8, avec 101 grav............... 6 fr.

* Le centre de l'Afrique. Autour du Tchad, par P. Brunache, administrateur à Aïn-Fezza (Algérie). 1 vol. in-8, avec gravures...................................... 6 fr.

* Formation de la Nation française, par G. de Mortillet, professeur à l'École d'anthropologie. In-8, avec 150 grav. et 18 cartes. 2e édit............................... 6 fr.

ZOOLOGIE

La genèse des espèces animales, par L. Cuénot, professeur à la Faculté des sciences de Nancy. 1 vol. in-8, avec 123 fig. dans le texte.................................. 12 fr.

* Les Mammifères dans leurs rapports avec leurs ancêtres géologiques, par O. Schmidt, professeur à l'Université de Strasbourg. 1 vol. in-8, avec 51 figures dans le texte... 6 fr.

* Les Sens et l'instinct chez les animaux, et principalement chez les insectes, par Sir John Lubbock. 1 vol. in-8, avec grav.. 6 fr.

* L'Écrevisse, introduction à l'étude de la zoologie, par Th.-H. Huxley, membre de la Société royale de Londres. 1 vol. in-8, avec 82 grav............................ 6 fr.

* Les Commensaux et les Parasites dans le règne animal, par P.-J. Van Beneden, professeur à l'Université de Louvain (Belgique). 1 vol. in-8, avec 82 figures dans le texte. 3e édit.. 6 fr.

* La Philosophie zoologique avant Darwin, par Edm. Perrier, de l'Institut, directeur du Muséum. 1 vol. in-8. 2e édit... 6 fr.

* La Culture des mers en Europe (Pisciculture, piscifacture, ostréiculture), par G. Roché, insp. gén. des pêches maritimes. In-8, avec 81 grav.......................... 6 fr.

* Parasitisme et mutualisme dans la nature, par le Dr Laloy, bibliothécaire de l'Académie de médecine, préface de M. le professeur A. Giard, de l'Institut. 1 vol. in-8, avec 82 gravures.. 6 fr.

BOTANIQUE

* Les Champignons, par COOKE et BERKELEY. 1 vol. in-8, avec 110 fig. 4e éd........ 6 fr.
* L'Origine des plantes cultivées, par A. DE CANDOLLE. 1 vol. in-8. 4e édit........... 6 fr.
* Introduction à l'étude de la botanique (le Sapin), par J.-L. DE LANESSAN, professeur agrégé à la Faculté de médecine de Paris. 1 vol. in-8. 2e édit., avec figures dans le texte... 6 fr.
Espèces et Variétés. Leur naissance par mutation, par H. DE VRIES, traduit de l'anglais par L. BLARINGHEM, docteur ès sciences, chargé d'un cours de biologie agricole à la Sorbonne. 1 vol. in-8... 12 fr.
* Les Végétaux et les milieux cosmiques (adaptation, évolution), par J. COSTANTIN, professeur au Muséum. 1 vol. in-8, avec 171 figures................................ 6 fr.
* La Nature tropicale, par le même. 1 vol. in-8, avec fig...................... 6 fr.
* Le transformisme appliqué à l'agriculture, par le même. 1 vol. in-8, avec 105 grav. 6 fr.

GÉOLOGIE

* Les Régions invisibles du globe et des espaces célestes, par A. DAUBRÉE, de l'Institut. 1 vol. in-8, 2e édit., avec 89 gravures................................. 6 fr.
* Le Pétrole, le Bitume et l'Asphalte, par M. JACCARD, professeur à l'Académie de Neuchâtel (Suisse). 1 vol. in-8, avec figures................................ 6 fr.
* La Géologie comparée, par STANISLAS MEUNIER, professeur au Muséum. 1 vol. in-8, avec figures... 6 fr.
* La Géologie expérimentale, par le même. 1 vol. in-8, avec fig............ 6 fr.
* La Géologie générale, par le même. 2e édit. in-8, avec grav................ 6 fr.

CHIMIE

* Les Fermentations, par P. SCHUTZENBERGER, de l'Institut. In-8. 6e éd............ 6 fr.
* La Synthèse chimique, par M. BERTHELOT, secrétaire perpétuel de l'Académie des sciences. 1 vol. in-8. 8e édit.. 6 fr.
* La Théorie atomique, par AD. WURTZ, membre de l'Institut. 1 vol. in-8. 9e édit.; précédé d'une introduction sur la Vie et les Travaux de l'auteur, par M. CH. FRIEDEL, de l'Institut.. 6 fr.
* La Révolution chimique (Lavoisier), par M. BERTHELOT. 1 vol. in-8. 2e éd......... 6 fr.
* La Photographie et la Photochimie, par H. NIEWENGLOWSKI. 1 vol. avec gravures et une planche hors texte... 6 fr.
* L'eau dans l'alimentation, par F. MALMÉJAC, docteur en pharmacie, pharmacien-major de l'armée. 1 vol. in-8, avec grav.. 6 fr.

ASTRONOMIE — MÉCANIQUE

* Histoire de la Machine à vapeur, de la Locomotive et des Bateaux à vapeur, par R. THURSTON, professeur à l'Institut technique de Hoboken (New-York). 2 vol. in-8, avec 160 fig. et 16 pl. hors texte. 3e édit... 12 fr.
* Les Étoiles par le P. A. SECCHI, directeur de l'observatoire du Collège romain. 2 vol. in-8, avec 68 figures et 16 planches. 2e édit........................... 12 fr.
* Les Aurores polaires, par A. ANGOT, directeur du Bureau central météorologique de France. 1 vol. in-8, avec figures... 6 fr.

PHYSIQUE

La Conservation de l'énergie, par BALFOUR STEWART, prof. de physique au collège Owens de Manchester (Angleterre). 1 vol. in-8, avec fig. 6e édit.................. 6 fr.
Le mouvement. Mesures de l'étendue et mesures du temps, par J. ANDRADE, professeur à la Faculté des sciences de Besançon. 1 vol. in-8, avec 46 figures.............. 6 fr.
* La Matière et la Physique moderne, par STALLO, précédé d'une préface par CH. FRIEDEL, membre de l'Institut. 1 vol. in-8. 3e édit..................... 6 fr.
* L'Évolution inorganique étudiée par l'analyse spectrale, par NORMAN LOCKYER, 1 vol. in-8, avec gravures... 6 fr.
La Grammaire de la science (physique), par M. PEARSON, traduit de l'anglais par LUCIEN MARCH. 1 vol. in-8, avec grav... 12 fr.

THÉORIE DES BEAUX-ARTS

* Les Débuts de l'art, par E. GROSSE, professeur à l'Université de Fribourg. Préface de MARILLIER. 1 vol. in-8, avec gravures...................................... 6 fr.
* Le Son et la Musique, par P. BLASERNA, prof. à l'Univ. de Rome, suivi d'une étude sur le même sujet, par HELMHOLTZ. 1 vol. in-8, avec 41 fig. 5e éd............... 6 fr.
* La Céramique ancienne et moderne, par MM. GUIGNET, directeur des teintures à la Manufacture des Gobelins, et GARNIER, directeur du Musée de la Manufacture de Sèvres. 1 vol. in-8, avec grav.. 6 fr.
Histoire de l'habillement et de la parure, par L. BOURDEAU. 1 vol. in-8............ 6 fr.

LIVRES SCIENTIFIQUES

(par ordre alphabétique de noms d'auteurs)

NON CLASSÉS DANS LES SÉRIES PRÉCÉDENTES

(MÉDECINE-SCIENCES)

Récemment parus (1910-1911) :

BOECKEL (J.), chirurgien de l'hôpital civil de Strasbourg et BOECKEL (A.). Des fractures du rachis cervical sans symptômes médullaires. 1911. 1 vol. in-8, avec 20 pl. hors texte   8 fr.

DEBRÉ (Dr R.). Recherches épidémiologiques, cliniques et thérapeutiques sur la méningite cérébro-spinale. 1911. 1 vol. gr. in-8... 4 fr.

HERPIN (Dr A.). Évolution de l'os maxillaire inférieur. 1907. Broch. gr. in-8...... 5 fr.

HOCHREUTINER (B. P. G.), docteur ès sciences. La philosophie d'un naturaliste. *Essai de synthèse du monisme mécaniste.* 1911. 1 vol. in-8............................. 7 fr. 50

JAËLL (Mme Marie). Un nouvel état de conscience. *La coloration des sensations tactiles.* 1910. 1 vol. in-8, avec 33 planches....................................... 4 fr.

LABBÉ (H.), docteur ès sciences. Contribution à l'étude du métabolisme des composés ammoniacaux. 1910. 1 vol. gr. in-8... 4 fr.

— Le métabolisme d'un chien partiellement dépancréaté. 1911. 1 vol. gr. in-8...... 4 fr.

LAVOLLÉ (R.). docteur ès lettres. Les fléaux nationaux. *Dépopulation. Pornographie. Alcoolisme. Affaissement moral.* 1909. 1 v. in-16...................... 3 fr. 50

NATHAN (Dr M.). La cellule de Kupffer (cellule endothéliale de capilaires veineux du foie). *Ses réactions expérimentales et pathologiques.* 1908. 1 vol. gr. in-8, avec pl...... 5 fr.

ROSENTHAL (G.). L'aérobisation des microbes anaérobies. 1908. 1 vol. gr. in-8... 5 fr.

SÉE (Dr P.). Les diastases oxydantes et réductrices des champignons. 1910. Brochure gr. in-8... 2 fr.

Précédemment publiés :

Agronomie coloniale. (*Première réunion internationale d'*). Compte rendu des séances et *résumé des travaux.* Paris. 1906. In-8............................. 10 fr.

ALEZAIS. Etudes anatomiques sur le cobaye. 1903. 1 vol. gr. in-8, avec figures.... 8 fr.

ANTHEAUME (A.). De la toxicité des alcools. In-8. 1897..................... 3 fr. 50

AXENFELD et HUCHARD. Traité des névroses. 2e édition. 1 fort vol. in-8. 1882.. 20 fr.

BALFOUR STEWART et TAIT. L'Univers invisible. 1 vol in-8.................... 7 fr.

BARTELS. Les maladies des reins, 1 vol. in-8, avec fig................. 7 fr. 50

BEAUREGARD (H.). Les insectes vésicants. 1 vol. gr. in-8, avec 34 pl. et 44 grav... 25 fr.

BELZUNG. Recherches sur l'ergot de seigle. In-8....................... 1 fr. 50

BÉRAUD (B.-J.). Atlas complet d'anatomie chirurgicale topographique, 109 planches sur acier, avec texte. In-4. Prix : fig. noires, relié. 60 fr. — Fig. color. relié..... 120 fr.

BERNARD (Claude), de l'Institut. Les propriétés des tissus vivants. In-8.......... 2 fr. 50

BERTRAND (C.-Eg.), professeur à la Faculté des sciences de Lille. Remarques sur le Lepidodendron Hartcourtti de Wittham. 1 vol. in-8 avec planches.............. 10 fr.

BOECKEL (Jules). Sur les kystes hydatiques du rein. In-8..................... 2 fr.

— Des kystes du pancréas. In-8. 1891.................................... 3 fr.

— Considérations sur la résection du genou. In-8. 1892................. 1 fr. 25

— De l'ablation de l'estomac. 1903. 1 vol. in-8, avec planches.............. 3 fr. 50

BOREL (V.). Nervosisme et neurasthénie. 1894. 1 vol. in-8.................. 3 fr.

BOUCHARDAT (A.). De la glycosurie ou diabète sucré; son traitement hygiénique. 2e édition. 1 vol. grand in-8.. 15 fr.

— Traité d'hygiène publique et privée. 3e édition. 1 fort vol. grand in-8........ 18 fr.

BOURDEAU (Louis). Théorie des sciences. 2 vol. in-8.................... 20 fr.

— La conquête du monde animal. In-8................................ 5 fr.

— La conquête du monde végétal. In-8................................ 5 fr.

BOURDET (Eug.). Des maladies du caractère. In-8..................... 5 fr.

— Principes d'éducation positive. In-18.............................. 3 fr. 50

CHAUVEL, de l'Académie de médecine. Études ophtalmologiques. 1 vol. in-8. 1896.. 5 fr.

CORNIL (V.). Découvertes de Pasteur et leurs applications à l'anatomie et à l'histologie pathologique. In-8... 1 fr.

— Des différentes espèces de néphrites. In-8........................... 3 fr. 50

— Leçons d'anatomie pathologique. 1884. 1 vol. in-8................... 4 fr.

COURMONT (Fr.). Le cervelet et ses fonctions. 1 vol. in-8.............. 12 fr.

DALLEMAGNE (J.). Dégénérés et déséquilibrés. In-8................... 12 fr.

DAVID. Les microbes de la bouche. in-8, 113 grav., lettre-préface de M. PASTEUR. 10 fr.

DE BOVIS. Le cancer du gros intestin, *rectum excepté.* 1901. 1 vol. in-8....... 5 fr.

DEGA (Mlle G.). Essai sur la cure préventive de l'hystérie féminine par l'éducation. 1 vol. in-8. 1898... 3 fr.

DÉJERINE (le Prof.). Sur l'atrophie musculaire des ataxiques. In-8............... 3 fr.
DÉJERINE-KLUMPKE (Mᵐᵉ). Des polynévrites et des paralysies et atrophies saturnines,
  étude clinique et anat.-path. Iu-8, avec grav... .... 6 fr.
DESCHAMPS (d'Avallon). Compendium de pharmacie pratique. In-8.............. 20 fr.
DESPAUX (A.). Causes des énergies attractives. *Magnétisme, Électricité, Gravitation.*
  1902. 1 vol. in-8... 5 fr.
— Genèse de la matière et de l'énergie. *Formation et fin d'un monde.* 1900. 1 vol. in-8. 4 fr.
— Explication mécanique de la matière, de l'électricité et du magnétisme. 1905. 1 vol.
  in-8.. 4 fr.
— Explication mécanique des propriétés de la matière. *Cohésion, affinité, gravitation,* etc.
  1908. 1 vol. in-8... 6 fr.
DUCKWORTH. La goutte, hygiène et traitement. In-8...................... 10 fr.
DURAND-FARDEL. Traité des eaux minérales de la France et de l'étr. 3ᵉ éd. In-8. 10 fr.
DURAND DE GROS. L'Idée et le fait en biologie. In-8.................... 1 fr. 50
— Physiologie philosophique. 1 vol. in-8............................... 8 fr.
— Ontologie et psychologie physiologique. In-18....................... 3 fr. 50
— De l'hérédité dans l'épilepsie....................................... 50 c.
— Les origines animales de l'homme. 1 vol. in-8....................... 5 fr.
— Genèse naturelle des formes animales. In 8.......................... 1 fr. 25
DUVAL (Mathias), de l'Académie de médecine. Le placenta des rongeurs. 1 fort vol. in-4.
  avec 106 fig. et atlas de 22 pl. 1893................................ 40 fr.
— Le placenta des carnassiers. 1 fort vol. in-4 avec 46 grav. et atlas de 13 pl. 1895. 25 fr.
— Embryologie des cheiroptères. *L'ovule, la gastrula, le blastoderme et l'origine des
  annexes chez le murin.* In-8, avec 29 fig. et 5 pl., 1899.............. 15 fr.
FERRIER. De la localisation des maladies cérébrales, suivi d'un mémoire de MM. CHARCOT
  et PITRES sur *les Localisations motrices dans les hémisphères de l'écorce du cerveau.* In-8.
  67 fig... 2 fr.
FIAUX (Louis). La prostitution cloîtrée. 1902. 1 vol. in-18............. 3 fr.
— Le délit pénal de la contamination intersexuelle. 1907. 1 vol. in-12... 2 fr. 50
— La police des mœurs devant la commission extra-parlementaire du régime des mœurs.
  — Tome I et II. *Introduction. Rapports. Débats. Abolition de la police des mœurs. Le
  régime de la loi. Documents inédits.* 1907. 2 forts vol. gr. in-8. 30 fr. — Tome III, Aver-
  tissement. *Rapport général. Abolition de la police des mœurs. Le régime de la loi. Loi
  du 11 avril 1908 concernant la protection des mineurs.* 2ᵉ éd. 1910. 1 fort vol. gr. in-8. 8 fr.
— Enseignement populaire de la moralité sexuelle. 1908. Broch. in-18...... 1 fr.
— Un nouveau régime des mœurs. Abolition de la police des mœurs. Le régime de la loi.
  1908, 1 vol. in-16... 3 fr. 50
— La prostitution réglementée et les pouvoirs publics dans les principaux États des
  Deux-Mondes. I. *Belgique, Russie, France et Suisse.* 1902. 1 vol. in-8........ 5 fr.
  II. *Amérique du Nord et du Sud, Japon, Chine, Balkans, Turquie et Egypte.* 1909. 1 vol.
  in-8.. 5 fr.
— L'intégrité intersexuelle des peuples et les gouvernements. 1910. 1 vol. gr. in-8. 10 fr.
FOREL (A.) et MAHAIN. Crime et anomalies mentales constitutionnelles. In-8... 5 fr.
FRAISSE. Principes du diagnostic gynécologique. 1901. 1 vol. in-12, avec gravures. 5 fr.
GALIPPE (V.). Hérédité des anomalies des maxillaires et des dents. 1902. In-8.. 1 fr. 50
GAYME () Essai sur la maladie de Basedow. Gr. in-8.................... 6 fr.
GIRARD (H.). Le chlorure d'éthyle en anesthésie générale. In-8.......... 1 fr. 50
GLATZ (P.). Dyspepsie nerveuse et neurasthénie. In-12................... 4 fr.
GUILLEMIN, professeur de physique à l'École de médecine d'Alger. Génération de la voix
  et du timbre. Préf. de J. VIOLLE, de l'Institut. 2ᵉ éd. avec 122 grav. 1 vol. in-8. 10 fr.
— Les premiers éléments de l'acoustique musicale. 1904. 1 vol. in-8, avec 53 gravures. 10 fr.
HALLEZ (Paul). Morphologie générale et affinités des tubellariées. 1 vol. in-8... 2 fr.
HERZEN. Causeries physiologiques. 1899. 1 vol. in-12................... 3 fr. 50
HUCHARD (H.). Pathogénie de la mort subite dans la fièvre typhoïde. 1 br. in-8. 1 fr. 25
HUXLEY. La physiographie, introduction à l'étude de la nature, traduit et adapté par
  M. G. LAMY. In-8, avec figures...................................... 7 fr.
JACQUES. L'intubation du larynx. In-8.................................. 2 fr. 50
JAMAIN et F. TERRIER. Manuel de pathologie et de clinique chirurgicales. 3ᵉ édition.
  4 vol. in-8.. 32 fr.
JANOT. Rapports morbides de l'œil et de l'utérus, œil utérin. 1892. 1 br. in-8. 2 fr. 50
KOENIG (C.-J.). Étude expérimentale des canaux semi-circulaires. 1 vol. in-8. 1897. 3 fr. 50
KOVALEVSKY. L'ivrognerie, causes, traitement. In-8................... 1 fr. 50
LABORDE (J.-V.), de l'Académie de médecine. Les tractions rythmées de la langue (trai-
  tement physiologique de la mort). 2ᵉ éd., 1897. 1 vol. in-12. avec gravures.... 5 fr.
LANCEREAUX. Traité historique et pratique de la syphilis. 2ᵉ éd. in-8....... 17 fr.
LANGLOIS (P.), professeur agrégé à la Faculté de médecine de Paris. Les capsules surrénales.
  1 vol. in-8. 1897.. 4 fr.
LAYET (A.), prof. à la Faculté de médecine de Bordeaux. La santé des Européens entre
  les tropiques. I. *Le climat. Le sol. Les agents vivants d'agression morbide.* 1906. In-8. 7 fr.

LEFEBVRE. **Des déformations ostéo-articulaires, consécutives à des maladies de l'appareil pleuro-pulmonaire.** In-8. 1891 .... 4 fr. 50

LE FORT (Léon), professeur à la Faculté de médecine de Paris. Œuvres complètes, publiées par le Dr LEJARS (1895-1896). Tome I : *Hygiène hospitalière, démographie, hygiène publique.* 1 vol. in-8. 20 fr. ; — Tome II : *Chirurgie militaire, enseignement.* 1 vol. in-8. 20 fr. ; — Tome III : *Chirurgie.* 1 vol. in-8 .... 20 fr.

LEMAITRE (J.), professeur au Collège de Genève. **Audition colorée et phénomènes connexes observés chez des écoliers.** In-12. 1900 .... 4 fr.

LÉPINE. **Le ferment glycolitique et la pathogénie du diabète.** In-8. 1891 ...... 1 fr.

LÉVY (Dr J.). **L'hémato-thérapie de la maladie de Basedow.** 1908. Broch. gr. in-8. 2 fr. 50

LIEBREICH (R.). **Atlas d'ophtalmoscopie.** In-4, avec 12 pl. et texte. 3e éd. .... 40 fr.

MAC CORMAC. **Manuel de chirurgie antiseptique.** In-8 .... 2 fr.

MANNHEIMER (M.). **Le gâtisme au cours des états psychopatiques.** 1 vol. in-8. 1897. 3 fr. 50

MARVAUD (A.), médecin inspecteur de l'armée. **Les maladies du soldat, étude étiologique, épidémiologique, clinique et prophylactique.** in-8. 1894 (*Cour. par l'Acad. des sciences*). 20 fr.

MAYER (A.). **Essai sur la soif.** 1900. 1 vol. in-8 .... 3 fr.

MICHOTTE (A.). **Les signes régionaux** (répartition de la sensibilité tactile). 1 vol. in-8, avec planches. 1905 .... 5 fr.

MORIN (Ch.). **Structure anat. et nature des individualités du syst. nerveux, causes réflexes physio-psychiques.** In-8 .... 4 fr. 50

MOURAO-PITTA. **Madère, station médicale fixe.** In-8, cart .... 2 fr.

MURCHISON. **De la fièvre thyphoïde.** 1 vol. in-8 .... 3 fr.

NÉLATON (de l'Institut). **Éléments de pathologie chirurgicale.** *Seconde édition complètement remaniée* par MM. les docteurs JAMAIN, PÉAN, DESPRÉS, GILETTE et HORTELOUP, chirurgiens des hôpitaux. Ouvrages complet en 6 vol. gr. in-8, avec 795 fig. dans le texte. 32 fr.

NICAISE. **Des lésions de l'intestin dans les hernies.** In-8 .... 3 fr.

NOÉ (Joseph). **Recherche sur la vie oscillante.** 1903. 1 vol. in-8, avec figures..... 7 fr.

PAGET (Sir James). **Leçons de clinique chirurgicale.** Gr. in-8 .... 8 fr.

PANSIER. **Les manifestations oculaires de l'hystérie.** 1892. 1 vol. in-8, 3 pl. hors texte 4 fr.

PARISOT (P.). **Études d'hygiène sur Nancy et le département de Meurthe-et-Moselle.** 1893. In-8, avec 2 pl. .... 1 fr. 50

PETIT (L.-H.). **Des tumeurs gazeuses du cou.** 1 vol. in-8 .... 3 fr.

PETIT (R.). **De la tuberculose des ganglions du cou.** In-8 .... 4 fr.

PHILIPPSON (J.). **L'autonomie et la centralisation du système nerveux des animaux.** 1 vol. in-8, avec planches. 1905 .... 5 fr.

PHILIPS. (DURAND DE GROS). **Influence réciproque de la pensée, de la sensation et des mouvements végétatifs.** In-8 .... 1 fr.

POUCHET (G.). **Charles Robin, sa vie et son œuvre.** In-8 .... 3 fr. 50

REBLAUD (Th.). **Des cystites non tuberculeuses chez la femme.** 1 vol. in-8..... 4 fr.

REISS (R. A.), docteur ès sciences, prof. à l'Univ. de Lausanne. **Manuel de police scientifique.** (*Technique*). Tome I. *Vols et homicides*, préface de L. LÉPINE, préfet de police de Paris. 1911. 1 vol. gr. in-8, avec 149 fig. .... 15 fr.

RETTERER (Ed.). **Développement du squelette des extrémités et des product. cornées chez les mammifères.** In-8, avec 4 pl. .... 4 fr.

REYMOND (A.). **Logique et mathématiques.** 1908. 1 vol. in-8 .... 5 fr.

RICHET (Ch.). **Structure des circonvolutions cérébr.** In-8 .... 5 fr.

RIETSCH. **Reproduction des cryptogames.** In-8 avec fig .... 5 fr.

RILLIET et BARTHEZ. **Traité clinique et pratique des maladies des enfants.** 3e édition, par BARTHEZ et SANNÉ. — TOME 1er. *Maladies du système nerveux, de l'appareil respiratoire.* 1 fort vol. gr. in-8. 16 fr. ; — TOME II. *Maladies de l'appareil circulatoire, de l'appareil digestif et de ses annexes, de l'appareil génito-urinaire, de l'appareil de l'ouïe, maladies de la peau.* 1 fort vol. gr. in-8. 14 fr. ; — TOME III, terminant l'ouvrage, *Maladies spécifiques, maladies générales constitutionnelles.* 1 fort vol. gr. in-8., 25 fr.

ROISEL. **Les Atlantes.** Études anté-historiques. 1 vol. in-8 .... 7 fr.

SABOURIN (Ch.). **Anatomie normale et pathologique de la glande biliaire de l'homme.** 1 vol. in-8, avec 233 fig. .... 8 fr.

TERRIER (F.). **De l'œsophagtomie externe.** 1 vol. in-8 .... 3 fr. 50
— **Des anévrismes cirsoïdes.** 1 vol. in-8 .... 3 fr.
— **Éléments de pathologie chirurgicale générale.** 1er fasc. : *Lésions traum. et leur complications.* 1 vol. in-8. 7 fr. — 2e fasc. : *Complications des lésions traum. Lésions inflamm.* In-8 .... 6 fr.

TOURNEUX (F.). **Atlas d'embryologie des organes génitaux urinaires.** 1 vol. in-4. 40 fr.

VALENTINO (V.). **Notes sur l'Inde.** Serpents, Hygiène, Médecine, Aperçus économiques *sur l'Inde française.* (Couronné par l'Université de Bordeaux). 1906. 1 vol. in-16... 4 fr.

VARIGNY (H. de). **L'excitabilité électrique des circonv. cérébr. et la période d'excitation latente du cerveau.** In-8 .... 2 fr.

VIRCHOW. **Pathologie des tumeurs.** 4 vol. grand in-8, avec 106 fig. .... 12 fr. 75

VOISIN (Jules), médecin de la Salpêtrière. **L'idiotie, psychologie et éducation de l'idiot.** 1893. 1 vol. in-12 ....
— **L'Épilepsie.** 1 vol. gr. in-8. 1897 (*Cour. par l'Acad. de méd.*) .... 6 fr.

YVERT. **Traité pratique et clinique des blessures du globe de l'œil.** In-8..... 12 fr.
— **Applications médico-chirurgicales de l'adrénaline.** In-12 .... 3 fr.

ENSEIGNEMENT SECONDAIRE

SCIENCES MATHÉMATIQUES

Ouvrages conformes aux programmes de 1905

I. — DEUXIÈME CYCLE C ET D, MATHÉMATIQUES A ET B, ET PRÉPARATION AUX ÉCOLES

OUVRAGES DE M. E. COMBETTE
Inspecteur général de l'Instruction publique.

SECONDE ET PREMIÈRE C ET D. — Précis d'Algèbre. In-8, 2e édit., avec 264 exerc. et probl........................ 3 fr.

MATHÉM. A ET B. — Cours abrégé d'arithmétique. 1 vol. in-8, 10e éd. avec 270 problèmes et exercices................. 2 fr. 80

MATHÉM. A ET B. — Cours abrégé d'algèbre élémentaire. In-8, 10e édit., avec 313 probl. et exerc................... 3 fr. 50

MATHÉM. A ET B. — Cours abrégé de géométrie élémentaire. 1 vol. in-8, 3e édit., avec 417 fig., probl. et exerc.............. 4 fr. 50

MATHÉM. A et B ET PRÉPARATION AUX ÉCOLES DU GOUVERNEMENT. — Leçons de mécanique, en collabor. avec M. JOSEPH GIROD, 2e édit., avec 225 fig. et 73 exerc. et probl... 3 fr. 50

MATHÉM. A et B et MATHÉM. SPÉCIALES ET PRÉPARATION AUX ÉCOLES DU GOUVERNEMENT. — Cours de trigonométrie, avec compléments pour les candidats aux écoles du gouvernement. 4e édition........................ 4 fr.

— Cours d'arithmétique. In-8. 13e édit., avec fig. et 304 exerc. et probl............... 6 fr.

— Cours d'algèbre. 1 vol. in-8. 9e édit., avec 99 figures et 498 exercices.... 8 fr.

— Cours de géométrie élémentaire. In-8. 9e édit., avec 662 fig. et 711 exerc............... 10 fr.

— Compléments du cours d'algèbre et notions de géométrie analytique. In-8........ 4 fr.

OUVRAGES DE M. JOSEPH GIROD
Ancien élève de l'École Normale supérieure. Professeur au Lycée Charlemagne.

SECONDE C ET D ET MATHÉMATIQUES A ET B. — Précis de géométrie plane. 4e édit. 1 vol. in-8 avec 272 fig. et 239 probl. et exercices. 2 fr. 50

PREMIÈRE C ET D ET MATH. — Précis de géométrie de l'espace. 1 vol. in-8, 3e édit. avec 165 fig. et 124 probl. et exercices.... 2 fr. 50

MATHÉM. A ET B, ET PRÉPARATION AUX ÉCOLES DU GOUVERNEMENT. — Précis de géométrie, compléments, les trois coniques. 1 vol. in-8, 2e édit., avec 219 figures et 178 problèmes et exercices................. 2 fr. 50

MÊMES CLASSES. — Précis de géométrie, les trois fascicules réunis. 1 vol. in-8, avec 656 fig. et 541 probl. et exercices. 7 fr. 50

PREMIÈRE C ET D ET MATH. — Précis de trigonométrie. 4e éd. 1 vol. in-8 avec 54 fig. et 394 problèmes et exercices proposés. 2 fr. 40

PREMIÈRE C ET D. — Précis de géométrie descriptive et de géométrie cotée. 1 vol. in-8 avec 157 fig. dans le texte et 200 exerc. et probl. proposés................. 2 fr. 50

MATHÉM. A ET B. — Précis de géométrie descriptive et de géométrie cotée. 1 vol. in-8 avec 152 fig. dans le texte et 191 ex. et probl. proposés et 3 pl. hors texte. . 3 fr. 50

MATHÉM. A ET B. (EN COLLAB. AVEC M. E. COMBETTE). — Leçons de mécanique. 2e édition avec 225 fig. et 73 exerc. et probl. 3 fr. 50

MATHÉM. — Cours de géométrie descriptive, par J. CARON, prof. au lycée Saint-Louis :
1° Ligne droite et plan... *(Épuisé.)*
2° Cônes, cylindres et sphères. 1 vol. in-8, avec atlas de 18 pl. 3e éd......... 6 fr.
3° Géométrie cotée. 1 vol. in-8 avec 208 fig. dans le texte.............. 6 fr.
MATHÉM. — Cours de cosmographie, par

P. PORCHON. 1 vol. in-8, avec 174 fig. et 4 planches hors texte. 5e édition.... 5 fr.
MATHÉM. — ST-CYR. — Précis de cosmographie par P. PORCHON. 1 vol. in-8, avec 53 fig. dans le texte, et 3 planches hors texte............. 2 fr.
MATHÉM. — Cours de trigonométrie, par A. REBIÈRE. 1 vol. in-8, nouv. éd. 3 fr. 50

II. — CLASSES DE MATHÉMATIQUES SPÉCIALES
(ÉCOLES POLYTECHNIQUE, NORMALE ET CENTRALE)

E. COMBETTE et JOSEPH GIROD. — Cours de mécanique, conforme à l'arrêté du 26 juillet 1904. 1 vol. in-8 avec 179 figures dans le texte et 334 exercices et problèmes proposés. 6 fr.
E. COMBETTE. — Cours de Trigonométrie. 4e édition. 1 vol. in-8.................. 4 fr.
MICHEL, prof. de mathém. spéciales au lycée Saint-Louis. — Cours d'algèbre. *(Sous presse.)*

III. — PREMIER ET DEUXIÈME CYCLES, DIVISIONS A ET B, PHILOSOPHIE A ET B

COURS DE MATHÉMATIQUES

Conforme aux programmes du 31 mai 1902 et du 27 juillet 1905

P. PORCHON
Ancien élève de l'École normale supérieure. Professeur honoraire au lycée de Versailles.

SIXIÈME A ET B ET CINQUIÈME A. — Notions élémentaires d'arithmétique et de calcul. 14e édit. In-12, avec fig. dans le texte, questionnaires, probl. et exercices, cart... 2 fr.

SIXIÈME A ET B ET CINQUIÈME A. — Cours élémentaire d'arithmétique pratique. 12e éd. In-12, avec figures, problèmes et exercices, cartonné................. 2 fr.

PROGRAMMES DE 1905.

QUIÈME B, QUATRIÈME A ET B, TROIsIÈME A. — Nouveaux éléments d'arithmétique. 22ᵉ édit. In-12, avec exerc., cart.   2 fr.

ATRIÈME ET TROISIÈME A. — Nouveaux éléments de géométrie plane. 14ᵉ édit. In-12, avec exerc., cart.............. 2 fr. 50

nveaux éléments de géométrie de l'espace. 9ᵉ édit. In-12, avec exercices, cart. 1 fr. 25

Nouveaux éléments de géométrie (les deux cours précédents réunis). In-12, cart. 3 fr. 50

TROISIÈME A ET B.—Nouveaux éléments d'algèbre. 15ᵃ éd. In-12, avec exerc., cart. 2 fr. 50

PHILOSOPHIE A ET B. — Nouveaux éléments de cosmographie. 10ᵉ édition. In-12, avec fig. et pl., cartonné............... 2 fr.

PHILOSOPHIE A ET B. — Leçons de mathématiques. 2ᵉ édit. In-12 avec fig., cart. 3 fr. 50

E. COMBETTE, Inspecteur général de l'Instruction publique.

LEÇONS DE GÉOMÉTRIE

our les Classes de 5ᵉ, 4ᵉ et 3ᵉ B, de 5ᵉ et de 4ᵉ A des Lycées et Collèges.

QUIÈME B ET QUATRIÈME A. — 4ᵉ éd. In-12 av. 165 fig. et 84 exerc. et probl., cart. à l'angl.. 1 fr. 60

UATRIÈME B ET TROISIÈME A. — 3ᵉ éd. In-12 av. 116 fig, et 119 exerc. et probl., cart. à l'angl.. 1 fr. 60

OISIÈME B. — 3ᵉ édit. In-12 avec 201 fig. et 112 exerc. et probl., cart. à l'angl..... 2 fr. 50

trois précédents cours réunis en un volume, avec 482 figures et 315 exercices et problèmes, art. à l'angl. .... 5 fr. 40

IV. — SCIENCES PHYSIQUES

ÉMILE BOUANT
Ancien élève de l'École normale supérieure, professeur honoraire au lycée Charlemagne.

ÉLÉMENTS DE CHIMIE (Vol. in-12, cart., couv. grise)

ATRIÈME B et PHILOSOPHIE A et B. — Premier fascicule : Notions générales, étalloïdes. Avec fig., 4ᵉ édit. .... 1 fr. 60

OISIÈME B et PHILOSOPHIE A et B. — Deuxième fascicule : Métaux, Chimie organique. Avec fig., 3ᵉ édit. .... 1 fr. 60

deux fascicules précédents réunis.............. 3 fr.

COURS DE CHIMIE (Vol. in-12, cart., couv. bleue)

ONDE C et D. — Premier fascicule : Notions générales, Métalloïdes, Sels, avec fig., 2ᵉ édit .... 2 fr. 80

MIÈRE C et D. — Deuxième fascicule : Métaux, Chimie organique, avec fig., 2ᵉ édit. .... 2 fr.

THÉMATIQUES A et B. — Troisième fascicule : Compléments, avec fig. 3 fr.

s trois fascicules précédents réunis et formant le Cours complet de Chimie, avec figures. .... 7 fr.

ÉLÉMENTS DE PHYSIQUE (Vol. in-12, cart., couv. grise)

UATRIÈME B. — Premier fascicule : Pesanteur, Chaleur. 5ᵉ éd., avec 116 fig. 2 fr.

OISIÈME B. — Deuxième fascicule : Acoustique, Optique, Électricité, avec 48 fig. et une planche coloriée hors texte, 4ᵉ édit. .... 2 fr.

OSOPHIE A et B. — 1 vol. in-12 avec 366 fig. et une planche coloriée hors texte. .... 6 fr.

COURS DE PHYSIQUE (Vol. in-12, cart., couv. bleue)

ONDE C et D. — Premier fascicule : Pesanteur, Chaleur, avec 218 figures, édit. .... 3 fr. 75

MIÈRE C et D. — Deuxième fascicule : Optique, Électricité et Applications, avec 234 figures et une planche coloriée hors texte, 2ᵉ édit. 3 fr. 75

THÉMATIQUES A et B. — Troisième fascicule : Acoustique, Compléments, avec 37 fig. et une planche coloriée hors texte, 2ᵉ édit. .... 3 fr. 75

es trois fascicules précédents réunis et formant le Cours complet de Physique, avec 589 fig. dans le texte et une planche coloriée hors texte. .... 10 fr.

OSOPHIE A et B et MATHÉMATIQUES A et B. — Chimie inorganique élémentaire, ar E. Grimaux, de l'Institut. In-12, cart., 8ᵉ édit. .... 5 fr. 50

ES CLASSES. — Chimie organique élémentaire, par LE MÊME. In-12, cart., édition. .... 5 fr. 50

S CLASSES. — Cours élémentaire de physique, par H. Dufet, prof. au lycée aint-Louis. In-8, avec 618 fig. dans le texte.............. 8 fr.

Chimie du laboratoire, par F. Pisani et Ch. Dirvell. In-18, 2ᵉ édition. 4 fr.

ENSEIGNEMENT SECONDAIRE DES JEUNES FILLES

ÉMILE BOUANT

(3°, 4° et 5° ANNÉES). — **Leçons de chimie.** 1 vol. in-12, avec 113 figures dans le texte, cartonné à l'anglaise. . . . . 2 fr. 80

(3° ANNÉE). — **Leçons de physique** (*Pesanteur et Chaleur*). 1 vol. in-12 av 128 figures dans le texte, cart. à l'angl. 2° édit. . . . . 2 fr.

(4° et 5° ANNÉES). — **Leçons de physique** (*Acoustique. Optique. Électricité, Magnétisme*), par LE MÊME. 1 vol. in-12, avec 235 fig. dans le texte et 1 planche coloriée hors texte, cart. à l'angl. . . . . 2 fr. 80

Les deux précédents volumes, réunis en un seul cart. à l'angl. . . . . 4 fr. 5

SCIENCES NATURELLES

ER. BELZUNG
Docteur ès sciences, agrégé des sciences naturelles, professeur au lycée Charlemagne

ZOOLOGIE

SIXIÈME A et B. — **Cours élémentaire de zoologie,** 13° édit. In-12, avec 391 grav. cart. à l'angl. . . . . 2 fr.

TROISIÈME B. — **Leçons de zoologie.** In-12, avec 332 gravures, cart. 2 fr. 50

PHILOSOPHIE A et B et MATHÉMATIQUES A et B. — **Anatomie et physiologie animales,** suivies de la *Classification.* 11° édit. In-8, avec 630 grav.; broché. 6 fr.

BOTANIQUE

CINQUIÈME A et B. — **Cours élémentaire de botanique,** 4° éd. In-12, avec 378 gravures, cart. à l'angl. . . . . 2 fr.

PHILOSOPHIE A et B et MATHÉMATIQUES A et B. — **Précis d'Anatomie et de Physiologie végétales.** In-8, avec 742 grav. dans le texte; broché . . . 6 fr.

ENSEIGNEMENT SUPÉRIEUR DES SCIENCES NATURELLES, CERTIFICAT D'ÉTUDES PHYSIQUES, CHIMIQUES ET NATURELLES, ECOLES NATIONALES D'AGRICULTURE. — **Anatomie et physiologie végétales.** 1 fort vol. in-8, avec 1700 grav. broché . . . . . 20 fr.

GÉOLOGIE

CINQUIÈME B et QUATRIÈME A. — **Notions de géologie.** 5° éd. In-12, avec 151 gravures et 1 carte en couleurs, cart. à l'angl. . . . . 2 fr.

SECONDE A, B, C, D. — **Cours élémentaire de géologie.** 5° éd. In-12, avec 279 gravures et 1 carte en couleurs, cart. à l'angl. . . . . 2 fr.

PALÉONTOLOGIE

PHILOSOPHIE A et B et MATHÉMATIQUES A et B. — **Notions de paléontologie animale.** In-8, avec 205 gravures, broché. . . . . 4 fr.

HYGIÈNE

PHILOSOPHIE A et B et MATHÉMATIQUES A et B. — **Cours élémentaire d'hygiène.** In-8, avec 114 gravures, broché. . . . . 2 fr.

ENSEIGNEMENT SECONDAIRE DES JEUNES FILLES

1re ANNÉE. — **Notions de zoologie,** par Mlle de Montille, agrégée de l'Enseignement secondaire des jeunes filles. 8° éd. In-12, avec 333 grav. dans texte, cart. à l'angl. . . . . 2 fr.

1re et 2e ANNÉES. — **Notions de botanique,** par LA MÊME. 6° édit. In-12, av 345 gravures dans le texte, cart. à l'angl. . . . . 2 fr.

2e ANNÉE. — **Notions de géologie,** par LA MÊME. 1 vol. in-12, avec 280 grav. de le texte et une carte coloriée hors texte, cart. à l'angl. . . . . . . 3 fr.

Hygiène et science domestique. *Conforme aux programmes du 14 juin 1901.*
— 3° et 4° années, par Mlle M. Dreyfus, ancienne élève de l'Ecole normale d Sèvres, agrégée de l'Enseignement secondaire des jeunes filles. 4° édit. In-12 avec 76 grav., cart. à l'angl. . . . . 2 fr.

— 5° année, par M. Delearde, professeur agrégé à la Faculté de médecine d Lille, et Mlle M. Dreyfus, 1 vol. in-12, avec 77 grav., cart. à l'angl. . . . 2 fr.

ENSEIGNEMENT PRIMAIRE SUPÉRIEUR

MATHÉMATIQUES

s d'Algèbre, par MM. **P. Rollet**, directeur de l'École Diderot à Paris, et **Foubert**, prof. à l'École primaire supérieure de Lille. 1 vol. in-12, avec exer-
c's et problèmes, cart. à l'angl. 9ᵉ éd. complètement refondue . . . . . 3 fr.
s d'Arithmétique, par LES MÊMES. 1 vol. in-12, avec 632 exercices et problèmes,
t. à l'angl., 8ᵉ édition complètement refondue . . . . 3 fr.
s de Géométrie, par MM. **Ch. Colin**, professeur à l'École Lavoisier, et **J. Girod**,
ofesseur au Lycée Charlemagne. 3 vol. in-12, cart. toile.
RE ANNÉE, 1 fr. 80 ; DEUXIÈME ANNÉE, 2 fr. 50 ; TROISIÈME ANNÉE, 2 fr. 50
ois années en un vol. cart. toile . . . . 6 fr. 40

SCIENCES PHYSIQUES ET NATURELLES

rs de Physique et Chimie, par le Dʳ ALAMELLE, professeur à l'École primaire
érieure de Nancy. 3 vol. in-12, cart. toile. (*Programmes des E. P. S. de Garçons*).
1ʳᵉ ANNÉE. 2 fr. 20 ; 2ᵉ ANNÉE, 2 fr. 20 ; 3ᵉ ANNÉE, 2 fr. 20
s de Physique (*3 années réunies*). 1 vol. in-18, cart. à l'angl. . . . 3 fr.
rs de Chimie (*3 années réunies*). 1 vol. in-18. cart. à l'angl. . . . . 3 fr.

DU MÊME AUTEUR :

s de Physique et Chimie (*Programmes des E. P. S. de Jeunes Filles*). 3 vol. in-12,
t. toile
1ʳᵉ ANNÉE, 2 fr. 20 ; 2ᵉ ANNÉE, 2 fr. 20 ; 3ᵉ ANNÉE, 2 fr. 20
s de Physique (*3 années réunies*). 1 vol. in-18, cart. à l'angl . . . . 3 fr.
urs de Chimie (*3 années réunies*). 1 vol. in-18, cart. à l'angl. . . . . 3 fr.
s d'Electricité industrielle (*pour les deuxième et troisième années et section
éciale des Écoles primaires supérieures*), par GOULLIART, prof. à l'École prᵐᵉ supʳᵉ
Lille. 1 vol. in-18 avec 400 figures dans le texte, cart. à l'angl. . . . 3 fr. 50
s d'Agriculture, *Agriculture théorique pratique*; *chimie et comptabilité agricoles
euxième et troisième années des Écoles primaires supérieures*), par A. PETIT, Ingé-
ur agronome, professeur à l'École d'Horticulture de Versailles, chef du labo-
oire de recherches horticoles. 1 vol. in-18, avec 256 grav. cart. à l'angl. 3 fr.

HYGIÈNE ET SCIENCE DOMESTIQUE

(*Écoles normales et écoles primaires supérieures*).
ygiène individuelle et économie domestique, par Mlle M. DREYFUS. 1 vol. in-12
ec 76 fig. dans le texte, 4ᵉ édit. entièrement refondue, cart. à l'angl. 2 fr. 50
ygiène individuelle (*Compléments*) et Hygiène sociale, par le Dʳ DELÉARDE et
lle M. DREYFUS, 1 vol. in-12, avec 77 figures dans le texte, cart. à l'angl. 2 fr.

AGRICULTURE

éralogie agricole, par F. HOUDAILLE, docteur ès sciences, prof. à l'École d'agri-
lture de Montpellier. 1 vol. in-12, avec 109 grav. dans le texte . . . . 3 fr. 50
Orages à Grêle et le Tir des Canons, par le MÊME. 1 vol. in-12, avec 63 gra-
res dans le texte. . . . . 3 fr. 50
té de Sylviculture, par P. MOUILLEFERT, prof. de sylviculture à l'École de Grignon.
I. — *Principales essences forestières*, précédées de *Notions de statistique
restière*. 1 fort vol. in-12 de 546 pages, avec 730 grav. dans le texte . . . . 7 fr.
II. — *Exploitation et aménagement des bois*. 1 volume in-12 de 746 pages, avec
planches et 97 gravures dans le texte . . . . 6 fr.
uel de Sylviculture et Améliorations pastorales à *l'usage des Instituteurs*,
ar F. CARDOT, inspecteur des eaux et forêts à Bar-sur-Aube, et C. DUMAS, inspec-
ur primaire à Alger. 1 volume in-12 de XII-180 pages, avec 52 gravures et plan-
es hors texte. . . . . 2 fr.

NOTIONS DE TECHNOLOGIE

par le Dʳ F. GENEVOIS
Pharmacien de 1ʳᵉ classe, ancien interne des Hôpitaux de Paris,
Professeur à l'Association philotechnique.

Les matières premières et leur emploi dans les divers usages de la vie.
ol. in-32 de 192 pages. 0 fr. 60
Les procédés industriels (*Industries animales, végétales et minérales*). 1 vol.
32 de 192 pages. . . . . 0 fr. 60

PUBLICATIONS PÉRIODIQUES

Les abonnements partent du 1er Janvier

Revue de Médecine

Directeurs : MM. les Professeurs Ch. BOUCHARD, de l'Institut; A. CHAUFFARD;
A. CHAUVEAU, de l'Institut; L. LANDOUZY ; R. LÉPINE, correspondant de l'Institut;
A. PITRES; G.-H. ROGER et L. VAILLARD.
Rédacteurs en chef : MM. LANDOUZY et R. LÉPINE.
Secrétaire de la rédaction : Dr JEAN LÉPINE.

Revue de Chirurgie

Directeurs : MM. les Professeurs E. QUÉNU, A. PONCET, P. DELBET, P. DUVAL,
F. LEJARS, F. GROSS, E. FORGUE, A. DEMONS, E. CESTAN.
Rédacteur en chef : M. E. QUÉNU.
Secrétaire de la rédaction : Dr DELORÉ.

31e année, 1911

La *Revue de Médecine* et la *Revue de Chirurgie*, qui constituent la 2e série de la *Revue
mensuelle de Médecine et de Chirurgie*, paraissent tous les mois; chaque livraison de la
Revue de Médecine contient de 5 à 8 feuilles grand in-8, avec gravures; chaque livraison de la
Revue de Chirurgie contient de 8 à 12 feuilles grand in-8, avec gravures.

PRIX D'ABONNEMENT :

Pour la Revue de Médecine	Pour la Revue de Chirurgie
Un an, du 1er Janvier, Paris. . . . 20 fr.	Un an, Paris. . . . . 30 fr.
Un an, départements et étranger. . 23 fr.	Un an, départements et étranger. . 33 fr.
La livraison : 2 francs.	La livraison : 3 francs.

Les **deux Revues** réunies : un an, Paris, **45** francs ; départements et étranger, **50** francs.
Les quatre années de la *Revue Mensuelle de Médecine et de Chirurgie* (1877, 1878, 1879
et 1880) se vendent chacune séparément **20** francs ; la livraison, **2** francs.
Les années écoulées de la *Revue de Médecine* se vendent **20** francs chacune; les dix-huit
premières années de la *Revue de Chirurgie* se vendent le même prix et, à partir de l'année 1899,
30 francs chacune.

Journal de l'Anatomie
et de la Physiologie normales et pathologiques

DE L'HOMME ET DES ANIMAUX

Fondé par CH. ROBIN, continué par Georges POUCHET et par MATHIAS DUVAL.
Rédacteurs en chef : MM. les professeurs RETTERER et TOURNEUX.
Avec le concours de MM. BRANCA, G. LOISEL et A. SOULIÉ.

47e année, 1911

Ce journal paraît tous les deux mois et forme à la fin de l'année un beau volume grand in-8,
de 700 pages environ, avec de nombreuses gravures dans le texte et des planches lithogra-
phiées en noir et en couleurs hors texte.
Un an : pour Paris, **30** francs; pour les départements et l'étranger, **33** francs. — La
livraison, **6** francs.

La première année, 1864, est épuisée; les suivantes, 1865 à 1869, 1870-71, 1872 à 1877,
sont en vente au prix de **20** francs l'année, et de **3** fr. **50** la livraison. Les années ulté-
rieures, depuis 1878, coûtent **30** francs chacune, la livraison, **6** francs.

Bulletin de l'Association française pour
l'Étude du Cancer. — Publication mensuelle faite sous la direction
de MM. les docteurs Pierre DELBET, profes-
seur à la Faculté de médecine, chirurgien des hôpitaux de Paris, et R. LEDOUX-LEBARD.
4e année 1911. — Abonnement : Un an, France, **15** fr. — Étranger, **18** fr.

Revue du Cancer. — Publiée sous les auspices de l'Association fran-
çaise pour l'étude du Cancer, par le Dr R.
LEDOUX-LEBARD, avec la collaboration de MM. J. CLUNET, A. HERRENSCHMIDT, F. LE
DANTEC, G. PETIT, J. THOMAS. — Paraît 4 fois par an. Abonnement : Un an, France, **15** fr. —
Étranger, **18** fr.
Les **deux publications réunies** : Un an, France, **25** fr. — Étranger, **30** fr.

Revue du Mois. —

Directeur Emile BOREL, Sous-Directeur de l'École normale supérieure, professeur à la Sorbonne. Secrétaire de la rédaction : A. BIANCONI, agrégé de l'Université. (6ᵉ année, 1911). Paraît le 10 de chaque mois par livraisons de 128 pages grand in-8° (25 × 16). Chaque année forme deux volumes de 750 à 800 pages chacun. — La Revue du Mois suit avec attention dans toutes les parties du savoir le mouvement des idées. Rédigée par des spécialistes éminents, elle a pour effet de tenir sérieusement les esprits cultivés au courant de tous les progrès. Dans des articles de fond aussi nombreux que variés, elle dégage les résultats les plus généraux et les plus intéressants de chaque ordre de recherches, ceux qu'on ne peut ni ne doit ignorer. Dans des notes plus courtes, elle fait place aux discussions, elle signale et critique les articles de Revues, les livres qui méritent intérêt. — Abonnement : Un an, Paris, **20** francs; Départements, **22** francs ; Union postale, **25** francs. Six mois, Paris, **10** francs ; Départements, **11** francs ; Union postale, **12** fr. **50**. Le numéro, **2** fr. **25**.

Revue anthropologique. —

Recueil mensuel publié par les professeurs de l'Ecole d'anthropologie de Paris (21ᵉ année, 1911). Cette *Revue* paraît le 15 de chaque mois. Chaque livraison forme un cahier de deux feuilles in-8 raisin de 32 pages, avec nombreuses gravures dans le texte. — Abonnement : Un an (du 15 janvier), pour tous pays, **10** francs ; la livraison, **1** franc.

Journal de Psychologie normale et pathologique. —

Dirigé par les docteurs Pierre JANET, professeur de psychologie au Collège de France et G. DUMAS, professeur adjoint à la Sorbonne. Paraît tous les deux mois, par fascicules de 100 pages environ. (8ᵉ année, 1911). — Abonnement : Un an, du 1ᵉʳ janvier, **14** francs ; la livraison, **2** fr. **60**.

Recueil d'Ophtalmologie. —

Dirigé par M. le Dʳ Jean GALEZOWSKI. Mensuel. 37ᵉ année, 1911. — Abonnement : Un an, du 1ᵉʳ Janvier, France et Étranger, **20** francs.

Revue de Thérapeutique médico-chirurgicale. —

Publiée sous la direction de MM. les professeurs BOUCHARD, GUYON, LANNELONGUE, LANDOUZY et FOURNIER. — Rédacteur en chef : M. le docteur Raoul BLONDEL. 78ᵉ année, 1911. Paraît les 1ᵉʳ et 15 de chaque mois. — Abonnement : Un an, du 1ᵉʳ Janvier, France, **12** francs ; Étranger, **13** francs.

Revue Médicale de l'Est. —

Paraissant le 1ᵉʳ et le 15 de chaque mois (38ᵉ année, 1911). — Rédacteur en chef : M. P. PARISOT, professeur à la Faculté de Médecine de Nancy. — Abonnement : Un an, du 1ᵉʳ Janvier, **12** francs. Pour les étudiants, **6** francs.

Archives italiennes de Biologie. —

Publiées en français. Tomes I et II, 1882, **30** francs. Tomes III à LVI, 1883 à 1911, chacun **20** francs. Ces *Archives* paraissent sans périodicité fixe ; chaque tome publié en 3 fascicules. — Les abonnements ne sont faits que pour 2 tomes à la fois, soit **40** francs.

Annales de Biologie. —

Publiées par MM. J. ATHANASIU, professeur à la Faculté des Sciences de Bucarest ; J. CANTACUZÈNE, professeur à la Faculté de Médecine de Bucarest ; F.-J, RAINER, chef de Laboratoire à la Faculté de Médecine de Bucarest ; P. BUJOR, professeur à la Faculté des Sciences de Jassy ; G. MARINESCO, professeur à la Faculté de Médecine de Bucarest ; E.-C. TEODORESCU, professeur à la Faculté des Sciences de Bucarest. 1ʳᵉ année, 1911. — Les Annales de Biologie *paraissent en 4 fascicules de 96 pages chacun, formant à la fin de l'année un beau volume de 384 pages avec de nombreuses figures dans le texte et planches hors texte.* — Abonnement : Un an, pour tout pays. **20** francs. Prix d'un fascicule séparé, **6** francs.

Scientia. —

Revue internationale de Synthèse scientifique (5ᵉ année, 1911). Comité de direction : MM. G. BRUNI, A. DIONISI, F. ENRIQUES, A. GIARDINA, E. RIGNANO. — Abonnement : Un an, **25** francs. — Scientia se publie en 4 numéros par an ne paraissant pas à date fixe ; tous les mémoires originaux sont publiés en langue française.

TABLE ALPHABÉTIQUE DES NOMS D'AUTEURS

*Sont portés seulement sur cette liste les auteurs d'ouvrages entiers,
ou directeurs de publications.*

886-11. — Coulommiers. Imp. PAUL BRODARD. — 10-11.

LIBRAIRIE FÉLIX ALCAN

MANUEL PRATIQUE
DE KINÉSITHÉRAPIE

PAR

L. DUREY, R. HIRSCHBERG, R. LEROY
R. MESNARD
G. ROSENTHAL, H. STAPFER, F. WETTERWALD
E. ZANDER J^{or}

Publié en 7 fascicules in-8° se vendant séparément.

A LA MÊME LIBRAIRIE

1009-12. — Coulommiers. Imp. PAUL BRODARD. — 7-12.